C

Ensayo

Memorias

Patti Smith

Éramos unos niños

Traducción de
Rosa Pérez

DEBOLS!LLO

Papel certificado por el Forest Stewardship Council®

MIXTO
Papel procedente de
fuentes responsables
FSC® C117695
www.fsc.org

Penguin
Random House
Grupo Editorial

Título original: *Just Kids*

Primera edición con esta portada: octubre de 2015
Décimoprimera reimpresión: junio de 2021

© 2010, Patti Smith
© 2010, de la presente edición en castellano para todo el mundo:
Penguin Random House Grupo Editorial, S. A. U.
Travessera de Gràcia, 47-49. 08021 Barcelona
© 2010, Rosa Pérez Pérez, por la traducción
Diseño de la cubierta: Penguin Random House Grupo Editorial
Fotografía de la cubierta: © Norman Seeff

Printed in Spain – Impreso en España

ISBN: 978-84-9989-445-4
Depósito legal: B-26.205-2012

Compuesto en Fotocomposición 2000, S. A.

Impreso en Liberdúplex
Sant Llorenç d'Hortons (Barcelona)

P 9 9 4 4 5 B

Muchas cosas se han dicho acerca de Robert, y se dirán muchas más. Los chicos adoptarán sus andares. Las chicas se pondrán vestidos blancos y llorarán la pérdida de sus rizos. Lo condenarán y lo adorarán. Censurarán o idealizarán sus excesos. Al final, la verdad se hallará en su obra, la esencia corpórea del artista. No se deteriorará. El hombre no puede juzgarla. Porque el arte alude a Dios y, en última instancia, le pertenece.

Prólogo

Yo estaba durmiendo cuando él murió. Había llamado al hospital para desearle las buenas noches como siempre, pero la morfina lo había dejado inconsciente. Me quedé escuchando su respiración fatigosa, sabiendo que ya nunca volvería a oírlo.

Más tarde, me puse a ordenar mis cosas, mi cuaderno y pluma estilográfica. El tintero azul cobalto que había sido suyo. Mi taza de té, mi corazón morado, una bandeja con dientes de leche. Subí los peldaños despacio, contándolos, los catorce, uno a uno. Arropé a mi hija en su cuna, besé a mi hijo dormido. Luego me acosté junto a mi marido y recé mis oraciones. «Sigue vivo», recuerdo que susurré. Luego, me dormí.

Me desperté temprano y, al bajar las escaleras, supe que había muerto. Reinaba un silencio casi absoluto, quebrado únicamente por el sonido del televisor, que se había quedado encendido durante la noche. Emitían un programa cultural. Se oía una ópera. La pantalla captó mi atención cuando Tosca anunció, con fuerza y dolor, su pasión por el pintor Cavaradossi. Era una fría mañana de marzo y me puse el jersey.

Subí las persianas y el estudio se inundó de luz. Alisé la gruesa tela de lino que cubría mi sillón, escogí un libro de pinturas de Odilon Redon y lo abrí por la imagen de una cabeza de mujer que flota en una franja de mar. *Les yeux clos.* Un universo aún por descubrir contenido bajo sus pálidos párpados. Sonó el teléfono y me levanté a cogerlo.

Era Edward, el hermano menor de Robert. Me dijo que había dado a Robert un último beso de mi parte, como había prometido. Me quedé inmóvil, paralizada; luego, despacio, como si estuviera inmersa en un sueño, volví a sentarme. En aquel instante, Tosca comenzó la magnífica aria «Vissi d'arte». «He vivido para el amor, he vivido para el arte.» Cerré los ojos y entrelacé las manos. La Providencia había dictado cómo sería mi despedida.

Nacidos en lunes

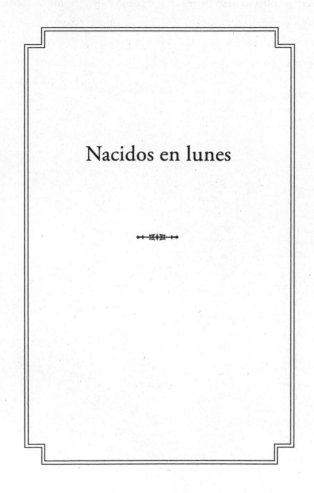

Cuando era pequeña, mi madre me llevaba de paseo por el parque Humboldt, junto a la orilla del río Prairie. Tengo recuerdos borrosos, semejantes a huellas dactilares en platos de cristal, de un viejo cobertizo para barcos, una glorieta circular, un puente de piedra con arcos. El río desembocaba en una vasta laguna y en su superficie presencié un milagro singular. Un largo cuello curvo se alzó de un vestido de plumas blancas.

«Cisne», dijo mi madre, percibiendo mi emoción. El ave golpeteó el agua resplandeciente con sus grandes alas y alzó el vuelo.

La palabra en sí apenas dio fe de su grandeza ni transmitió la emoción que me produjo. Su imagen me generó un deseo para el que no tenía palabras, un deseo de hablar del cisne, de decir algo acerca de su blancura, la naturaleza explosiva de su movimiento y la lentitud con que había batido las alas.

El cisne se fundió con el cielo. Me esforcé por hallar palabras que expresaran mi noción de él. «Cisne», repetí, no enteramente satisfecha, y sentí un cosquilleo, un anhelo curioso, imperceptible para los transeúntes, mi madre, los árboles o las nubes.

━◆━

Nací un lunes, en el North Side de Chicago durante la gran nevada de 1946. Me adelanté un día, porque los niños nacidos en la víspera de

Año Nuevo salían del hospital con un frigorífico nuevo. Pese a sus esfuerzos por no dejarme salir, mi madre comenzó a tener fuertes dolores de parto mientras el taxi atravesaba a paso de tortuga la ventisca que azotaba el lago Michigan. A decir de mi padre, nací larga, flaca y aquejada de bronconeumonía, y él me mantuvo con vida sosteniéndome sobre una bañera humeante.

Me siguió mi hermana Linda, que también nació durante una nevada en 1948. Por necesidad, me vi obligada a despabilarme muy pronto. Mi madre planchaba para otros mientras yo permanecía sentada en las escaleras de nuestra pensión, esperando al heladero y los pocos carros de caballos que aún quedaban. El heladero me daba pedacitos de hielo envueltos en papel de estraza. Yo me metía uno en el bolsillo para mi hermana menor, pero, cuando más adelante iba a sacarlo, descubría que ya no estaba.

Al quedarse mi madre embarazada de mi hermano, Todd, abandonamos nuestro estrecho alojamiento de Logan Square y nos mudamos a Germantown, en Pensilvania. Durante los años siguientes, habitamos en viviendas temporales para militares y sus hijos: barracones encalados con vistas a un campo abandonado rebosante de flores silvestres. Lo llamábamos La Parcela y en verano los adultos charlaban, fumaban y se pasaban jarras de vino de diente de león mientras los niños jugábamos. Mi madre nos enseñó los juegos de su infancia: las estatuas, el Martín pescador y Simón dice. Hacíamos guirnaldas de margaritas para adornarnos el cuello y la cabeza. Por la noche, recogíamos luciérnagas en botes de conserva, les extraíamos la luz y nos hacíamos anillos.

Mi madre me enseñó a rezar; me enseñó la oración que su madre le había enseñado a ella. *Now I lay me down to sleep, I pray the Lord my soul to keep:* «Ahora que me acuesto, ruego al Señor que vele por mi alma». Al anochecer, me arrodillaba delante de mi camita mientras ella, con su omnipresente cigarrillo, me escuchaba recitarla. Nada me gustaba más que decir mis oraciones, pero aquellas palabras me inquietaban y la acosaba a preguntas. ¿Qué es el alma? ¿De qué color es? Yo sospechaba que mi alma, como era traviesa, podía escabullirse mientras soñaba y no regresar. Hacía todo lo posible por no quedarme dormida, para mantenerla dentro de mí, donde debía estar.

Quizá para satisfacer mi curiosidad, mi madre me apuntó a catequesis. A fuerza de repetir aprendíamos versículos de la Biblia y las palabras de Jesús. Después nos colocaban en fila y nos recompensaban con una cucharada de miel. Solo había una cuchara para servir a un montón de niños con tos. Yo rehuía la cuchara de forma instintiva, pero enseguida acepté la noción de Dios. Me gustaba imaginarme una presencia por encima de nosotros, en continuo movimiento, como estrellas líquidas.

No satisfecha con mi oración infantil, pronto pedí a mi madre que me dejara inventar las mías. Fue un alivio no tener que seguir repitiendo las palabras *If I should die before I wake, I pray the Lord my soul to take* y poder expresar, en cambio, lo que tenía en el corazón. Acostada en mi cama junto a la estufa de carbón, me sentía libre para murmurar largas cartas a Dios. No dormía mucho y debí de irritarlo con mis interminables promesas, visiones y proyectos. Pero, conforme pasó el tiempo, terminé experimentando una clase distinta de oración, una oración silenciosa que requería escuchar más que hablar.

Mi riachuelo de palabras se disipó en una compleja noción de expansión y alejamiento. Fue mi entrada en el fulgor de la imaginación. Aquel proceso se acentuó con los estados febriles debidos a la gripe, el sarampión, la varicela y las paperas. Contraje todas aquellas enfermedades y, con cada una, tuve el privilegio de alcanzar un nuevo grado de conciencia. En profunda comunión conmigo misma, mientras la simetría de un copo de nieve giraba sobre mí y se intensificaba a través de los párpados cerrados, accedía a una visión del más alto valor, un fragmento del calidoscopio celestial.

Poco a poco, mi amor por los libros fue desbancando mi amor por la oración. Me quedaba sentada a los pies de mi madre, viéndola tomar café y fumar con un libro en el regazo. Su ensimismamiento me fascinaba. Aunque aún no iba a la guardería, me gustaba mirar sus libros, acariciar las páginas y levantar el papel de seda que protegía los frontispicios. Quería saber qué contenían, qué captaba tanto su atención. Cuando mi madre descubrió que había escondido su tomo carmesí de *El libro de los mártires* de John Foxe debajo de mi almohada, con la esperanza de absorber su significado, se sentó conmigo y comenzó el laborioso proceso de enseñarme a leer. Con sumo esfuerzo, pasamos de la mamá Gansa a los cuentos de Dr. Seuss. Cuando ya no necesité más instrucción, me permitía unirme a ella en nuestro duro sofá mientras leía *Las sandalias del pescador* y *Las zapatillas rojas*.

Leer me apasionaba. Anhelaba leerlo todo, y lo que leía me creaba nuevos anhelos. A veces me iba a África y ofrecía mis servicios a Albert Schweitzer o, engalanada con mi gorro de piel de mapache y mi polvorera de cuerno, defendía al pueblo como Davy Crockett. Podía escalar el Himalaya y vivir en una cueva donde haría girar una rueda de oración para mantener la tierra en movimiento. Pero la necesidad de expresarme era mi deseo más fuerte, y mis hermanos fueron los primeros que conspiraron conmigo para sacar partido a mi imaginación. Escucharon atentamente mis historias, se prestaron a actuar en mis obras de teatro y combatieron en mis guerras con arrojo. Con ellos de mi parte, cualquier cosa parecía posible.

En los meses de primavera, estaba enferma a menudo y me vi obligada a guardar cama mientras oía jugar a mis camaradas al otro lado de la ventana. En los meses de verano, los más pequeños me informaban de cuánta parte de nuestro campo sin arar habíamos ganado al enemigo mientras yo seguía enferma. Perdimos muchas batallas en mi ausencia, y mis cansadas tropas se reunían alrededor de mi cama para que yo las bendijera con nuestra biblia infantil, *Jardín de versos para niños* de Robert Louis Stevenson.

En invierno, construimos fuertes en la nieve y yo capitaneé nuestra campaña, trazando mapas y elaborando estrategias de ataque y retirada. Libramos las guerras de nuestros abuelos irlandeses. Entre naranjas y verdes. Íbamos de naranja, pero desconocíamos su significado. Solo era nuestro color. Cuando la atención decaía, yo instauraba una tregua y visitaba a mi amiga Stephanie. Se estaba recuperando de una enfermedad que yo no comprendía, una forma de leucemia. Era mayor que yo. Debía de tener doce años, mientras que yo tenía ocho. Yo no tenía mucho que decirle y puede que no le fuera de mucho consuelo, pero ella parecía disfrutar con mi compañía. En realidad, creo que lo que me inducía a visitarla no era mi buen corazón, sino mi fascinación por sus cosas. Su hermana mayor colgaba mi ropa mojada y nos traía una bandeja con chocolate caliente y galletas. Stephanie se recostaba en un montículo de almohadones y yo le contaba cuentos y le leía tebeos.

Me maravillaba su extensa colección de tebeos, fruto de una infancia pasada en la cama, que incluía todos los números de *Superman*, *La pequeña Lulú*, *Classic Comics* y *House of Mystery*. Su vieja caja de puros contenía todos los colgantes clásicos en 1953: una ruleta, una máquina de escribir, una patinadora sobre hielo, el caballo rojo alado de Exxon Mobil, la torre Eiffel, una zapatilla de bailarina y colgantes con la forma de los cuarenta y ocho estados de Estados Unidos. Nunca me cansaba de jugar con ellos y en ocasiones, si tenía alguno repetido, Stephanie me lo regalaba.

Yo tenía un escondite secreto cerca de mi cama, bajo las tablas del suelo. En él guardaba mi alijo, lo que ganaba jugando a las canicas, cromos, objetos religiosos que rescataba de cubos de la basura católicos: viejas estampas, raídos escapularios, santos de escayola con las manos y los pies mellados. Metía allí el botín de Stephanie. Algo me decía que no debería aceptar regalos de una niña enferma, pero yo lo hacía y los escondía, un poco avergonzada.

Había prometido visitarla el día de San Valentín, pero no lo hice.

Mis deberes como general de mi ejército de hermanos y niños del vecindario eran agotadores y había mucha nieve que franquear. Fue un invierno crudo el de aquel año. Al día siguiente, abandoné mi puesto para pasar la tarde con ella y tomar chocolate caliente. Stephanie estuvo muy callada y me suplicó que me quedara aunque se durmiera.

Hurgué en su joyero. Era de color rosa y, cuando lo abrías, una bailarina daba vueltas como el hada de los confites. Dentro, había un alfiler de una patinadora y me fascinó tanto que me lo metí en la manopla. Me quedé sentada junto a Stephanie durante mucho rato, paralizada, y me marché con sigilo mientras dormía. Guardé el alfiler en mi escondrijo. Esa noche, mis remordimientos por lo que había hecho me despertaron muchas veces. Por la mañana, estaba demasiado enferma para ir a clase y me quedé en la cama, atormentada por la culpa. Prometí devolver el alfiler y pedirle perdón.

Al día siguiente era el cumpleaños de mi hermana Linda, pero no hubo ninguna fiesta en su honor. El estado de Stephanie se había agravado y mis padres fueron a donar sangre al hospital. Cuando regresaron, mi padre estaba llorando y mi madre se arrodilló junto a mí para decirme que Stephanie había muerto. Su dolor enseguida se trocó en preocupación cuando me tocó la frente. Yo tenía muchísima fiebre.

Pusieron nuestro piso en cuarentena. Había contraído la escarlatina. En los años cincuenta, era una enfermedad muy temida porque a menudo evolucionaba en una forma mortal de fiebre reumática. Pintaron de amarillo la puerta de nuestro piso. Confinada en la cama, no pude asistir al funeral de Stephanie. Su madre me trajo montones de tebeos y la caja de puros que contenía sus colgantes. Ahora que tenía todos sus tesoros, estaba demasiado enferma para mirarlos siquiera. Fue entonces cuando conocí el peso del pecado, incluso de un pecado tan nimio como robar un alfiler de una patinadora. Reflexioné sobre el hecho de que, por muy buena que ansiara ser, jamás obtendría el perdón de Stephanie. Pero, mientras estuve en cama noche tras noche, se me ocurrió que a lo mejor era posible hablar con ella rezándole o, al menos, pedir a Dios que intercediera por mí.

A Robert le fascinaba aquella historia y, a veces, en un domingo frío y lánguido, me suplicaba que se la volviera a contar. «Quiero volver a escuchar la historia de Stephanie», decía. Yo no omitía ningún detalle en las largas mañanas que pasábamos bajo las mantas entreteniéndonos con las historias de mi infancia, con sus pesares y su magia, para intentar olvidar el hambre. Y siempre, cuando llegaba a la parte en que abría el joyero, él gritaba: «Patti, no...».

Solíamos reírnos de cuando éramos pequeños. Decíamos que yo había sido una niña mala que intentaba ser buena y él un niño bueno que intentaba ser malo. A lo largo de los años, aquellos papeles se fueron invirtiendo hasta que terminamos aceptando nuestra doble naturaleza. Albergábamos principios opuestos, luz y oscuridad.

Yo era una niña soñadora y sonámbula. Irritaba a mis profesores con mi precoz capacidad lectora unida a una incapacidad para aplicarla a nada que ellos consideraran práctico. Todos acababan diciendo que fantaseaba demasiado, que siempre tenía la cabeza en otro sitio. No sé dónde estaría ese sitio, pero yo a menudo terminaba en el rincón, sentada en una banqueta a la vista de todos con un sombrero cónico de papel.

Más adelante, hice a Robert dibujos grandes y muy detallados de aquellos cómicos momentos de humillación. Él disfrutaba con ellos y parecía valorar todas las cualidades que repugnaban a otros o los alejaban de mí. A través de aquel diálogo visual, mis recuerdos de infancia se hicieron suyos.

— ‹‡› —

Me disgusté cuando nos echaron de La Parcela y nos vimos obligados a hacer las maletas para comenzar una nueva vida en el sur de Nueva Jersey. Mi madre tuvo su cuarto hijo, una niñita enfermiza pero alegre llamada Kimberly a cuya crianza contribuimos todos. Yo me sentía aislada y desconectada en los humedales, melocotonares y granjas porcinas circundantes. Me sumergí en los libros y en el proyecto de una enciclopedia de la que solo redacté la entrada para Simón Bolívar. Mi padre me inició en la ciencia ficción y, durante un tiempo, lo acompañé al salón de baile country local, desde donde buscaba ovnis en el cielo mientras se cuestionaba el origen de nuestra existencia.

Cuando tenía apenas once años, nada me complacía más que dar largos paseos con mi perro por el bosque circundante. Había arísaros, mirtos y col fétida por doquier, brotando de la roja tierra arcillosa. Yo buscaba un buen sitio para estar un poco en soledad, para detenerme y apoyar la cabeza en un tronco caído junto a un arroyo repleto de renacuajos.

En verano, con mi hermano y leal teniente Todd, reptábamos por los polvorientos campos próximos a las canteras. Mi obediente hermana estaba en su puesto, lista para vendarnos las heridas y darnos de beber con la cantimplora del ejército de mi padre.

En un día así, cuando regresaba renqueando a la retaguardia bajo un sol de justicia, mi madre me abordó.

—¡Patricia —me reprendió—, ponte una camiseta!

—Hace demasiado calor —me quejé—. Nadie más lleva camiseta.

—Haga o no calor, ya es hora de que empieces a ponerte camiseta. Estás a punto de convertirte en una señorita.

Yo protesté con vehemencia y anuncié que no iba a convertirme nunca en nada salvo en mí misma, que pertenecía al clan de Peter Pan y nosotros no nos hacíamos adultos.

Mi madre ganó la discusión y me puse la camiseta, pero no puedo ni decir lo traidora que me sentí en aquel momento. Observé tristemente a mi madre mientras realizaba sus tareas femeninas, fijándome en su voluptuoso cuerpo de mujer. Todo parecía ser contrario a mi naturaleza. El penetrante olor de su perfume y el color rojo de su barra de labios, tan fuerte en los años cincuenta, me repugnaban. Ella era la mensajera y también el mensaje. Aturdida y altiva, con mi perro al lado, soñé con viajar. Con huir y alistarme en la Legión Extranjera, con ser ascendida y atravesar el desierto con mis hombres.

Hallé consuelo en los libros. Curiosamente, fue Louisa May Alcott quien me procuró una perspectiva positiva de mi destino como mujer. Jo, la chicazo de las cuatro hermanas March en *Mujercitas*, escribe para contribuir al sostén de su familia, que está pasando graves apuros económicos durante la guerra de Secesión. Llena páginas enteras de sus desordenados garabatos, más adelante publicados en la sección literaria del periódico local. Ella me dio valor para fijarme una nueva meta y pronto estaba ideando cuentecitos y contando largos relatos a mis hermanos. A partir de entonces, acaricié la idea de que un día escribiría un libro.

Al año siguiente, mi padre hizo la excepción de llevarnos al Museo de Arte de Filadelfia. Mis padres trabajaban mucho, y llevar a cuatro niños a Filadelfia en autobús resultó caro y agotador. Fue la única salida de aquella clase que hicimos en familia y la primera vez que me encontré cara a cara con el arte. Sentí cierta identificación física con los largos y lánguidos Modiglianis; me conmovieron los elegantes bodegones de Sargent y Thomas Eakins; me deslumbró la luz que emanaba de los impresionistas. Pero fueron las obras de una sala dedicada a Picasso, de sus arlequines a su cubismo, lo que más hondo me caló. Su confianza brutal me dejó sin respiración.

Mi padre admiraba la calidad técnica y el simbolismo de la obra de Salvador Dalí, pero no veía ningún mérito en Picasso, lo cual motivó nuestro primer desacuerdo serio. Mi madre se ocupó de reunir a mis hermanos, que estaban deslizándose por los impecables suelos de mármol. Sé que, mientras bajábamos la suntuosa escalera en fila india, yo parecía la misma de siempre, una niña de doce años carilarga y desgarbada. Pero, en mi fuero interno, sabía que me había transformado, conmovida por la revelación de que los seres humanos crean arte, de que ser artista era ver lo que otros no podían ver.

Pese a mi deseo, nada me indicaba que tuviera vocación de artista. Me imaginaba que sentía la llamada y rezaba para que así fuera. Pero una noche, mientras veía *La canción de Bernadette* protagonizada por Jennifer Jones, me fijé en que la joven santa no pedía tener vocación religiosa. Era la madre superiora quien ansiaba la santidad, aunque la elegida fuera Bernadette, una humilde campesina. Aquello me preocupó. Me planteé si estaba destinada a ser artista. No me importaban los sufrimientos de tener vocación, sino carecer de ella.

Di un estirón. Medía casi un metro setenta y pesaba poco más de cuarenta y cinco kilos. A los catorce años, ya no era comandante de un ejército reducido pero leal, sino una adolescente delgaducha marginada y ridiculizada por sus compañeros. Me sumergí en los libros y el rock and roll, la salvación de los adolescentes en 1961. Mis padres trabajaban de noche. Cuando terminábamos nuestras tareas y deberes, Toddy, Linda y yo bailábamos al ritmo de músicos como James Brown, The Shirelles y Hank Ballard & The Midnighters. Con toda modestia puedo decir que éramos tan buenos en la pista de baile como lo habíamos sido en el campo de batalla.

Yo dibujaba, bailaba y escribía poemas. No tenía talento, pero era imaginativa y mis profesores me animaban. Cuando gané un concurso patrocinado por la tienda de pinturas local Sherwin-Williams, mi obra se expuso en el escaparate y con el dinero del premio me compré una caja de pinturas al óleo. Arrasé bibliotecas y bazares en busca de libros de arte. Por aquel entonces se podían encontrar volúmenes bonitos por una miseria, y yo era feliz habitando en el mundo de Modigliani, Dubuffet, Picasso, Fra Angelico y Albert Ryder.

Cuando cumplí dieciséis años, mi madre me regaló *La fabulosa vida de Diego Rivera*. Me quedé extasiada con el tamaño de sus murales, las descripciones de sus viajes y tribulaciones, sus amores y fatigas. Ese verano, conseguí un empleo en una fábrica no sindicada que consistía en inspeccionar manillares de triciclos. Era un lugar espantoso.

Me refugiaba en mis ensoñaciones mientras trabajaba a destajo. Suspiraba por ingresar en el círculo de los artistas: su hambre, su modo de vestir, su proceso creativo y sus oraciones. Solía jactarme de que un día iba a ser la amante de un artista. A mi mente juvenil, nada le parecía más romántico. Me imaginaba como Frida para Diego, musa tanto como creadora. Soñaba con conocer a un artista a quien amar y apoyar, con el cual trabajaría codo con codo.

※

Robert Michael Mapplethorpe nació un lunes, el 4 de noviembre de 1946. Criado en Floral Park, Long Island, el tercero de seis hijos, fue un niño travieso cuya despreocupada juventud estuvo teñida de una exquisita fascinación por la belleza. Sus tiernos ojos captaban todos los juegos de luces, el centelleo de una joya, los suntuosos adornos de un altar, el lustre de un saxofón dorado o un campo de estrellas azules. Era refinado, tímido y meticuloso. Tenía, incluso de pequeño, una pasión innata y ganas de apasionar.

La luz bañaba las páginas de su cuaderno para colorear, sus manos infantiles. Colorear lo estimulaba, no el acto de rellenar el espacio, sino escoger colores que nadie más elegiría. En el verde de las colinas él veía rojo. Nieve morada, piel verde, sol plateado. Le gustaba el efecto que aquello causaba en los demás, que perturbara a sus hermanos. Descubrió que tenía talento para hacer bocetos. Era un dibujante nato y tergiversaba y abstraía sus imágenes en secreto, percibiendo sus crecientes facultades. Era artista y lo sabía. No se trataba de una noción infantil. Se limitaba a reconocer lo que era suyo.

La luz bañaba los componentes de su querido maletín para diseñar joyas, los frascos de esmalte y los minúsculos pinceles. Tenía los dedos ágiles. Disfrutaba con su aptitud para montar y decorar broches para su madre. No le preocupaba que fuera un pasatiempo de niñas, que un

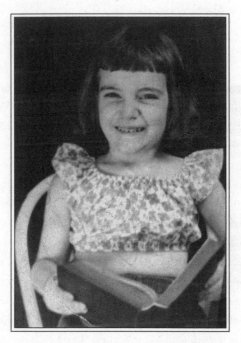

Escuela de enseñanza de la Biblia, Filadelfia

Primera comunión, Floral Park, Long Island

maletín para diseñar joyas fuera un regalo navideño tradicional para una niña. Su hermano mayor, un as de los deportes, se reía de él mientras trabajaba. Su madre, Joan, fumaba un cigarrillo tras otro y admiraba la imagen de su hijo sentado a la mesa, ocupado en diseñarle otro collar más de diminutas cuentas indias. Aquellos collares fueron precursores de los que él llevaría más adelante, cuando hubo roto con su padre y abandonado sus opciones católica, empresarial y militar como consecuencia de las experiencias psicodélicas y su compromiso de vivir únicamente para el arte.

Aquella ruptura no fue fácil para Robert. No podía negar lo que tenía dentro, pero también quería complacer a sus padres. Robert rara vez hablaba de su infancia o familia. Siempre decía que lo habían educado bien, que nunca le había faltado de nada en el aspecto material. Pero siempre reprimía sus verdaderos sentimientos, imitando el carácter estoico de su padre.

Su madre soñaba con que se ordenara sacerdote. A él le gustaba ser monaguillo, pero lo disfrutaba sobre todo porque le permitía acceder a lugares secretos, la sacristía, las cámaras prohibidas, las sotanas y los rituales. No tenía una relación religiosa ni piadosa con la Iglesia, sino estética. La emoción de la batalla entre el bien y el mal le atraía, quizá porque reflejaba su conflicto interno y ponía de manifiesto una línea que tal vez necesitaría cruzar. Pese a ello, en su primera comunión estuvo orgulloso de haber cumplido aquel sacro cometido y le gustó ser el foco de atención. Lucía un enorme lazo blanco como los de Baudelaire y un brazalete idéntico al que había llevado un Arthur Rimbaud muy altivo.

No había ningún rastro de cultura o desorden bohemio en la casa de sus padres. Estaba limpia y ordenada y era un ejemplo de la mentalidad burguesa de la posguerra, las revistas en el revistero, las joyas en el joyero. Su padre, Harry, podía ser severo y crítico y Robert heredó tales cualidades de él, así como sus dedos fuertes y sensibles. De su madre había heredado el sentido del orden y una sonrisa torcida que siempre hacía pensar que tenía un secreto.

Había unos cuantos dibujos de Robert colgados en la pared del pasillo. Mientras vivió con sus padres, hizo todo lo posible por ser un hijo obediente e incluso eligió los estudios que exigía su padre: publicidad. Si descubría alguna cosa por su cuenta, se la guardaba para sí.

A Robert le encantaba oír mis aventuras de infancia, pero, cuando yo le preguntaba por las suyas, tenía poco que decir. Respondía que su familia nunca conversaba mucho, ni leía ni compartía sentimientos íntimos. No tenían una mitología colectiva; una historia de traiciones, tesoros y fuertes en la nieve. Era una existencia segura, pero no una vida de cuento de hadas.

«Mi familia eres tú», decía.

✳

Cuando era adolescente, me metí en problemas.

En 1966, a finales del verano, me acosté con un chico incluso más inexperto que yo y concebimos de forma instantánea. Consulté a un médico, que no se tomó en serio mi preocupación y me despidió con un sermón un poco confuso sobre el ciclo femenino. Pero, conforme pasaban las semanas, supe que estaba encinta.

Me eduqué en una época en que el sexo y el matrimonio eran sinónimos. No se podían conseguir anticonceptivos y, a mis diecinueve años, yo aún era ingenua con respecto al sexo. Nuestra unión fue brevísima; tan tierna que no estaba totalmente segura de que hubiéramos consumado nuestro afecto. Pero la naturaleza, con toda su fuerza, tendría la última palabra. La ironía de que yo, que jamás había querido ser chica ni adulta, me encontrara en aquel apuro no se me escapaba. La naturaleza me había dado una lección de humildad.

El chico, que solo tenía diecisiete años, era tan inexperto que difícilmente se le podían pedir responsabilidades. Iba a tener que ocuparme de todo sola. El día de Acción de Gracias por la mañana, me quedé sentada en la cama plegable del cuarto de la ropa de mis padres. Allí era donde dormía los veranos que trabajaba en la fábrica y el resto del año mientras estudiaba en la facultad de magisterio de Glassboro. Oí a mis padres haciendo café y las risas de mis hermanos cuando se sentaron a la mesa. Yo era la mayor y el orgullo de la familia porque estaba en la universidad. A mi padre le preocupaba que no fuera lo bastante atractiva para encontrar marido y pensaba que la docencia me proporcionaría seguridad. Sería un duro golpe para él si no terminaba mis estudios.

Me quedé mucho tiempo sentada, mirándome las manos apoyadas en la barriga. Había eximido al muchacho de toda responsabilidad. Él era como una mariposa nocturna que pugnaba por salir del capullo y yo no tenía valor para perturbar su torpe salida al mundo. Sabía que él no podía hacer nada. También sabía que yo era incapaz de hacerme cargo de un bebé. Había pedido ayuda a una benévola profesora y ella había encontrado un matrimonio culto que suspiraba por tener un hijo.

Inspeccioné mi cuarto: una lavadora y secadora, una gran cesta de mimbre rebosante de ropa blanca sin lavar, las camisas de mi padre dobladas en la tabla de planchar. Había una mesita donde había colocado mis lápices, mi cuaderno de dibujo y el libro *Iluminaciones*. Seguí sentada, preparándome para enfrentarme a mis padres, rezando para mis adentros. Por un instante, sentí que me podía morir, pero, con la misma inmediatez, supe que todo iría bien.

Es imposible describir la inesperada calma que me invadió. La arrolladora sensación de que tenía un objetivo en la vida eclipsó mis temores. La atribuí al bebé. Imaginé que entendía mi situación. Me sentía totalmente dueña de mí misma. Cumpliría con mi deber y me mantendría fuerte y sana. Jamás miraría atrás. No regresaría a la fábrica ni a la facultad de magisterio. Sería una artista. Demostraría mi valía. Con aquel nuevo propósito, me levanté y fui a la cocina.

Me echaron de la facultad, pero ya no me importaba. Sabía que no estaba destinada a ser maestra, aunque me parecía una ocupación admirable. Continué viviendo en el cuarto de la ropa.

Mi compañera de la facultad, Janet Hamill, me levantó el ánimo. Había perdido a su madre y vino a vivir con mi familia. Compartí con ella mi reducido espacio. Las dos teníamos nobles ideales, pero también pasión por el rock and roll, y nos pasábamos las noches comparando a los Beatles con los Rolling Stones. Habíamos hecho cola durante horas en Sam Goody para comprar *Blonde on Blonde* y buscado por toda Filadelfia un pañuelo como el que Bob Dylan llevaba en la carátula. Encendimos una vela por él cuando tuvo su accidente de motocicleta. Nos tumbamos en la hierba para escuchar «Light My Fire» en la radio del abollado coche de Janet, aparcado en la cuneta con las puertas abiertas. Nos cortamos las faldas largas igual que la mini de Vanessa Redgrave en *Blow-Up* y buscamos gabanes en tiendas de segunda mano como los que llevaban Oscar Wilde y Baudelaire.

Janet fue mi leal amiga durante mi primer trimestre de embarazo, pero llegó un momento en que tuve que buscar refugio en otra parte. Los vecinos puritanos hacían la vida imposible a mis padres, tratándolos como si estuvieran cobijando a una delincuente. Encontré una familia sustituta, también apellidada Smith, más al sur, junto al mar. Un pintor y su esposa ceramista me acogieron amablemente. Tenían un hijo pequeño y el suyo era un entorno disciplinado pero amoroso, regido por la comida macrobiótica, la música clásica y el arte. Yo me sentía sola, pero Janet me visitaba siempre que podía. Tenía algo de dinero para mis gastos. Todos los domingos daba un largo paseo por la playa hasta un bar desierto para tomarme un café y un bollo relleno de mermelada, dos cosas prohibidas en un hogar gobernado por los alimentos sanos. Saboreaba aquellos pequeños lujos y metía veinticinco centavos en la máquina de discos para escuchar «Strawberry Fields» tres veces seguidas. Era mi ritual particular y las palabras y la voz de John Lennon me daban fuerzas cuando vacilaba.

Después de Semana Santa, mis padres vinieron a buscarme. Mi parto coincidía con la luna llena. Me llevaron al hospital de Camden. Debido a mi soltería, las enfermeras fueron extremadamente crueles e indiferentes y me dejaron en una camilla durante varias horas antes de informar al médico de que estaba de parto. Se burlaron de mí por mi pinta de beatnik y mi conducta inmoral. Me llamaron «hija de Drácula» y amenazaron con cortarme la larga melena negra. Cuando llegó el médico, se enfadó mucho. Lo oí gritar a las enfermeras que el niño venía de nalgas y no deberían haberme dejado sola. Mientras tenía fuertes contracciones, por una ventana abierta oí a niños cantando a cappella. Armonía a cuatro voces en las calles de Camden, Nueva Jersey. Cuando la anestesia me hizo efecto, lo último que recuerdo es la cara de preocupación del médico y los susurros de sus ayudantes.

Mi hijo nació en el aniversario del bombardeo de Guernica. Recuerdo que pensé en el cuadro, una mujer que llora con su hijo muerto en brazos. Aunque mis brazos estarían vacíos y había llorado, mi hijo viviría, estaba sano y cuidarían bien de él. Confiaba y creía en aquello con toda mi alma.

El día de los Caídos cogí un autobús a Filadelfia para visitar la estatua de Juana de Arco próxima al Museo de Arte. No había ido a verla en mi primera visita a Filadelfia cuando era pequeña. Qué hermosa estaba a lomos de su caballo, alzando su estandarte hacia el sol, una adolescente que restituyó en el trono a su rey encarcelado solo para ser traicionada y quemada en la hoguera ese mismo día. La joven Juana de Arco, a quien yo había conocido a través de los libros, y el hijo a quien no conocería jamás. Prometí a los dos que haría algo con mi vida y cogí el autobús de vuelta, parándome en Camden para comprarme una larga gabardina gris en la tienda de beneficencia de Goodwill Industries.

❋

Ese mismo día, en Brooklyn, Robert se colocó con LSD. Ordenó su área de trabajo y puso su cuaderno y lápices de dibujo en una mesa baja con un cojín para sentarse. Extendió una lámina de papel revestido de arcilla en la mesa. Sabía que a lo mejor no podía dibujar cuando el ácido le subiera, pero quería tener sus instrumentos cerca por si los necesitaba. Ya había intentado trabajar bajo los efectos del LSD, pero aquello lo conducía hacia espacios negativos, zonas que, normalmente, tenía la fortaleza de eludir. A menudo, la belleza que contemplaba era un engaño y su producto resultaba agresivo y desagradable. No se planteaba qué significaba aquello. Solo era así.

Al principio, el LSD le pareció inofensivo y eso lo decepcionó, porque había tomado más que de costumbre. Había pasado por la fase de anticipación y agitación nerviosa. Le encantaba aquella sensación. Identificó la emoción y el temor que notaba en el estómago. Solía experimentarlos cuando era monaguillo y, vestido con su sotanita, esperaba tras las cortinas de terciopelo cargado con la cruz, listo para marchar en procesión.

Pensó que no iba a suceder nada.

Enderezó un marco dorado sobre la repisa de la chimenea. Percibió la sangre corriéndole por las venas, atravesándole la muñeca y los relucientes bordes del puño de la camisa. Percibió la habitación en planos, sirenas y ladridos de perros, la pulsación de las paredes. Advirtió que estaba apretando los dientes. Percibió su propia respiración como la respiración de un dios moribundo. Una lucidez terrible se apoderó de él; una fuerza paralizante que lo postró de rodillas. Ante él se desplegó un hilo de recuerdos como arropía: rostros acusadores de compañeros cadetes, agua bendita que inundaba la letrina, compañeros de clase que pasaban como perros indiferentes, la desaprobación de su padre, su expulsión del Cuerpo de Adiestramiento de Oficiales de la Reserva y las lágrimas de su madre, cuya soledad se mezcló con el apocalipsis de su mundo.

Intentó levantarse. Se le habían dormido las piernas. Consiguió ponerse en pie y se las restregó. Tenía las venas de las manos hinchadísimas. Se quitó la camisa húmeda y empapada de luz para mudar las pieles que lo encarcelaban.

Miró la lámina extendida en su mesa. Vio la obra, aunque no estuviera dibujada aún. Se agachó y trabajó con seguridad bajo los últimos rayos de luz vespertina. Hizo dos dibujos, inseguros y amorfos. Escribió las palabras que había visto y percibió la gravedad de lo que había escrito: «Destrucción del universo. 30 de mayo de 1967».

«Está bien», pensó, con cierta tristeza. Porque nadie vería lo que había visto él, nadie lo comprendería. Estaba habituado a aquella sensación. La tenía desde que nació, pero, antes, había intentado compensarla, como si fuera culpa suya. Lo había hecho con su carácter dulce, buscando la aprobación de su padre, sus profesores, sus compañeros.

No sabía a ciencia cierta si era buena o mala persona. Si era altruista. Si era demoníaco. Pero de una cosa estaba seguro: era un artista. Y por eso no se disculparía jamás. Se apoyó en una pared y se fumó un cigarrillo. Se sentía envuelto en claridad, un poco tembloroso, pero sabía que aquello solo era físico. Estaba comenzando a notar otra sensación para la que no tenía nombre. Se sentía dueño de su vida. Ya no volvería a ser un esclavo.

Cuando anocheció, advirtió que tenía sed. Le apetecía un vaso de leche con cacao. Había un sitio que estaría abierto. Se palpó el bolsillo donde llevaba algunas monedas, dobló la esquina y se dirigió a Myrtle Avenue, sonriendo en la oscuridad.

↦ ≼⧫≽ ↤

En la primavera de 1967 evalué mi vida. Había traído al mundo un hijo sano y lo había puesto bajo la tutela de una familia amorosa y culta. Había dejado mis estudios de magisterio porque carecía de la disciplina, el propósito y el dinero que necesitaba para continuar. Tenía un empleo eventual muy mal pagado en una imprenta de libros de texto de Filadelfia.

Mi preocupación inmediata era decidir mi siguiente paso y pensar en cómo me las iba a arreglar. Abrigaba la esperanza de ser artista, aunque sabía que nunca podría pagarme la escuela de bellas artes y tendría que trabajar. No había nada que me atara a mi hogar, ninguna perspectiva de futuro ni ningún sentimiento de comunidad. Mis padres nos habían educado en una atmósfera de diálogo religioso, de compasión, de derechos civiles, pero el ambiente general del sur rural de Nueva Jersey no era favorable a los artistas. Mis pocos compañeros se habían mudado a Nueva York para escribir poesía y estudiar bellas artes, y yo me sentía muy sola.

Había encontrado consuelo en Arthur Rimbaud, con quien me había tropezado en un quiosco enfrente de la terminal de autobuses de Filadelfia cuando tenía dieciséis años. Su altiva mirada se cruzó con la mía desde la tapa de *Iluminaciones*. Poseía una inteligencia irreverente que me estimulaba y lo adopté como compañero, pariente e incluso amor secreto. Como no tenía los noventa y nueve centavos que costaba el libro, me lo metí en el bolsillo.

Rimbaud tenía las llaves de un lenguaje místico que yo devoraba pese a no poder descifrarlo del todo. Mi amor no correspondido por él era tan real para mí como otras cosas que había experimentado. En la imprenta donde había trabajado con un grupo de austeras mujeres analfabetas, fui hostigada en su nombre. Sospecharon que era comunista por leer un libro en otro idioma y me amenazaron en el retrete para que lo denunciara. Fue aquel ambiente lo que alimentó mi enfado. Por Rimbaud escribí y soñé. Se convirtió en mi arcángel y me salvó del horror de la tediosa vida obrera. Sus manos habían cincelado un manual del paraíso y yo las asía con fuerza. Conocerlo me permitía caminar con la cabeza alta y aquello no me lo podían quitar. Metí mi ejemplar de *Iluminaciones* en una maleta de cuadros. Escaparíamos juntos.

Tenía un plan. Buscaría amigos que estuvieran estudiando en el Instituto Pratt de Brooklyn. Pensé que, si me introducía en su ambiente, aprendería de ellos. Cuando la imprenta de libros de texto me despidió a finales de junio, lo interpreté como la señal de que debía marcharme. En el sur de Nueva Jersey era difícil encontrar empleo. Yo estaba en lista de espera para trabajar en la fábrica de Columbia Records de Pitman y la empresa de sopas Campbell de Camden, pero pensar en cualquiera de los dos empleos me daba náuseas. Tenía dinero suficiente para un billete de ida. Pensaba pasarme por todas las librerías de Nueva York. Me parecía el trabajo ideal. Mi madre, que era camarera, me regaló unos zapatos blancos de tacón bajo y un uniforme nuevo envuelto en papel liso.

«Nunca conseguirás ser camarera —dijo—, pero, aun así, quiero ayudarte.» Fue su manera de mostrarme su apoyo.

Fue la mañana del lunes 3 de julio. Me despedí tan bien como fui capaz, recorrí a pie los casi dos kilómetros hasta Woodbury y cogí un autobús a Filadelfia. Al pasar por mi querido Camden, incliné respetuosamente la cabeza ante la patética fachada del hotel Walt Whitman, antaño próspero. Sentí una punzada de dolor al abandonar aquella ciudad en apuros, pero allí no había trabajo para mí. Iban a cerrar el gran astillero y pronto todo el mundo estaría buscando trabajo.

Me apeé en Market Street y entré en Nedick's, metí veinticinco centavos en la máquina de discos, escuché dos caras de Nina Simone y me tomé un bollo con café de despedida. Me dirigí a Filbert Street y llegué a la terminal de autobuses. Enfrente estaba el quiosco que había frecuentado en los últimos años. Me detuve delante del sitio donde me había metido el Rimbaud en el bolsillo. En su lugar había un estropeado ejemplar de *Amor en la orilla izquierda* con granuladas fotografías en blanco y negro de la vida nocturna parisina de finales de los años cincuenta. Las imágenes de la hermosa Vali Myers, con el pelo alborotado y los ojos perfilados con kohl, bailando en las calles del Barrio Latino, me causaron una profunda impresión. No robé el libro, pero grabé su imagen en mi recuerdo.

Fue un duro golpe que el billete a Nueva York valiera casi el doble que la última vez que había viajado. No pude comprarlo. Me metí en una cabina telefónica para pensar. Fue un momento digno de Clark Kent. Pensé en llamar a mi hermana pese a estar demasiado avergonzada para regresar a casa. Pero, debajo del teléfono, en el estante, encima de las recias páginas amarillas, había un bolso blanco de charol. Contenía un guardapelo y treinta y dos dólares, casi el sueldo de una semana en mi último empleo.

Muy a pesar mío, cogí el dinero, pero dejé el bolso en el mostrador de las taquillas con la esperanza de que su dueña recuperara al menos el guardapelo. En él no había nada que revelara su identidad. Solo puedo dar las gracias, como he hecho tantas veces a lo largo de los años, a aquella benefactora anónima. Fue ella quien me dio el último empujón, un buen augurio para una ladrona. Acepté el regalo del bolsito blanco como una señal de que el destino me alentaba a continuar.

Con veinte años, me subí al autobús. Llevaba el pantalón de peto, un jersey negro de cuello alto y la vieja gabardina gris que había comprado en Camden. Mi maletita, de cuadros rojos y amarillos, contenía algunos lápices de dibujo, un cuaderno, *Iluminaciones*, unas cuantas prendas de ropa y fotografías de mis hermanos. Yo era supersticiosa. Aquel día era lunes; yo había nacido en lunes. Era un buen día para llegar a Nueva York. Nadie me esperaba. Todo me aguardaba.

Cogí inmediatamente el metro de Port Authority a Jay Street y Bo-

rough Hall, y luego a Hoyt-Schermerhorn y DeKalb Avenue. Era una
tarde soleada. Confiaba en que mis amigos pudieran alojarme hasta
que encontrara un sitio. Fui a la dirección que me habían dado, pero se
habían mudado. El nuevo inquilino fue educado. Me señaló una habitación del fondo y sugirió que su compañero de piso podía saber la
nueva dirección.

Entré en la habitación. Había un muchacho dormido encima de
una sencilla cama de hierro. Era pálido y delgado con una oscura mata
de pelo rizado. Tenía el torso desnudo y collares de cuentas alrededor
del cuello. Me quedé quieta. Él abrió los ojos y sonrió.

Cuando le conté mi difícil situación, se levantó de un salto, se puso
las sandalias y una camiseta blanca y me indicó que lo siguiera.

Lo observé mientras caminaba delante de mí, ágil, con las piernas
un poco arqueadas. Me fijé en sus manos mientras se golpeteaba los
muslos con los dedos. Nunca había visto a nadie como él. Me condujo
hasta otra casa de Clinton Avenue, se despidió con un breve saludo,
sonrió y se marchó.

Pasó el día. Esperé a mis amigos. La suerte quiso que no regresaran.
Esa noche, al no tener adónde ir, me quedé dormida en su portal.
Cuando me desperté, era el día de la Independencia, el primero que pasaba lejos de casa, con su desfile, su comida al aire libre para los veteranos y su espectáculo de pirotecnia. Percibí crispación en el ambiente.
Jaurías de niños lanzaron petardos que me estallaron en los pies. Pasaría aquel día de una forma muy similar a como pasé las semanas siguientes, buscando conocidos, cobijo y, con más urgencia, empleo. El
verano parecía mala época para encontrar un estudiante compasivo.
Nadie estaba muy dispuesto a echarme una mano. Todo el mundo tenía dificultades y yo, llegada del campo, solo era una presencia incómoda. Al final, regresé a Manhattan y dormí en Central Park, no lejos
de la estatua del Sombrerero Loco.

Dejé solicitudes de trabajo en tiendas y librerías de toda la Quinta

Avenida. A menudo me detenía delante de un hotel suntuoso, convertida en una observadora ajena al estilo de vida proustiano de la clase privilegiada, que salía de lustrosos coches negros con exquisitos baúles marrones estampados de dorado. Era otra cara de la vida. Había calesas estacionadas entre el cine París y el hotel Plaza. En periódicos que encontraba en la basura, buscaba qué hacer por las noches. Parada en la otra acera del Metropolitan, veía entrar a la gente y percibía su expectación.

Nueva York era una urbe auténtica, furtiva y sexual. Grupos de exaltados marineros que buscaban acción en la calle Cuarenta y dos, repleta de cines X, mujeres descaradas, rutilantes tiendas de recuerdos y vendedores de perritos calientes, me daban topetazos al pasar. Yo deambulaba por los bingos y miraba a través de las grandes cristaleras del espléndido Grant's Raw Bar, lleno de hombres con abrigos negros que se servían montones de ostras frescas.

Los rascacielos eran hermosos. No parecían meros edificios empresariales. Eran monumentos al espíritu arrogante pero filantrópico de Estados Unidos. El carácter de cada manzana era vigorizante y se podía percibir el devenir de la historia. El Viejo Mundo y el emergente plasmados en el ladrillo y el mortero de artesanos y arquitectos.

Caminaba durante horas de parque en parque. En Washington Square aún percibía los personajes de Henry James y la presencia del propio autor. Al entrar en el perímetro del arco blanco, oía bongos y guitarras acústicas, canciones de protesta y discusiones políticas, activistas repartiendo octavillas, jóvenes desafiando a jugadores de ajedrez ya maduros. Aquel ambiente de apertura era algo que nunca había experimentado, una libertad llana que no parecía oprimir a nadie.

Estaba agotada y hambrienta y llevaba mis pocos efectos personales envueltos en una tela, como los vagabundos, un hatillo sin palo; mi maleta escondida en Brooklyn. Era domingo y descansé de mi búsqueda de empleo. Había pasado la noche en el metro, yendo y viniendo de

Coney Island, echando cabezadas cuando podía. Me apeé en la estación de Washington Square y caminé por la Sexta Avenida. Me detuve cerca de Houston Street para ver cómo jugaban los chicos a baloncesto. Fue allí donde conocí a Saint, mi guía, un cherokee negro con un pie en la calle y otro en la Vía Láctea. Apareció de repente, como a veces se encuentran los vagabundos.

Lo examiné con rapidez, por dentro y por fuera, y vi que era de fiar. Me pareció natural hablar con él, aunque no tuviera por costumbre hablar con desconocidos.

—Oye, hermana. ¿Cuál es tu situación?

—¿En la tierra o en el universo?

Él se rió y dijo:

—¡Vale!

Lo observé mientras miraba el cielo. Se parecía a Jimi Hendrix, alto, delgado y afable, aunque algo andrajoso. No representaba ninguna amenaza, no hizo ninguna insinuación sexual, ninguna alusión a nada físico, salvo a lo más básico.

—¿Tienes hambre?

—Sí.

—Vamos.

La calle de los cafés estaba empezando a despertar. Saint se detuvo en varios establecimientos de MacDougal Street. Saludó a los camareros, que se estaban preparando para el nuevo día. «¡Eh, Saint!», decían ellos, y él les soltaba el rollo mientras yo aguardaba a unos metros de distancia. «¿Tenéis algo para mí?», preguntaba.

Los cocineros lo conocían bien y le dieron comida en bolsas de papel de estraza. Él les devolvió el favor contándoles sus viajes de Manhattan a Venus. Anduvimos hasta el parque, nos sentamos en un banco y nos repartimos su botín: una barra de pan duro y una lechuga. Me pidió que quitara las primeras hojas a la lechuga mientras él partía el pan por la mitad. Parte del corazón de la lechuga seguía crujiente.

—Hay agua en las hojas de lechuga —dijo—. El pan te quitará el hambre.

Pusimos las mejores hojas encima del pan y comimos con gusto.

—Un desayuno carcelario —dije.

—Sí, pero nosotros somos libres.

Y aquello lo resumió todo. Saint durmió un rato en la hierba y yo me quedé sentada en silencio, sin miedo. Cuando se despertó, buscamos por los alrededores hasta encontrar un claro en la hierba. Él cogió un palo y dibujó un mapa celeste. Me dio algunas clases sobre el lugar del hombre en el universo y, luego, sobre el universo interior.

—¿Me sigues?

—Son cosas normales —dije.

Él se rió durante mucho rato.

Nuestra tácita rutina colmó los días siguientes. Por la noche, nos separábamos. Yo lo observaba mientras se alejaba. A menudo iba descalzo, con las sandalias al hombro. Me maravillaba que alguien tuviera el valor de andar descalzo por Nueva York, incluso en verano.

Cada cual se buscaba un lugar para dormir. Nunca hablábamos de dónde habíamos pasado la noche. Por la mañana, lo encontraba en el parque y recorríamos los cafés, «pillando lo básico», como decía él. Comíamos pan de pita y tallos de apio. Al tercer día, encontré dos monedas de veinticinco centavos entre la hierba del parque. Tomamos tostadas con mermelada y café, y nos partimos un huevo en el Waverly Diner. Cincuenta centavos era mucho dinero en 1967.

Esa tarde, me hizo una larga recapitulación sobre el hombre y el universo. Parecía satisfecho de mí como alumna, aunque estaba más distraído que de costumbre. Venus, me había dicho, era más que una estrella. «Estoy esperando para irme a casa», dijo.

Hacía buen día y nos habíamos sentado en la hierba. Supongo que me quedé dormida. Saint no estaba cuando me desperté. Había un trozo de tiza roja que él había utilizado para dibujar en la acera. Me lo metí en el bolsillo y me marché. Al día siguiente, tenía cierta esperanza de que regresara. Pero no lo hizo. Me había dado lo que necesitaba para seguir adelante.

No estaba triste, porque, cada vez que pensaba en él, sonreía. Lo imaginé saltando en el techo de un furgón que surcaba el cielo rumbo a su planeta elegido, que se llamaba oportunamente como la diosa del amor. Me pregunté por qué me había dedicado tanto tiempo. Me dije que se debía a que los dos llevábamos abrigos largos en julio, la fraternidad de *la bohème*.

⊷ ≡⫯≡ ⊶

Mi desesperación por encontrar trabajo aumentó e inicié una segunda búsqueda por tiendas de ropa y grandes almacenes. Enseguida comprendí que no iba vestida de la forma adecuada para aquella clase de trabajo. Ni tan siquiera Capezio's, una tienda de ropa de danza clásica, me aceptó, aunque yo había cultivado una imagen convincente de bailarina de conjunto beat. Recorrí la calle Sesenta y Lexington Avenue y, como último recurso, dejé una solicitud en Alexander's, pese a saber que, en realidad, jamás trabajaría allí. Luego me dirigí al centro, absorta en mis circunstancias.

Era viernes, 21 de julio, y, sin esperármelo, me tropecé con un espectáculo desgarrador. John Coltrane, el hombre que nos regaló *A Love Supreme*, había muerto. Montones de personas se habían reunido frente a la iglesia de San Pedro para despedirse de él. Transcurrieron las horas. La gente sollozaba mientras el lamento de amor de Albert Ayler animaba el ambiente. Era como si hubiera fallecido un santo, un santo que había ofrendado música curativa pero a quien no se le había permitido curarse con ella. Junto con todos aquellos desconocidos, experimenté una profunda sensación de pérdida por un hombre a quien no había conocido salvo a través de su música.

Más tarde, paseé por la Segunda Avenida, el territorio del poeta

Frank O'Hara. Una luz rosa bañaba las hileras de edificios tapiados. La luz de Nueva York, la luz de los expresionistas abstractos. Pensé que a Frank le habría encantado el color del día que terminaba. De haber vivido, tal vez habría escrito una elegía para John Coltrane como hizo con Billie Holiday.

Estuve observando el ambiente de Saint Mark's Place mientras anochecía. Muchachos de pelo largo con pantalones acampanados de rayas y casacas militares usadas se paseaban flanqueados por chicas vestidas con ropa india. Las calles estaba empapeladas con folletos que anunciaban la llegada de Paul Butterfield y Country Joe & The Fish. «White Rabbit» sonaba a todo volumen por las puertas abiertas del Electric Circus. El aire estaba cargado de sustancias químicas inestables, moho y el hedor terroso del hachís. Había velas encendidas y grandes lágrimas de cera resbalaban a la acera.

No puedo decir que encajara, pero me sentía segura. Podía moverme con libertad. Había una comunidad errante de gente joven que dormía en los parques en tiendas de campaña improvisadas, los nuevos inmigrantes que invadían el East Village. Yo no me parecía a aquellas personas, pero, gracias al ambiente de distensión, podía pasearme entre ellas. Tenía fe. No percibía ningún peligro en Nueva York y jamás me topé con ninguno. No tenía nada que ofrecer a un ladrón y no temía a los maleantes. No era de interés para nadie y eso obró en mi favor durante las semanas de julio en que estuve vagabundeando, libre para explorar durante el día, durmiendo donde podía por la noche. Buscaba portales, vagones de metro, incluso un cementerio. Me alarmaba despertarme bajo el cielo urbano o sacudida por una mano desconocida. Hora de circular. Hora de circular.

Cuando ya no podía más, regresaba a Pratt, donde a veces me tropezaba con alguien que me dejaba ducharme y pasar la noche en su casa. O, si no, dormía en el rellano cerca de una puerta conocida. No era muy divertido, pero tenía mi mantra, «Soy libre, soy libre». Aunque, al cabo de varios días, mi otro mantra, «Tengo hambre, tengo hambre», parecía desbancarlo. Pero no estaba preocupada. Solo necesitaba un respiro y no iba a darme por vencida. Arrastraba mi maleta de cuadros de portal en portal, intentando no resultar demasiado inoportuna.

Fue el verano en que murió Coltrane. El verano de «Crystal Ship». Los hippies alzaron sus brazos vacíos y China hizo detonar la bomba de hidrógeno. Jimi Hendrix prendió fuego a su guitarra en Monterey. AM radio retransmitió «Ode to Billie Joe». Hubo disturbios en Newark, Milwaukee y Detroit. Fue el verano de la película *Elvira Madigan*, el verano del amor. Y en aquel clima cambiante e inhóspito, un encuentro casual cambió el curso de mi vida.

Fue el verano en que conocí a Robert Mapplethorpe.

Unos niños

Hacía calor en Nueva York, pero yo seguía llevando mi gabardina. Me daba confianza cuando recorría las calles en busca de empleo; mi único currículo era una breve temporada en una imprenta, unos estudios incompletos y un uniforme de camarera perfectamente almidonado. Conseguí empleo en un pequeño restaurante italiano de Times Square que se llamaba Joe's. Cuando se me cayó una bandeja de ternera a la parmesana sobre el traje de tweed de un cliente a las tres horas de haberme incorporado, me exoneraron de mis obligaciones. Sabiendo que jamás lograría ser camarera, dejé el uniforme (solo ligeramente manchado) con los zapatos a juego en unos aseos públicos. Me los había regalado mi madre, uniforme blanco y zapatos blancos: en ellos había depositado sus esperanzas de bienestar para mí. Ahora eran como lirios marchitos, abandonados en un lavabo blanco.

Cuando me interné en el denso ambiente psicodélico de Saint Mark's Place, no estaba preparada para la revolución que ya se había iniciado. Había un inquietante clima de vaga paranoia, un trasfondo de rumores, fragmentos de conversación que anticipaban la futura revolución. Me quedaba allí sentada, intentando entenderlo todo, con el aire cargado de humo de marihuana, lo cual puede explicar mis nebulosos recuerdos. Deambulaba por una tupida telaraña de conciencia cultural que no sabía que existía.

Había vivido en el mundo de mis libros, la mayoría escritos en el siglo XIX. Aunque estaba dispuesta a dormir en bancos, metros y cementerios mientras no encontrara trabajo, no estaba preparada para el hambre constante que me atormentaba. Yo era una muchacha flaca que lo quemaba todo enseguida y tenía un apetito voraz. El romanticismo no podía colmar mi necesidad de alimento. Hasta Baudelaire tenía que comer. Sus cartas contenían muchos lamentos desesperados por faltarle la carne y la cerveza negra.

Necesitaba un trabajo. Fue un alivio cuando me contrataron como cajera en una de las sucursales de la librería Brentano's. Habría preferido trabajar en el departamento de poesía a tener que registrar las ventas de joyería y artesanía étnica, pero me gustaba mirar las baratijas de países lejanos: pulseras bereberes, collares de conchas afganos y un Buda incrustado de joyas. Mi objeto favorito era un modesto collar de Persia: dos placas de metal barnizadas unidas por recios hilos negros y plateados, como un escapulario muy viejo y exótico. Costaba dieciocho dólares, lo cual me parecía mucho dinero. Cuando había poco trabajo, lo sacaba del estuche, reseguía la caligrafía grabada en su superficie violeta e imaginaba historias sobre sus orígenes.

Poco después de que empezara a trabajar, entró en la librería el muchacho que había conocido en Brooklyn. Estaba muy diferente con camisa blanca y corbata. Parecía un colegial católico. Me contó que trabajaba en Brentano's de Manhattan y tenía un bono que quería utilizar. Pasó mucho rato mirándolo todo, los abalorios, las figurillas, los anillos de turquesa.

Por fin, dijo:

—Quiero esto.

Era el collar persa.

—Vaya, también es mi preferido —respondí—. Me recuerda un escapulario.

—¿Eres católica? —me preguntó.

—No. Pero las cosas católicas me gustan.

—Yo fui monaguillo. —Me sonrió—. Me encantaba balancear el incensario.

Estaba contenta porque había elegido mi artículo preferido, pero triste por que se lo llevara. Cuando lo envolví y se lo di, dije, sin pensármelo:

—No se lo regales a ninguna chica que no sea yo.

Sentí vergüenza de inmediato, pero él solo sonrió y dijo:

—Descuida.

Después de que se marchara, miré el trozo de terciopelo negro donde había estado el collar persa. A la mañana siguiente, un artículo más trabajado ocupó su lugar, pero carecía de su sencillez y misterio.

Cuando terminó mi primera semana, yo tenía mucha hambre y seguía sin tener adónde ir. Me aficioné a dormir en la tienda. Me escondía en el baño mientras los demás se marchaban y, cuando el vigilante nocturno echaba la llave, dormía encima de mi abrigo. Por la mañana, parecía que hubiera llegado temprano. No tenía ni un centavo y hurgaba en los bolsillos de los empleados en busca de monedas para comprarme galletas de mantequilla de cacahuete en la máquina expendedora. Desmoralizada por el hambre, me horroricé cuando no me dieron ningún sobre el día de paga. No había entendido que retenían el sueldo de la primera semana y me fui a llorar al guardarropa.

Cuando regresé a mi puesto, me fijé en que había un hombre merodeando por la librería, observándome. Tenía barba y llevaba una camisa de raya diplomática y una chaqueta con coderas de ante. El supervisor nos presentó. Era escritor de ciencia ficción y quería invitarme a cenar. Pese a tener veinte años, la advertencia de mi madre de que no fuera a ninguna parte con un desconocido resonó en mi conciencia. Pero la perspectiva de cenar hizo que flaqueara y acepté. Esperaba que el tipo, siendo escritor, fuera agradable, aunque parecía más bien un actor que interpretaba a un escritor.

Caminamos hasta un restaurante situado en la base del Empire State. Yo no había comido nunca en un sitio bonito en Nueva York. Intenté pedir algo no demasiado caro y elegí pez espada, cinco dólares con noventa y cinco centavos, lo más barato de la carta. Aún veo al camarero dejando el plato delante de mí con una buena cantidad de puré de patatas y una rodaja de pez espada demasiado hecho. Aunque estaba muerta de hambre, apenas pude disfrutarlo. Me sentía incómoda y no tenía la menor idea de cómo llevar la situación ni de por qué quería él cenar conmigo. Me parecía que se estaba gastando mucho dinero en mí y empecé a preocuparme por lo que esperaría a cambio.

Después de la cena, fuimos a pie hasta Manhattan. Nos dirigimos al este y nos sentamos en un banco del parque Tompkins Square. Yo estaba buscando una vía de escape cuando él sugirió que subiéramos a su piso a tomar una copa. Ahí estaba, pensé. El momento crucial sobre el que me había advertido mi madre. Miraba frenéticamente a mi alrededor, incapaz de responderle, cuando advertí que se acercaba un joven. Fue como si se abriera una puertecita del futuro y de ella saliera el muchacho de Brooklyn que había elegido el collar persa, como una respuesta a la plegaria de una adolescente. Reconocí de inmediato sus piernas un poco arqueadas y sus alborotados rizos. Vestía un pantalón de peto y un chaleco de piel de carnero. Llevaba collares de cuentas alrededor del cuello, un pastor hippy. Corrí hacia él y lo agarré por el brazo.

—Hola, ¿te acuerdas de mí?

—Por supuesto —dijo, sonriendo.

—Necesito ayuda —solté—. ¿Te haces pasar por mi novio?

—Claro —respondió, como si mi inesperada aparición no le hubiera sorprendido.

Lo llevé a rastras hasta el escritor de ciencia ficción.

—Este es mi novio —dije, jadeando—. Me ha estado buscando. Está enfadadísimo. Quiere que vuelva a casa ahora mismo.

El hombre nos miró con curiosidad.

—Corre —grité, y el muchacho me cogió de la mano y corrimos hasta el otro extremo del parque.

Sin aliento, nos desplomamos en las escaleras de una casa.

—Gracias, me has salvado la vida —dije. Él acogió aquella noticia con una expresión perpleja—. No te he dicho mi nombre, me llamo Patti.

—Y yo Bob.

—Bob —repetí, mirándolo de verdad por primera vez—. No sé, pero Bob no te pega. ¿Puedo llamarte Robert?

El sol se había puesto en la Avenida B. Él me cogió de la mano y paseamos por el East Village. Me invitó a un *egg cream* en Gem Spa, en la esquina de Saint Mark's Place y la Segunda Avenida. Casi no habló. Solo sonrió y escuchó. Yo le conté historias de mi infancia, las primeras de muchas que vendrían después: le hablé de Stephanie, de La Parcela y del salón de baile country que había enfrente de casa. Me sorprendió lo cómoda y abierta que me sentía con él. Más adelante, Robert me dijo que se había tomado un ácido.

Yo solo había leído sobre el LSD en un librito de Anaïs Nin titulado *Collages*. No era consciente de la cultura psicodélica que estaba floreciendo en aquel verano de 1967. Tenía un concepto romántico de las drogas y las consideraba sagradas, reservadas a los poetas, a los músicos de jazz y a los rituales indios. Robert no parecía alterado ni extraño como yo hubiera imaginado. Irradiaba un encanto dulce y pícaro, tímido y protector. Paseamos hasta las dos de la madrugada y, finalmente, casi a la vez, nos confesamos que ninguno de los dos tenía adónde ir. Nos reímos, pero era tarde y estábamos cansados.

«Creo que sé un sitio donde podemos pasar la noche —dijo. Su antiguo compañero de piso estaba de viaje—. Sé dónde esconde la llave; no creo que le importe.»

Cogimos el metro y bajamos en Brooklyn. Su amigo vivía en un pisito de Waverly, cerca de la Universidad de Pratt. Doblamos por una callejuela, donde Robert encontró la llave escondida debajo de un ladrillo suelto, y entramos en el piso.

Nada más hacerlo, nos entró vergüenza, no tanto por estar solos como porque nos halláramos en una casa ajena. Robert se esmeró por que me sintiera cómoda y luego, pese a lo tarde que era, me preguntó si quería ver su obra, que estaba guardada en un cuarto interior.

La esparció por el suelo para que la viera. Había dibujos y aguafuertes, y desenrolló algunas pinturas que me recordaron a Richard Poussette-Dart y a Henri Michaux. Múltiples energías vertidas sobre palabras entrecruzadas y dibujos de trazo caligráfico. Campos energéticos construidos con estratos de palabras. Pinturas y dibujos que parecían surgir del subconsciente.

Había una serie de discos que entrelazaban las palabras EGO AMOR DIOS y las fusionaban con su propio nombre; parecían alejarse y expandirse sobre las superficies planas de sus pinturas. Mientras los miraba, no pude evitar hablarle de las noches en que, cuando era niña, veía dibujos circulares girando en el techo.

Abrió un libro de arte tántrico.

—¿Como esto? —preguntó.

—Sí.

Reconocí con asombro los círculos celestiales de mi infancia. Un mandala.

El dibujo que Robert había hecho el día de los Caídos me conmovió especialmente. Jamás había visto nada igual. Lo que también me sorprendió fue la fecha: el día de Juana de Arco. El mismo día que yo había prometido hacer algo con mi vida delante de su estatua.

Se lo conté y él respondió que el dibujo simbolizaba su compromiso con el arte, contraído ese mismo día. Me lo regaló sin vacilar y comprendí que, en aquel breve lapso de tiempo, los dos habíamos renunciado a nuestra soledad y la habíamos sustituido por confianza.

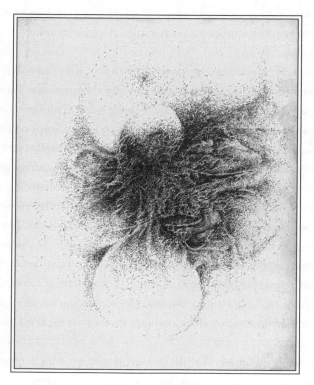

Día de los Caídos, 1967

Miramos libros sobre dadaísmo y surrealismo y terminamos la noche inmersos en los esclavos de Miguel Ángel. Sin palabras, absorbimos los pensamientos del otro y, justo cuando rompía el alba, nos dormimos abrazados. Cuando nos despertamos, él me saludó con su sonrisa torcida y yo supe que era mi caballero.

Como si fuera la cosa más natural del mundo, permanecimos juntos, solo nos separábamos para ir al trabajo. No hizo falta decirlo; se sobrentendía.

Durante las semanas siguientes, para dormir bajo techo dependimos de la generosidad de los amigos de Robert, en particular Patrick y Margaret Kennedy, en cuyo piso de Waverly Avenue habíamos pasado nuestra primera noche juntos. Dormíamos en una habitación abuhardillada donde había un colchón, dibujos de Robert clavados en la pared, sus pinturas enrolladas en un rincón y mi maleta de cuadros. Estoy segura de que, para aquella pareja, acogernos no fue tarea fácil, porque nuestra situación era precaria y yo era poco sociable. Por las noches, teníamos la suerte de compartir mesa con los Kennedy. Juntamos nuestro dinero y destinamos cada centavo a ahorrar para un piso de alquiler. Yo trabajaba muchas horas en Brentano's y me saltaba las comidas. Trabé amistad con otra empleada que se llamaba Frances Finley. Era encantadoramente excéntrica y muy discreta. Cuando dedujo mi difícil situación, me dejaba una fiambrera con sopa casera en la mesa del guardarropa. Aquel pequeño gesto me fortaleció y selló una sólida amistad.

Quizá fuera debido al alivio de tener por fin un refugio seguro, el caso es que me derrumbé, agotada y crispada emocionalmente. Aunque jamás cuestioné mi decisión de entregar a mi hijo en adopción, aprendí que dar vida y desentenderse de ello no era tan fácil. Durante un tiempo estuve malhumorada y abatida. Lloraba tanto que Robert me llamaba cariñosamente Empapadita.

Robert tuvo una paciencia infinita con mi melancolía en apariencia inexplicable. Yo tenía una familia que me quería y podría haber regresado a casa. Ellos lo habrían entendido, pero yo no quería volver con la cabeza gacha. Tenían sus propios problemas y, ahora, yo tenía un compañero en quien podía confiar. Se lo había contado todo acerca de mi experiencia; no había forma de ocultarlo. Tenía las caderas tan estrechas que el embarazo me había abierto literalmente la piel de la barriga. Nuestro primer contacto íntimo reveló las estrías rojas que me entrecruzaban el abdomen. Poco a poco, con su apoyo, fui capaz de superar mi honda vergüenza.

Cuando por fin hubimos ahorrado dinero suficiente, Robert buscó un sitio donde vivir. Encontró un piso en un edificio de ladrillo de tres plantas emplazado en una calle arbolada a un paso de la línea de metro de Myrtle Avenue y a poca distancia de Pratt. Ocupaba toda la segunda planta y tenía ventanas orientadas a este y oeste, pero yo jamás había estado en un lugar tan extremadamente sórdido. Las paredes estaban llenas de sangre y garabatos de psicótico, el horno repleto de jeringuillas usadas y el frigorífico infestado de moho. Robert llegó a un acuerdo con el propietario. Accedía a limpiarlo y pintarlo con la condición de que solo pagáramos un mes de fianza en vez de los dos estipulados. El alquiler eran ochenta dólares mensuales. Pagamos ciento sesenta dólares para mudarnos al número 160 de Hall Street. La simetría nos pareció favorable.

La nuestra era una calle pequeña con garajes bajos de ladrillo cubiertos de hiedra que antiguamente habían sido establos. Estaba a un paso de la taberna griega, la cabina telefónica y la tienda de material artístico Jake's, donde comenzaba Saint James Place.

La escalera que conducía a nuestro piso era oscura y estrecha, con una hornacina en la pared, pero nuestra puerta se abría a una soleada cocinita. Desde la ventana que había encima del fregadero se veía una morera enorme. El dormitorio daba a la fachada y tenía trabajados medallones en el techo, cuyas molduras originales databan de finales del siglo XIX.

Robert me había asegurado que lo convertiría en un buen hogar y, fiel a su palabra, trabajó duro para hacerlo realidad. Lo primero que hizo fue lavar y frotar la mugrienta cocina con un estropajo de aluminio. Enceró los suelos, limpió las ventanas y encaló las paredes.

Nuestros escasos efectos personales estaban amontonados en el centro de nuestro futuro dormitorio. Dormíamos sobre los abrigos. Las noches en que se recogía la basura, salíamos a la calle y, mágicamente, encontrábamos lo que necesitábamos. Un colchón viejo bajo una farola, una estantería pequeña, lámparas reparables, cuencos de loza, imágenes de Jesús y la Virgen con recargados marcos desportillados y una raída alfombra persa para mi rincón de nuestro mundo.

Froté el colchón con bicarbonato sódico. Robert puso cables nuevos a las lámparas y les acopló pantallas de pergamino tatuadas con sus dibujos. Era ágil con las manos, el niño que había diseñado joyas para su madre. Invirtió varios días en reparar una cortina de cuentas y la colgó a la entrada del dormitorio. Al principio, no me convenció. Jamás había visto nada igual, pero terminó armonizando con mis elementos gitanos.

Regresé a Nueva Jersey y recogí mis libros y mi ropa. Durante mi ausencia, Robert colgó sus dibujos y cubrió las paredes con telas indias. Adornó la repisa de la chimenea con objetos religiosos, velas y recuerdos del día de Todos los Santos, distribuyéndolos como si fueran objetos sagrados en un altar. Por último, preparó una zona de estudio para mí con una mesita de trabajo y la raída alfombra mágica.

Mezclamos nuestras cosas. Mis pocos discos se guardaban en la caja naranja con los suyos. Mi abrigo estaba colgado junto a su chaleco de piel de carnero.

Mi hermano nos regaló una aguja nueva para el tocadiscos y mi madre nos hizo sándwiches de albóndigas que envolvió en papel de aluminio. Nos los comimos encantados mientras escuchábamos a Tim Hardin, cuyas canciones se convirtieron en las nuestras, en la expresión

de nuestro joven amor. Mi madre también mandó un paquete con sábanas y fundas de almohada. Eran suaves y bien conocidas por mí, poseían el lustre debido a años de desgaste. Evocaban en mí el recuerdo
de mi madre en el patio, mirando la ropa recién tendida con satisfacción mientras ondeaba al viento bajo el sol.

Los objetos que apreciaba estaban mezclados con la ropa sucia. Mi
zona de trabajo era un caos de páginas manuscritas, clásicos enmoheci-
dos, juguetes rotos y talismanes. Clavé fotografías de Rimbaud, Bob
Dylan, Lotte Lenya, Piaf, Genet y John Lennon encima de un precario
escritorio donde colocaba las plumas, el tintero y los cuadernos: mi desorden monástico.

Al ir a Nueva York, había llevado conmigo unos cuantos lápices
de colores y una pizarra de madera para dibujar. Había dibujado una
muchacha sentada a una mesa en la que había cartas esparcidas, una muchacha que adivinaba su destino. Era el único dibujo que tenía para
enseñar a Robert y a él le gustó mucho. Quiso que probara a trabajar
con papel y lápices de buena calidad y compartió su material conmigo.
Nos pasábamos horas trabajando uno al lado del otro, los dos honda-
mente concentrados.

No teníamos mucho dinero pero éramos felices. Robert trabajaba a
tiempo parcial y se encargaba del piso. Yo lavaba la ropa y preparaba la
comida, que era muy limitada. Había una panadería italiana que fre-
cuentábamos, cerca de Waverly. Comprábamos una hermosa barra de
pan duro o cien gramos de sus galletas pasadas, que vendían a mitad
de precio. Robert era goloso, de modo que a menudo ganaban las galletas. A veces, la panadera nos ponía más cantidad y colmaba la bolsita de galletas amarillas y marrones mientras negaba con la cabeza y nos
regañaba con simpatía. Seguramente sabía que aquella era nuestra cena.
La completábamos con café para llevar y un cartón de leche. A Robert
le encantaba la leche con cacao, pero era más cara y teníamos que ponernos de acuerdo antes de gastar esos centavos de más.

Primer retrato, Brooklyn

Teníamos nuestro trabajo y nos teníamos el uno al otro. Carecíamos de dinero para ir a conciertos o al cine o para comprar discos nuevos, pero poníamos los que teníamos hasta la saciedad. Escuchábamos mi *Madame Butterfly* cantada por Eleanor Steber. *A Love Supreme, Between the Buttons*, Joan Baez y *Blonde on Blonde*. Robert me dio a conocer sus preferidos —Vanilla Fudge, Tim Buckley, Tim Hardin— y su *History of Motown* fue el telón de fondo de nuestras noches de diversión compartida.

Un día de otoño inusitadamente cálido nos vestimos con nuestra ropa preferida, yo con mis sandalias beatnik y mis pañuelos deshilachados, y Robert con sus collares de cuentas y su chaleco de piel de carnero. Cogimos el metro hasta la calle Cuatro Oeste y pasamos la tarde en Washington Square. Compartimos café de un termo mientras observábamos la marea de turistas, porretas y cantantes folk. Revolucionarios exaltados distribuían pasquines antibélicos. Jugadores de ajedrez atraían a un público propio. Todo el mundo coexistía en aquella constante cacofonía de diatribas, bongos y ladridos de perro.

Nos dirigíamos a la fuente, el epicentro de la actividad, cuando un matrimonio maduro se detuvo y nos observó sin ningún disimulo. A Robert le gustaba que se fijaran en él y me apretó cariñosamente la mano.

—Oh, sácales una foto —dijo la mujer a su desconcertado marido—. Creo que son artistas.

—Venga ya —respondió él, encogiéndose de hombros—. Solo son unos niños.

Las hojas estaban adquiriendo colores púrpura y dorado. Había calabazas con caras esculpidas en los portales de las casas de Clinton Avenue.

Dábamos paseos por la noche. A veces veíamos Venus. Era la estrella del pastor y la estrella del amor. Robert la llamaba nuestra estrella azul. Dibujó una estrella con la «t» de Robert y firmaba en azul para que yo lo recordara.

Yo empezaba a conocerlo. Él tenía una confianza absoluta en su obra y en mí, pero siempre estaba preocupado por nuestro futuro, por cómo sobreviviríamos, por el dinero. Yo pensaba que éramos demasiado jóvenes para tener esa clase preocupaciones. Era feliz siendo libre. La incertidumbre del aspecto práctico de nuestra vida lo obsesionaba, aunque yo hacía todo lo posible por disipar sus preocupaciones.

Robert se estaba buscando a sí mismo, consciente o inconscientemente. Se encontraba en un nuevo estado de transformación. Se había despojado del uniforme del Cuerpo de Adiestramiento para Oficiales de la Reserva y, después, de la beca, los estudios publicitarios y el peso de complacer a su padre. Cuando tenía diecisiete años le había fascinado el prestigio de la fraternidad universitaria de los Pershing Rifles, con sus botones metálicos, las lustrosas botas, los galones. Era el uniforme lo que le había atraído, de igual forma que la sotana de monaguillo lo había llevado al altar. Pero él servía al arte, no a la Iglesia ni a la patria. Sus collares de cuentas, su pantalón de peto y su chaleco de piel de carnero no eran un disfraz, sino una expresión de libertad.

Después del trabajo, me reunía con él en Manhattan y caminábamos por el East Village bañado de tenue luz amarilla. Pasábamos por delante del Fillmore East y el Electric Circus, los mismos lugares de nuestro primer paseo juntos.

Nos fascinaba pararnos delante del Birdland, el club que John Coltrane había bendecido con su música, o del Five Spot de Saint Mark's Place, donde Billie Holiday solía cantar, donde Eric Dolphy y Ornette Coleman habían abierto el mundo del jazz como si fueran abrelatas humanos.

Entrar no estaba a nuestro alcance. Otros días visitábamos museos de arte. Como solo teníamos dinero para pagar una entrada, uno de los dos veía el museo e informaba al otro.

En una de aquellas ocasiones, fuimos al museo Whitney del Upper East Side, que era relativamente nuevo. Me tocaba a mí entrar sin él y lo hice a regañadientes. Ya no me acuerdo de las obras, pero sí recuerdo que miré por una de las singulares ventanas trapezoidales del museo y vi a Robert en la acera de enfrente, apoyado en un parquímetro, fumando un cigarrillo.

Él me esperó y, cuando nos dirigíamos al metro, dijo: «Un día entraremos juntos y la obra será nuestra».

Algunos días después me sorprendió y me llevó a ver nuestra primera película. En el trabajo le habían regalado dos entradas para el preestreno de *Cómo gané la guerra*, dirigida por Richard Lester. John Lennon tenía un papel importante en el que interpretaba a un soldado llamado Gripweed. A mí me hacía ilusión ver a John Lennon, pero Robert se pasó toda la película durmiendo con la cabeza apoyada en mi hombro.

Robert no se sentía especialmente atraído por el cine. Su película favorita era *Esplendor en la hierba*. La otra película que vimos aquel año fue *Bonnie y Clyde*. A Robert le gustó el lema del cartel: «Son jóvenes. Están enamorados. Roban bancos». En aquella película no se quedó dormido. Lloró. Y, cuando regresamos a casa, estuvo extrañamente callado y me miró como si quisiera transmitirme sin palabras todo lo que sentía. Había visto algo de nosotros en la película, pero yo no estaba segura de lo que era. Pensé para mis adentros que él contenía todo un universo que yo aún desconocía.

El 4 de noviembre Robert cumplió veintiún años. Le regalé una recia pulsera de plata que encontré en una casa de empeños de la calle Cuarenta y dos. Encargué que le grabaran las palabras «Robert Patti estrella azul». La estrella azul de nuestro destino.

Pasamos una noche tranquila mirando nuestros libros de pintura. Mi colección comprendía a De Kooning, Dubuffet, Diego Rivera, una monografía de Pollock y un montoncito de revistas *Art International*. Robert tenía libros ilustrados de gran formato sobre arte tántrico, Miguel Ángel, el surrealismo y arte erótico, que había adquirido en Brentano's. Habíamos añadido catálogos usados de John Graham, Gorky, Cornell y Kitaj que compramos por menos de un dólar.

Nuestros libros de más valor trataban de William Blake. Yo tenía un facsímil muy bonito de *Canciones de inocencia y de experiencia*, y a menudo se lo leía a Robert antes de meternos en la cama. También tenía una antología en pergamino de los escritos de Blake y él poseía la edición de Triannon Press del *Milton* de Blake. Los dos admirábamos el retrato de Robert, el hermano de Blake, que murió joven, dibujado con una estrella a sus pies. Adoptamos la paleta de colores de Blake, matices de rosa, amarillo cadmio y verde musgo, colores que parecían generar luz.

Una tarde de finales de noviembre, Robert regresó a casa un poco alterado. Brentano's tenía algunos aguafuertes a la venta. Entre ellos, había uno de la plancha original de *América: una profecía*, con el monograma de Blake. Él lo había sacado de su carpeta y se lo había metido en la pernera del pantalón. Robert no era de los que robaban; le faltaba temple. Lo hizo de forma impulsiva, por nuestro amor a Blake. Pero, pasadas las horas, se acobardó. Imaginó que sospechaban de él y se escondió en el baño, se lo sacó de la pernera, lo hizo pedazos y lo tiró al váter.

Advertí que le temblaban las manos mientras me lo contaba. Había estado lloviendo y le goteaba agua de los espesos rizos. Llevaba una camisa blanca empapada que se le pegaba a la piel. Al igual que Jean Genet, Robert era un pésimo ladrón. A Genet lo pillaron y encarcelaron por robar volúmenes raros de Proust y rollos de seda a un fabricante de camisas. Ladrones estéticos. Imaginé su sensación de horror y triunfo mientras los pedazos de Blake eran engullidos por las cloacas de Nueva York.

Nos miramos las manos, que teníamos cogidas. Respiramos hondo y aceptamos nuestra complicidad, no en el robo, sino en la destrucción de una obra de arte.

—Al menos, ellos no lo tendrán nunca —dijo.

—¿Quiénes son ellos? —pregunté.

—Cualquiera excepto nosotros —respondió.

Brentano's despidió a Robert. Él invirtió sus días de paro en la continua transformación de nuestro espacio vital. Cuando pintó la cocina, yo me alegré tanto que preparé una comida especial. Hice cuscús con pasas y anchoas y mi especialidad: sopa de lechuga. Aquella exquisitez consistía en caldo de pollo aderezado con hojas de lechuga.

No obstante, poco después de que echaran a Robert, también me despidieron a mí. Había descontado a un cliente chino el importe del impuesto por la compra de un Buda muy caro.

«¿Por qué tengo de pagar impuestos? —había dicho él—. No soy estadounidense.»

Yo no tenía respuesta para eso, de modo que no se lo cobré. Mi criterio me costó el empleo, pero no sentí marcharme. Lo mejor de aquel lugar había sido el collar persa y conocer a Robert, quien, fiel a su palabra, no se lo había regalado a ninguna otra chica. En la primera noche que pasamos en Hall Street me lo regaló a mí, envuelto en papel de seda violeta y atado con una cinta negra de satén.

⊷ ⧓ ⊶

El collar fue pasando de uno a otro con el transcurso de los años. Siempre lo tenía quien lo necesitaba más. Aquella reciprocidad se manifestaba en muchos de nuestros jueguecitos. El más inquebrantable se llamaba «Un día tú y otro yo». La premisa era simplemente que uno de los dos, el protector, debía estar siempre alerta. Si Robert tomaba drogas, yo tenía que estar presente y consciente. Si yo me deprimía, él debía mantenerse animado. Si uno enfermaba, el otro permanecía sano. Era importante que nunca nos permitiéramos excesos el mismo día.

Al principio, yo desfallecí y él estuvo siempre a mi lado para darme un abrazo o decirme unas palabras de aliento, para obligarme a salir de mí misma y sumergirme en mi obra. Pero él también sabía que yo no le fallaría si necesitaba que la fuerte fuera yo.

Robert consiguió un empleo a tiempo completo en FAO Schwarz como escaparatista. Contrataban gente para las fiestas y yo empecé a trabajar como cajera. Era Navidad, pero en aquella famosa juguetería había poca magia entre bastidores. El sueldo era bajísimo, la jornada laboral larguísima y el ambiente desmoralizador. Los empleados teníamos prohibido hablar entre nosotros y hacer juntos los descansos para tomar café. Robert y yo encontramos algunos momentos para reunirnos en secreto junto a plataforma cubierta de heno donde habían instalado el belén. Fue allí donde rescaté la figurilla de un cordero de un cubo de la basura. Robert prometió hacer algo con él.

Le gustaban las cajas de Joseph Cornell y a menudo transformaba cosas inservibles, hilos de colores, rosarios usados, retales y perlas en un poema visual. Se quedaba despierto hasta la madrugada, cosiendo, cortando, pegando y añadiendo toques de témpera. Cuando me despertaba, había una caja terminada para mí, como un regalo de San Valentín. Robert construyó un pesebre de madera para el corderito. Lo pintó de blanco con un corazón sangrante y añadimos números sagrados que se entrelazaban como enredaderas. Hermoso espiritualmente, fue nuestro árbol de Navidad. Colocamos nuestros regalos a su alrededor.

En Nochebuena salimos muy tarde del trabajo y cogimos un autobús en Port Authority con destino a Nueva Jersey. Robert estaba extremadamente nervioso por conocer a mi familia debido a su distanciamiento de la suya. Mi padre nos recogió en la estación de autobuses. Robert regaló a mi hermano Todd uno de sus dibujos, un pájaro que alzaba el vuelo desde una flor. Había hecho las felicitaciones a mano y llevaba libros para mi hermana pequeña, Kimberly.

Para mantener los nervios a raya, Robert decidió tomarse un ácido. Yo jamás me habría planteado tomar drogas en presencia de mis padres, pero para él parecía de lo más natural. Cayó simpático a toda mi familia y nadie advirtió nada raro salvo su sonrisa constante. En el transcurso de la velada, estuvo examinando la amplia colección de baratijas de mi madre, dominada por vacas de toda clase. En especial le atrajo un cuenco vidriado para caramelos cuya tapa era una vaca. Quizá fuera debido a las irisaciones de la superficie morada de aquel objeto en su estado inducido por el LSD, pero lo cierto es que no pudo dejar de mirarlo.

La tarde del día de Navidad nos despedimos y mi madre entregó a Robert una bolsa de la compra con los regalos que tradicionalmente me hacía: libros de arte y biografías. «Hay una cosa para ti.» Le guiñó el ojo. Cuando subimos al autobús para regresar a Port Authority, Robert miró en la bolsa y encontró el cuenco morado con la tapa en forma de vaca envuelto en un trapo de cuadros. Estaba encantado con él, tanto que, años después, cuando ya había muerto, lo encontraron expuesto entre sus jarrones italianos más valiosos.

Cuando cumplí veintiún años, Robert me hizo una pandereta, tatuó la piel de cabra con signos astrológicos y ató cintas multicolores a la base. Puso «Phantasmagoria in Two» de Tim Buckley, se arrodilló y me entregó un librito sobre tarot que había reencuadernado en seda negra. Dentro, me dedicaba unos versos que nos representaban como a la gitana y el loco, donde uno creaba silencio y el otro escuchaba el silencio con atención. En la ruidosa vorágine de nuestras vidas, aquellos papeles se invertirían muchas veces.

Al día siguiente era Nochevieja, la primera que pasábamos juntos. Hicimos nuevas promesas. Robert decidió que solicitaría una beca de estudios y regresaría a Pratt, no para estudiar publicidad como quería su padre, sino para dedicar sus energías exclusivamente al arte. Me escribió una nota para decirme que crearíamos arte juntos y triunfaríamos, con o sin el resto del mundo.

Por mi parte, hice la promesa muda de ayudarle a alcanzar su objetivo cubriendo sus necesidades prácticas. Había dejado la juguetería

Hall Street, Brooklyn, 1968

después de las fiestas y pasé un breve período sin trabajo. Aquello nos arredró un poco, pero me negaba a continuar siendo cajera. Estaba decidida a encontrar un empleo mejor remunerado y más satisfactorio y me sentí afortunada cuando me contrataron en la librería Argosy de la calle Cincuenta y nueve. Trabajaban con libros, grabados y mapas antiguos. No había ningún puesto de dependienta vacante, pero el anciano que estaba al frente, cautivado quizá por mi entusiasmo, me contrató como aprendiz de restauración. Yo me senté a mi oscura mesa de madera maciza atestada de biblias del siglo XVIII, tiras de lino, cinta adhesiva, cola de conejo, cera de abeja y agujas de encuadernación, completamente abrumada. Por desgracia, no tenía aptitudes para aquel oficio y, muy a su pesar, el dueño tuvo que dejarme marchar.

Regresé a casa bastante triste. Iba a ser un invierno duro. Robert estaba deprimido por tener que trabajar en FAO Schwarz a tiempo completo. Trabajar como escaparatista avivaba su imaginación y hacía bosquejos para instalaciones. Pero cada vez dibujaba menos. Vivíamos a base de pan duro y latas de estofado de buey. No teníamos dinero para ir a ninguna parte, ni televisor, teléfono ni radio. Pero teníamos nuestro tocadiscos y lo preparábamos para que el disco que habíamos elegido sonara mientras dormíamos.

⊷ ⹥⧉⹥ ⊶

Necesitaba conseguir otro empleo. Mi amiga Janet Hamill trabajaba en la librería Scribner's y, una vez más, como había hecho en la facultad, halló el modo de compartir su buena suerte conmigo. Habló con sus superiores y ellos me ofrecieron un puesto. Parecía un empleo de ensueño, trabajar en la librería de la prestigiosa editorial donde el gran Maxwell Perkins había publicado a escritores como Hemingway y Fitzgerald. Donde los Rothschild compraban sus libros y había cuadros de Maxfield Parrish colgados en el hueco de la escalera.

Scribner's estaba en un hermoso edificio emblemático en el número 597 de la Quinta Avenida. La suntuosa fachada de cristal y hierro forjado había sido proyectada por Ernest Flagg en 1913. Tenía dos plantas y media y un techo abovedado bordeado de arcadas. Todos los días me levantaba, me vestía y hacía los tres transbordos de metro hasta Rockefeller Center. Mi uniforme para Scribner's estaba inspirado en Anna Karina en *Banda aparte*: jersey negro, falda plisada, medias negras y zapatos planos. Trabajaba junto a la centralita, que atendía una mujer bondadosa y atenta llamada Faith Cross.

Me sentía afortunada de estar vinculada a una librería tan histórica. Cobraba más y tenía a Janet como confidente. Rara vez me aburría y, cuando me impacientaba, escribía en el reverso de los artículos de papelería de Scribner's, como hacía Tom en *El zoo de cristal*, garabateando poemas dentro de cajas de cartón.

Robert estaba cada vez más abatido. Su jornada laboral era muy larga y le pagaban menos que en Brentano's, donde había trabajado a tiempo parcial. Cuando volvía a casa estaba agotado y desanimado y, durante un tiempo, dejó de crear.

Le supliqué que dejara la juguetería. Ni el trabajo ni el escaso sueldo merecían aquel sacrificio. Tras noches de discusión, Robert accedió a regañadientes. A cambio, trabajó con diligencia, siempre con ganas de enseñarme qué había creado mientras estaba en Scribner's. Yo no me arrepentía de ser quien llevaba el dinero a casa. Mi temperamento era más firme. Aún podía crear por la noche y estaba orgullosa de procurar una situación en la que él podía hacer su trabajo con total libertad.

Por la noche, después de caminar por la nieve, lo encontraba esperándome en nuestro piso, listo para frotarme las manos y calentármelas. Parecía que estuviera siempre en movimiento, calentaba agua en la cocina, me desataba los cordones de las botas, colgaba mi abrigo, siempre con un ojo puesto en el dibujo en el que estaba trabajando. Se detenía un momento si se daba cuenta de algo. La mayoría de las veces parecía que ya tuviera una imagen mental de la obra concluida. No le gustaba improvisar. Se trataba más bien de ejecutar algo que veía de golpe.

Después de un día entero en silencio estaba impaciente por escuchar mis historias sobre los excéntricos clientes de la librería, sobre Edward Gorey y sus grandes zapatillas de tenis, sobre Katharine Hepburn y el gorro de Spencer Tracy que llevaba cubierto con un pañuelo verde de seda o sobre los Rothschild y sus largos abrigos negros. Después nos sentábamos en el suelo y comíamos espaguetis mientras examinábamos su nueva creación. Su obra me atraía porque su vocabulario visual era afín a mi léxico poético, aunque pareciera que estábamos evolucionando en direcciones distintas. Robert siempre me decía: «Nada está terminado hasta que tú lo ves».

El primer invierno que pasamos juntos fue crudo. Incluso con mi mejor sueldo de Scribner's teníamos muy poco dinero. A menudo, nos quedábamos ateridos en la esquina de Saint James Place, cerca de la taberna griega y la tienda de material artístico Jake's, mientras decidíamos cómo gastarnos nuestros pocos dólares, sin saber si comernos dos sándwiches calientes de queso o comprar material. A veces, incapaces de distinguir qué deseábamos más, Robert montaba nerviosamente guardia en la taberna mientras yo, poseída por el espíritu de Genet, robaba el sacapuntas metálico o los lápices de colores que tanto necesitábamos. Yo tenía un concepto más romántico de la vida y los sacrificios del artista. En una ocasión, leí que Lee Krasner había robado material a Jackson Pollock. No sé si es cierto, pero me servía de inspiración. A Robert le inquietaba no ser capaz de mantenernos. Yo le decía que no se preocupara, que dedicarse a las bellas artes era su recompensa.

Por la noche, poníamos discos con los que nos gustaba dibujar. A veces, jugábamos a lo que nosotros llamábamos «el disco de la noche». Elegíamos un disco y colocábamos su carátula en mitad de la repisa de la chimenea. Lo poníamos una vez tras otra en nuestro viejo tocadiscos y la música marcaba la trayectoria de la noche.

A mí no me importaba trabajar en el anonimato. Estaba aprendiendo. Pero Robert, pese a ser tímido, poco comunicativo y parecer desconectado de quienes le rodeaban, era muy ambicioso. Tenía a Duchamp y a Warhol como modelos. Bellas artes y alta sociedad, aspiraba a ambas. Éramos una curiosa mezcla de *Cara de ángel* y Fausto.

Es imposible imaginarse la felicidad que sentíamos cuando dibujábamos juntos. Nos abstraíamos durante horas. Su capacidad para concentrarse durante largos períodos se me contagiaba y aprendía de su ejemplo, trabajando a su lado. Cuando nos tomábamos un descanso, yo hervía agua y hacía Nescafé.

Después de una sesión especialmente productiva salíamos a pasear por Myrtle Avenue en busca de Mallomars y derrochábamos nuestro dinero en las chucherías favoritas de Robert, unas galletas blandas recubiertas de chocolate negro.

Aunque casi siempre estábamos juntos, no nos habíamos aislado. Nuestros amigos venían a visitarnos. Harvey Parks y Louis Delsarte eran pintores; a veces trabajaban en el suelo a nuestro lado. Louis nos hizo retratos a los dos, uno de Robert con un collar indio y uno mío con los ojos cerrados. Ed Hansen compartía con nosotros su sabiduría y sus collages y Janet Hamill nos leía poemas. Yo enseñaba mis dibujos y contaba historias sobre ellos, como si fuera Wendy entreteniendo a los niños perdidos del país de Nuncajamás. Éramos una panda de inadaptados, incluso en el clima liberal de una escuela de bellas artes. A menudo decíamos en broma que éramos un «club de fracasados».

En noches especiales, Harvey, Louis y Robert compartían un porro y tocaban tambores de mano. Robert tenía sus propias tablas indias. Se acompañaban recitando oraciones del *Devocionario psicodélico* de Timothy Leary, uno de los pocos libros que Robert leía. De vez en cuando, yo les echaba las cartas y me basaba en Papus y en mi propia intuición para interpretarlas. Aquellas eran noches que nunca había vivido en Nueva Jersey, extravagantes y colmadas de amor.

En mi vida entró una nueva amiga. Robert me presentó a Judy Linn, una compañera de artes gráficas, y congeniamos de inmediato. Judy vivía a la vuelta de la esquina, en Myrtle Avenue, encima de la lavandería automática donde yo hacía la colada. Era bonita e inteligente, con un sentido del humor poco convencional, como Ida Lupino en joven. Terminó dedicándose a la fotografía y pasó años perfeccionando sus técnicas de revelado. Con el tiempo, me convertí en su modelo y ella creó algunas de las primeras imágenes de Robert y yo.

El día de San Valentín, Robert me regaló una geoda de amatista. Era de color violeta pálido y casi tan grande como medio pomelo. La sumergió en agua y miramos los brillantes cristales. De pequeña, había soñado con ser geóloga. Le conté que me pasaba horas buscando muestras de rocas, con un viejo martillo atado a la cintura. «No, Patti, no», dijo, riéndose.

Mi regalo fue un corazón de marfil con una cruz tallada en el centro. Por algún motivo, aquel objeto lo empujó a contarme, como rara vez hacía, una historia de la época en que él y otros monaguillos fisgoneaban en el armario del sacerdote y se bebían el vino de misa. El vino no le interesaba; era la extraña sensación en las tripas lo que le excitaba, la emoción de hacer algo prohibido.

A principios de marzo, Robert consiguió un trabajo eventual como acomodador en el Fillmore East, que había abierto hacía poco. Se presentó a trabajar con un mono naranja. Estaba deseando ver a Tim Buckley. Pero cuando regresó a casa, otra persona lo había impresionado más. «He visto a alguien que va a ser muy grande», dijo. Era Janis Joplin.

No teníamos dinero para ir a conciertos, pero, antes de dejar el Fillmore, Robert me consiguió un pase para ver a los Doors. Janet y yo habíamos devorado su primer álbum y casi me sentía culpable de ir sin ella. Pero tuve una reacción extraña cuando vi a Jim Morrison. Todas las personas que me rodeaban parecían paralizadas pero yo observé todos sus movimientos con atenta frialdad. Recuerdo aquella sensación con mucha más claridad que el concierto. Mientras lo observaba, sentí que era capaz de hacer lo mismo. No sé decir por qué lo pensé. No había nada en mi experiencia que me indujera a creer que aquello podía ser posible, pero abrigaba esa vanidosa presunción. Sentí tanta afinidad como desprecio hacia él. Percibí su vergüenza además de su honda seguridad. Exudaba una mezcla de belleza y odio hacia sí mismo, y dolor místico, como un san Sebastián de la costa Oeste. Cuando alguien me preguntaba por el concierto de los Doors yo solo decía que habían estado geniales. Me sentía un poco avergonzada de mi reacción a su concierto.

En *Poemas manzanas*, James Joyce escribió un verso que se me quedó grabado: «los signos que de mí se mofan según voy». Me vino a la mente algunas semanas después del concierto de los Doors y se lo mencioné a Ed Hansen. Ed siempre me cayó bien. Era bajo pero robusto y, con su abrigo marrón, sus claros cabellos castaños, sus ojos de duende y su boca grande, me recordaba al pintor Soutine. Unos jóvenes pandilleros le había disparado en un pulmón en DeKalb Avenue, pero él conservaba una cualidad infantil.

Ed no dijo nada sobre la cita de Joyce, pero una noche me trajo un disco de los Byrds. «Esta canción va a ser importante para ti», dijo mientras ponía la aguja en «So You Want to Be a Rock 'N' Roll Star». La canción tenía algo que me estimuló y me desconcertó, pero no supe adivinar la intención de Ed.

Una gélida noche de 1968, vinieron a decirnos que Ed estaba en apuros. Robert y yo salimos a buscarlo. Cogí el cordero negro que me había regalado. Era su regalo de oveja negra a otra oveja negra. Ed también tenía algo de oveja negra, así que me lo llevé como talismán.

Ed estaba encaramado a una grúa; se negaba a bajar. Era una noche fría y despejada y, mientras Robert hablaba con él, yo me encaramé a la grúa y le di el cordero. Estaba tiritando. Nosotros éramos los rebeldes sin causa y él era nuestro triste Sal Mineo. Parque Griffith de Brooklyn.

Ed bajó conmigo y Robert lo llevó a casa.

«No te preocupes por el cordero —dijo a su regreso—. Te encontraré otro.»

Perdimos el contacto con Ed, pero una década después estuvo conmigo de una forma inesperada. Cuando me acerqué al micrófono con mi guitarra eléctrica y canté «So You Want to Be a Rock 'N' Roll Star», recordé sus palabras. Pequeñas profecías.

※

Había días, grises días de lluvia, en que las calles de Brooklyn eran dignas de una fotografía: cada ventana, el objetivo de una Leica, la vista granulada e inmóvil. Juntábamos nuestras láminas y lápices de colores y dibujábamos como niños salvajes hasta que, agotados, nos derrumbábamos en la cama muy entrada la noche. Yacíamos uno en brazos del otro, aún vergonzosos, pero felices, intercambiando apasionados besos mientras el sueño nos visitaba.

El muchacho que yo había conocido era tímido y tenía dificultad para expresarse. Le gustaba dejarse llevar, que lo cogieran de la mano para entrar sin reservas en un mundo distinto. Era masculino y protector, pese a ser femenino y sumiso. Meticuloso en su vestuario y modales, también era capaz de un desorden atemorizante en su obra. Sus mundos eran solitarios y peligrosos, y vaticinaban libertad, éxtasis y liberación.

A veces, me despertaba y lo encontraba trabajando a la débil luz de velas votivas. Retocando un dibujo, girándolo en esta o aquella dirección, examinándolo desde todos los ángulos. Pensativo, absorto, alzaba la vista, me veía observándolo y sonreía. Aquella sonrisa primaba sobre cualquier otra cosa que estuviera sintiendo o experimentando, incluso más adelante, mientras estuvo agonizando, fulminado por el dolor.

En la guerra de la magia y la religión, ¿termina venciendo la magia? Sacerdote y mago quizá fueron uno al principio, pero el sacerdote, tras aprender humildad ante Dios, descartó el conjuro como plegaria.

Robert confiaba en la ley de la empatía, en virtud de la cual podía transferirse voluntariamente a un objeto u obra de arte y, por lo tanto, influir en el mundo externo. No se sentía redimido por la labor que desempeñaba. No buscaba la redención. Buscaba ver lo que otros no veían, la proyección de su imaginación.

El proceso de creación le parecía pesado por la rapidez con que veía la obra concluida. Se sentía atraído por la escultura pero creía que el soporte estaba obsoleto. Aun así, se pasaba horas estudiando los *Esclavos* de Miguel Ángel, queriendo acceder a la sensación de trabajar con la forma humana sin el esfuerzo de usar martillo y cincel.

Hizo un esbozo para una animación donde él y yo estábamos en un jardín del Edén tántrico. Necesitaba desnudos nuestros para hacer recortables para el jardín geométrico que había florecido en su mente. Pidió a Lloyd Ziff, un compañero de clase, que hiciera las fotografías, pero a mí no me gustó la idea. Posar no me entusiasmaba porque aún me sentía un poco insegura con las cicatrices de mi barriga.

Las imágenes quedaron rígidas y no como él había imaginado. Yo tenía una vieja cámara de 35 milímetros y le propuse que hiciera él las fotografías, pero Robert no tenía paciencia para revelarlas y hacer copias. Utilizaba tantas imágenes fotográficas de otras fuentes que yo pensaba que, si las sacaba él, podría conseguir los resultados que buscaba. «Ojalá pudiera proyectarlo todo en el papel —dijo—. Cuando estoy a la mitad, ya me he puesto con otra cosa.» El jardín del Edén fue abandonado.

Las primeras obras de Robert estaban claramente inspiradas en sus experiencias con el LSD. Sus dibujos y pequeñas construcciones poseían el anticuado encanto del surrealismo y la pureza geométrica del arte tántrico. Poco a poco, su obra dio un giro hacia el catolicismo: el cordero, la Virgen y Cristo.

Quitó las telas indias de las paredes y tiñó nuestras sábanas viejas de negro y violeta. Las grapó a la pared y colgó crucifijos y grabados religiosos. No nos costaba encontrar retratos enmarcados de santos en la basura o en las tiendas del Ejército de Salvación. Robert extraía las litografías y las coloreaba o las incorporaba a un dibujo, un collage o una construcción.

Pero Robert, que deseaba librarse de su yugo católico, habitaba en otra parte del espíritu, regida por el ángel de la luz. La imagen de Lucifer, el ángel caído, terminó eclipsando a los santos que utilizaba en sus collages y cajas esmaltadas. En la tapa de una cajita de madera, pegó el rostro de Cristo; en el interior, una Virgen con el niño y una diminuta rosa blanca; y, en el reverso de la tapa, me sorprendió hallar el rostro del diablo sacando la lengua.

Cuando regresaba a casa, me encontraba a Robert vestido de monje con un hábito marrón que había conseguido en una tienda de beneficencia, estudiando panfletos sobre alquimia y magia. Me pidió que le llevara libros de ocultismo. Al principio, más que leerlos, utilizaba las estrellas de cinco puntas y las imágenes satánicas, descomponiéndolas y reconstruyéndolas. No era malvado, aunque, conforme su obra se fue impregnando de elementos más siniestros, se tornó más callado.

Se interesó por crear conjuros visuales, que podían servir para invocar a Satán, igual que se invocaría a un genio. Se imaginaba que, si pudiera hacer un pacto que le permitiera acceder al yo más puro de Satán, el yo de la luz, reconocería un alma gemela y Satán le concedería fama y fortuna. No necesitaba pedirle que le concediera grandeza, ni la capacidad para ser artista, porque sabía que eso ya lo tenía.

—Buscas atajos —dije.

—¿Por qué tengo que coger el camino largo? —respondió.

A veces, durante mi descanso del trabajo para comer, iba a la catedral de Saint Patrick para visitar al joven san Estanislao. Rezaba por los muertos, a quienes parecía querer tanto como a los vivos: Rimbaud, Seurat, Camille Claudel y la amante de Jules Laforgue. Y rezaba por nosotros.

Las plegarias de Robert eran como deseos. Ambicionaba el conocimiento oculto. Los dos rezábamos por su alma, él para venderla y yo para salvarla.

Más adelante, Robert diría que la Iglesia lo conducía a Dios y el LSD lo conducía al universo. También decía que el arte lo conducía al diablo y mantenía sexo con él.

Algunos de los signos y augurios eran demasiado dolorosos para admitirlos. Una noche en Hall Street, cuando yo estaba en la puerta de nuestro dormitorio y Robert dormía, lo vi en un potro de tortura, convirtiéndose en polvo ante mis propios ojos con la camisa blanca destrozada. Se despertó y percibió mi horror.

—¿Qué has visto? —gritó.

—Nada —respondí, apartando la mirada, decidiendo no aceptar lo que había visto. Aunque un día tendría sus cenizas en mi mano.

⊷ ≡✦≡ ⊷

Robert y yo rara vez nos peleábamos, pero reñíamos como niños, habitualmente por cómo administrar nuestros escasos ingresos. Yo cobraba sesenta y cinco dólares semanales y Robert encontraba algún trabajo ocasional. Con un alquiler de ochenta dólares mensuales, más los gastos fijos, teníamos que dar cuenta de cada centavo. Los billetes de metro costaban veinte centavos y yo necesitaba diez a la semana. Robert fumaba, y un paquete de cigarrillos valía treinta y cinco centavos. Mi debilidad por utilizar el teléfono público de la taberna era lo más problemático. Robert no podía entender mi profundo vínculo con mis hermanos. Un puñado de monedas gastadas en una llamada podía significar una comida menos. A veces mi madre metía un billete de un dólar en sus cartas y tarjetas. Aquel gesto aparentemente insignificante representaba muchas monedas de su bote de propinas y yo siempre lo valoraba.

Nos gustaba ir al Bowery, donde examinábamos raídos vestidos de seda, deshilachados abrigos de cachemira y chaquetas de motorista usadas. En Orchard Street, buscábamos materiales baratos pero interesantes para alguna obra nueva: láminas de Mylar, pieles de lobo, quincalla curiosa. Nos pasábamos horas en Pearl Paint de Canal Street, después cogíamos el metro a Coney Island para caminar por el paseo marítimo y compartir un perrito caliente en Nathan's.

Mis modales en la mesa horrorizaban a Robert. Yo lo percibía en su modo de apartar la mirada y volver la cabeza. Cuando comía con las manos, le parecía que llamaba demasiado la atención, aunque él llevara sobre el torso desnudo varios collares de cuentas y un chaleco de piel de carnero bordado. Nuestros reproches solían dar paso a las risas, sobre todo cuando yo señalaba aquellas discrepancias. Seguimos teniendo aquellas discusiones durante toda nuestra larga amistad. Mis modales no mejoraron nunca, pero su indumentaria atravesó algunas etapas extremadamente estrafalarias.

En aquella época, Brooklyn era un barrio bastante periférico y parecía muy alejado de la animación de Manhattan. A Robert le encantaba ir allí. Se sentía vivo cuando cruzaba el East River y fue en Manhattan donde, más adelante, experimentó rápidas transformaciones, tanto personales como artísticas.

Yo vivía en mi propio mundo, soñando con los muertos y los siglos que llevaban desaparecidos. De pequeña, me había pasado horas imitando la elegante letra que formaba las palabras de la Declaración de Independencia. Escribir a mano me había fascinado siempre. Ahora podía integrar aquella extraña habilidad en mis dibujos. Comencé a interesarme por la caligrafía islámica y, en ocasiones, sacaba el collar persa del papel de seda que lo envolvía y lo colocaba delante de mí mientras dibujaba.

En Scribner's me ascendieron al departamento de ventas. Aquel año, los libros más vendidos fueron *Money Game* de Adam Smith y *Gaseosa de ácido eléctrico* de Tom Wolfe, lo cual resumía la tendencia a la polarización que imperaba en Estados Unidos. No me identificaba con ninguno de los dos libros. Me sentía desconectada de todo lo que estuviera fuera del mundo que Robert y yo habíamos creado.

En mis momentos bajos, me preguntaba cuál era la finalidad de crear arte. ¿Para quién? ¿Estábamos encarnando a Dios? ¿Dialogando con nosotros mismos? ¿Y cuál era el objetivo final? ¿Tener nuestra obra enjaulada en los grandes zoológicos del arte, el MoMA, el Museo de Arte Metropolitano de Nueva York, el Louvre?

Yo aspiraba a ser honesta, pero no me sentía así. ¿Por qué dedicarme al arte? ¿Para realizarme o por el arte mismo? Parecía autocomplaciente contribuir a un sector ya saturado a menos que se ofreciera la iluminación.

A menudo, me sentaba e intentaba escribir o dibujar, pero la delirante actividad de las calles, unida a la guerra de Vietnam, hacía que mis esfuerzos parecieran fútiles. No podía identificarme con los movimientos políticos. Cuando intentaba participar, me sentía hostigada por otra forma más de burocracia. Me planteaba si algo de lo que hacía importaba.

Robert tenía poca paciencia con aquellos ataques introspectivos míos. Él jamás parecía cuestionarse sus impulsos artísticos y, con su ejemplo, comprendí que lo que importa es la obra: la serie de palabras impelidas por Dios que se concreta en un poema, la trama de color y grafito garabateada en la lámina que expande su divino movimiento. Lograr en la obra un equilibrio perfecto entre fe y ejecución. De este estado mental emana una luz, preñada de vida.

Picasso no se encerró en su concha cuando bombardearon su querido País Vasco. Reaccionó creando una obra maestra en el *Guernica* para recordarnos las injusticias cometidas contra su pueblo. Cuando me quedaba dinero, iba al Museo de Arte Moderno, me sentaba delante del *Guernica* y me pasaba horas pensando en el caballo caído y el ojo de la lámpara que brilla sobre los tristes escombros de la guerra. Luego regresaba al trabajo.

Esa primavera, solo unos días antes del domingo de Ramos, Martin Luther King fue abatido a tiros en el hotel Lorraine de Memphis. Había una fotografía en la prensa de Coretta Scott King consolando a su hija menor, con el rostro bañado en lágrimas tras su velo de viuda. Me angustié muchísimo, como había hecho en mi adolescencia cuando vi a Jacqueline Kennedy con su vaporoso velo negro junto a sus hijos, esperando a que el cadáver de su marido pasara en un armón de artillería tirado por caballos. Intenté plasmar mis sentimientos en un dibujo o un poema, pero no pude. Tenía la impresión de que cuando intentaba expresar la injusticia no daba con los versos adecuados.

Robert me había comprado un vestido blanco para Semana Santa, pero me lo regaló el domingo de Ramos para mitigar mi tristeza. Era un raído vestido victoriano de lino. Me encantó, me lo puse y me paseé por el piso, una frágil armadura frente a los malos augurios de 1968.

Mi vestido de Semana Santa no era apropiado para llevarlo a una cena en casa de los Mapplethorpe, tampoco lo era nada de lo que teníamos en nuestro reducido vestuario.

Yo era bastante independiente de mis padres. Los quería, pero no me preocupaba cómo les había sentado que Robert y yo viviéramos juntos. Pero él no era tan libre. Continuaba siendo su hijo católico, y era incapaz de decirles que vivíamos juntos sin estar casados. Mis padres lo habían recibido con los brazos abiertos, pero le preocupaba que los suyos no me aceptaran.

Al principio pensó que lo mejor sería hablarles de mí poco a poco en sus conversaciones telefónicas. Luego decidió decirles que nos habíamos fugado a Aruba para casarnos. Un amigo suyo estaba viajando por el Caribe y Robert escribió una carta a su madre que su amigo mandó desde Aruba.

Yo creía que aquel engaño tan rebuscado era innecesario. Pensaba que debería contarles simplemente la verdad, convencida de que terminarían aceptándonos tal como éramos. «No —decía él, frenético—. Son católicos estrictos.»

No comprendí su preocupación hasta que visitamos a sus padres. Su padre nos recibió con un silencio gélido. Yo no concebía que un hombre no abrazara a su hijo.

La familia en pleno estaba sentada a la mesa del comedor: su hermana y su hermano mayores con sus respectivos cónyuges y sus cuatro hermanos menores. La mesa estaba puesta, todo listo para una cena perfecta. Su padre apenas me miró y no dijo nada a Robert salvo «Deberías cortarte el pelo. Pareces una chica».

La madre de Robert, Joan, hizo todo lo posible por crear un clima acogedor. Después de cenar, dio disimuladamente a Robert dinero que llevaba en el bolsillo del delantal y me llevó a su habitación, donde abrió su joyero. Me miró la mano y sacó un anillo de oro.

—No teníamos suficiente dinero para las alianzas —mentí.

—Deberías llevar una en el dedo anular de la mano izquierda —me dijo, poniéndomelo en la mano.

Robert era muy cariñoso con Joan en ausencia de Harry. Joan era una mujer con brío. Tenía la risa fácil, fumaba sin parar y limpiaba la casa de forma obsesiva. Advertí que Robert no solo había adquirido su sentido del orden de la Iglesia católica. Joan prefería a Robert y, en su fuero interno, parecía enorgullecerse del camino que había elegido. Harry quería que se dedicara a la publicidad, pero él se había negado. Estaba decidido a demostrar que su padre se equivocaba.

La familia nos abrazó y felicitó al marcharnos. Harry se hizo a un lado. «No me creo que estén casados», dijo.

Robert estaba recortando fenómenos de feria de un libro en rústica descomunal sobre Tod Browning. Había hermafroditas, microcéfalos y hermanas siamesas diseminados por doquier. Eso me desconcertó porque no veía ninguna relación entre aquellas imágenes y su reciente interés por la magia y la religión.

Como de costumbre, encontré la manera de seguirle los pasos a través de mis dibujos y poemas. Dibujé personajes circenses y conté historias sobre ellos, sobre Hagen Waker, el funámbulo nocturno, Balthazar, el niño con cara de asno, y Aratha Kelly, con su cabeza en forma de luna. Robert no tenía más explicación para su atracción por los fenómenos de feria que la que yo tenía para haber creado mis personajes.

Con ese espíritu íbamos a Coney Island para visitar las barracas de feria. Habíamos buscado el Museo Hubert de la calle Cuarenta y dos, donde estaban expuestos Wago, la princesa encantadora de serpientes, y un circo de pulgas, pero había cerrado en 1965. Encontramos un pequeño museo que tenía partes del cuerpo y embriones humanos conservados en formol, y Robert se obsesionó con la idea de utilizar algo similar en un montaje. Preguntó dónde podía encontrar algo parecido y un amigo le habló del antiguo hospital municipal en ruinas de Welfare (más adelante Roosevelt) Island.

Un domingo fuimos a la isla con nuestros amigos de Pratt. Visitamos dos enclaves. El primero era un vasto edificio decimonónico que tenía aspecto de manicomio; fue el primer hospital de Estados Unidos en tratar enfermos de viruela. Separados de él únicamente por una alambrada de espino y vidrios rotos, nos imaginamos muriendo de lepra y peste bubónica.

Las otras ruinas eran los vestigios del antiguo hospital municipal, un edificio imponente que acabaría siendo demolido en 1994. Al entrar, nos sorprendió el silencio y el extraño olor a medicamentos. Fuimos de sala en sala y vimos estantes de especímenes médicos en botes de vidrio. Muchos estaban rotos, destrozados por los roedores. Robert registró a fondo todas las salas hasta encontrar lo que buscaba, un embrión que flotaba en formol dentro de su vítrea matriz.

Todos coincidimos en que Robert le sacaría muchísimo partido. Durante el viaje de vuelta, no lo soltó ni un momento. Aunque no habló, percibí su entusiasmo y expectación mientras imaginaba cómo hacer arte con su valioso hallazgo. Nos despedimos de nuestros amigos en Myrtle Avenue. Justo cuando entrábamos en Hall Street, el bote le resbaló inexplicablemente de las manos y se hizo añicos contra la acera, a solo unos pasos de nuestra puerta.

Vi su rostro. Estaba tan abatido que ninguno de los dos dijo nada. El bote robado había permanecido en un estante durante décadas, intacto. Era casi como si Robert le hubiera quitado la vida. «Sube —dijo—. Voy a limpiarlo.» Ya no volvimos a mencionarlo. Aquel bote tenía algo especial. Sus gruesos fragmentos de vidrio parecieron presagiar los malos tiempos que se avecinaban; no hablamos de ello, pero los dos parecíamos aquejados de una indefinida inquietud interna.

A principios de junio, Valerie Solanas disparó a Andy Warhol. Aunque Robert no tendía a ser romántico con los artistas, se disgustó mucho. Adoraba a Andy Warhol y lo consideraba uno de los artistas vivos más importantes. Fue lo más próximo a la idolatría que estuvo nunca. Respetaba a artistas como Cocteau y Pasolini, que fundían vida y arte, pero, para Robert, el más interesante de todos era Andy Warhol, quien documentaba la puesta de escena humana en la Factoría, su estudio forrado de papel de plata.

Yo no sentía por Warhol lo mismo que Robert. Su obra reflejaba una cultura que yo quería evitar. Detestaba la sopa y la lata no me decían apenas nada. Prefería un artista que transformara su época, no que la reflejara.

Poco después, uno de mis clientes y yo nos pusimos a hablar sobre nuestra responsabilidad política. Era año de elecciones y él representaba a Robert Kennedy. Las primarias de California estaban próximas y acordamos volver a vernos después. Me ilusionaba la perspectiva de trabajar para alguien que tenía los ideales que yo admiraba y prometía poner fin a la guerra de Vietnam. Pensaba que la candidatura de Kennedy podría convertir el idealismo en actuaciones políticas eficaces, que a lo mejor se conseguía algo para prestar verdadera ayuda a los necesitados.

Afectado aún por el intento de asesinato de Warhol, Robert se quedó en casa para rendirle homenaje en un dibujo. Yo fui a visitar a mi padre. Era un hombre sabio y justo y quería conocer su opinión sobre Robert Kennedy. Estuvimos sentados juntos en el sofá, viendo los resultados de las primarias. Yo no cabía en mí de gozo cuando Robert Kennedy pronunció el discurso tras la victoria. Lo vimos bajarse del estrado y mi padre me guiñó el ojo, encantado con nuestro prometedor joven candidato y mi entusiasmo. Por unos breves momentos fui tan inocente como para creer que todo iría bien. Lo vimos desfilar entre el público exultante, estrechando manos e irradiando esperanza con la típica sonrisa Kennedy. Entonces se cayó. Vimos que su mujer se arrodillaba junto a él.

El senador Kennedy estaba muerto.

«Papá, papá», dije, sollozando, ocultando la cara en su hombro.

Mi padre me rodeó con el brazo. No dijo nada. Supongo que él ya lo había visto todo. Pero a mí me pareció que, afuera, el mundo se estaba disgregando y que, cada vez más, también lo estaba haciendo el mío.

Regresé a casa y había recortables de estatuas, torsos y nalgas de los griegos, los *Esclavos* de Miguel Ángel, imágenes de marineros, tatuajes y estrellas. Para sintonizarme con él, le leí pasajes de *Milagro de la rosa*, pero Robert siempre iba un paso por delante. Mientras le leía a Genet, era como si se estuviera convirtiendo en Genet.

Tiró su chaleco de piel de carnero y sus collares de cuentas y encontró un uniforme de marinero. No era aficionado al mar. Con el traje y la gorra de marinero me recordaba un dibujo de Cocteau o el mundo del Robert Querelle de Genet. No tenía interés en la guerra pero le atraían sus reliquias y rituales. Admiraba la estoica belleza de los pilotos kamikaze japoneses, que se preparaban la ropa —una camisa meticulosamente doblada, un pañuelo blanco de seda— para ponérsela antes de la batalla.

Me gustaba ser partícipe de sus fascinaciones. Le encontré una chaqueta y un pañuelo de aviador, aunque, en lo que a mí atañía, mi percepción de la Segunda Guerra Mundial estaba influida por la bomba atómica y *El diario de Anna Frank*. Yo reconocía su mundo porque él entraba con gusto en el mío. No obstante, a veces, una transformación inesperada me desconcertaba e incluso me molestaba. Cuando recubrió las paredes y el trabajado techo de nuestro dormitorio con láminas de Mylar me sentí excluida porque parecía que lo hubiera hecho por él más que por mí. Robert tenía la esperanza de que yo lo encontrara estimulante, pero, a mis ojos, tenía el efecto distorsionado de un espejo de feria. Lloré por el desmantelamiento de la capilla romántica donde dormíamos.

A él le decepcionó que no me gustara.

—¿En qué estabas pensando? —le pregunté.

—Yo no pienso —insistió—. Siento.

Robert se portaba bien conmigo, pero lo notaba ausente. Estaba habituada a que no hablara, pero no a que estuviera tan pensativo. Algo le inquietaba, algo que no guardaba relación con el dinero. Nunca dejó de ser cariñoso conmigo, pero parecía preocupado.

Dormía de día y trabajaba de noche. Cuando me despertaba, lo encontraba mirando los cuerpos cincelados por Miguel Ángel, clavados en fila en la pared. Yo habría preferido una discusión al silencio, pero él no era así. Ya no sabía descifrar sus estados de ánimo.

Advertí que de noche no había música. Robert se encerró en sí mismo y comenzó a pasearse arriba y abajo, desconcentrado, sin completar ninguna de sus obras. El suelo estaba sembrado de montajes inconclusos de fenómenos de feria, santos y marineros. No era propio de él dejar sus obras en aquel estado. Era algo por lo que siempre me había reprendido a mí. Me sentía impotente, incapaz de penetrar la estoica oscuridad que lo envolvía.

Fue poniéndose más inquieto conforme crecía su insatisfacción con su obra. «Mi vocabulario visual ya no me funciona», decía. Un domingo por la tarde, desfiguró la entrepierna de una Virgen con un soldador. Cuando hubo terminado, se limitó a encogerse de hombros. «Ha sido un momento de locura», dijo.

Llegó un momento en que la estética de Robert se volvió tan avasalladora que sentí que ya no era nuestro mundo, sino el suyo. Creía en él, pero había transformado nuestro hogar en un teatro de diseño propio. El aterciopelado telón de nuestra fábula había sido sustituido por tonalidades metálicas y satén negro. La morera estaba envuelta en tupida redecilla. Me paseaba arriba y abajo mientras él dormía, chocando contra las paredes como una paloma solitaria presa en los estrechos confines de una caja de Joseph Cornell.

⁂

Nuestras noches sin palabras me ponían nerviosa. El cambio de tiempo señaló también un cambio en mí. Sentía un ansia, una curiosidad y una vitalidad que parecían inhibirse todas las tardes cuando salía del metro después del trabajo y caminaba hasta Hall Street. Comencé a ir a Clinton más a menudo para visitar a Janet, pero, si me quedaba demasiado rato, Robert se enfadaba de una forma impropia de él y se volvía cada vez más posesivo. «Llevo esperándote todo el día», decía.

Poco a poco, comencé a pasar más tiempo con viejos amigos de Pratt, sobre todo con el pintor Howard Michaels. Él era el muchacho a quien estaba buscando el día que conocí a Robert. Se había mudado a Clinton con el artista Kenny Tisa, pero en ese momento estaba solo. Sus enormes pinturas evocaban la fuerza física de la escuela de Hans

Hofmann y sus dibujos, aunque únicos, recordaban los de Pollock y De Kooning.

En mi sed de comunicación, recurrí a él. Comencé a visitarlo con frecuencia antes de volver a casa después del trabajo. Howie, como se le conocía, era conversador, apasionado, culto y activo políticamente. Era un alivio conversar con alguien acerca de todo, ya fuera Nietzsche o Godard. Yo admiraba su obra y tenía ganas de compartir la afinidad de aquellas visitas. Pero, conforme pasó el tiempo, no fui precisamente franca con Robert sobre la naturaleza de nuestra creciente intimidad.

Mirando atrás, el verano de 1968 señaló una época de despertar físico tanto para Robert como para mí. Yo no había comprendido aún que su torturada conducta guardaba relación con su sexualidad. Sabía que me quería mucho, pero pensaba que se había cansado de mí físicamente. En ciertos aspectos, me sentía traicionada, pero, en realidad, fui yo quien lo traicionó.

Huí de nuestro pisito de Hall Street. Robert se quedó destrozado, pero, aun así, fue incapaz de darme una explicación sobre el silencio que nos envolvía.

Para mí no era fácil abandonar el mundo que teníamos él y yo. No estaba segura de adónde ir, así que, cuando Janet me ofreció compartir con ella un sexto piso sin ascensor en el Lower East Side, acepté. Aquel arreglo, aunque doloroso para Robert, era mucho mejor que irme a vivir sola o mudarme al piso de Howie.

Pese a lo mucho que le dolía mi partida, Robert me ayudó a trasladar mis cosas al nuevo piso. Por primera vez, yo tenía una habitación para mí que podía organizar como me apeteciera y comencé una nueva serie de dibujos. Abandoné mis animales circenses y me convertí en mi propia modelo, creando autorretratos que resaltaban una faceta mía más femenina y terrenal. Me aficioné a llevar vestidos y a ondularme el pelo. Me quedaba esperando a que viniera mi pintor, pero la mayoría de veces no lo hacía.

Incapaces de romper nuestro vínculo, Robert y yo continuamos viéndonos. Mientras mi relación con Howie iba y venía, él me suplicaba que volviera. Deseaba que estuviéramos otra vez juntos como si nada hubiera sucedido. Quería perdonarme, pero yo no estaba arrepentida. No deseaba dar marcha atrás, sobre todo porque él parecía albergar aún una vorágine interna que se negaba a expresar.

A principios de septiembre, Robert se presentó en Scribner's de forma inesperada. Vestido con una larga trinchera granate de piel abrochada con cinturón, estaba guapo y parecía perdido. Había regresado a Pratt y solicitado una beca de estudios. Se había comprado la trinchera y un billete a San Francisco con parte del dinero.

Dijo que quería hablar conmigo. Salimos y nos quedamos en la esquina de la calle Cuarenta y ocho y la Quinta Avenida.

—Por favor, vuelve —dijo—, o me voy a San Francisco.

Yo no me podía imaginar por qué quería ir allí. Su explicación fue deslavazada, poco concreta. Liberty Street, había alguien que sabía del tema, un piso en el Castro.

Me agarró la mano.

—Ven conmigo. Allí hay libertad. Tengo que descubrir quién soy.

Lo único que yo conocía de San Francisco era el gran terremoto y Haight-Ashbury.

—Yo ya soy libre —dije.

Él me miró con desesperada intensidad.

—Si no vienes, estaré con un tío. Me volveré homosexual —amenazó.

Yo solo lo miré, sin comprender. No había nada en nuestra relación que me hubiera preparado para semejante revelación. Todas las señales que él había transmitido de forma indirecta, yo las había interpretado como la evolución de su arte. No de su personalidad.

No estuve nada compasiva, un hecho que terminé lamentando. Por sus ojos, parecía que hubiera estado trabajando toda la noche colocado de speed. Sin mediar palabra, me entregó un sobre.

Vi cómo se alejaba y se perdía entre la multitud.

Lo primero que me sorprendió fue que hubiera escrito su carta en papel de Scribner's. Su letra, por lo general tan cuidada, estaba plagada de contradicciones: pasaba de ser pulcra y precisa a meros garabatos infantiles. Pero incluso antes de leer las palabras, lo que me conmovió profundamente fue el sencillo encabezamiento: «Patti – Lo que pienso – Robert». Le había pedido, incluso suplicado tantas veces antes de marcharme que me dijera qué estaba pensando, qué tenía en la cabeza. Él no había tenido palabras para mí.

Mientras miraba aquellas hojas, me di cuenta de que había ahondado en sus sentimientos por mí y había intentado expresar lo inexpresable. Imaginar la angustia que lo había impulsado a escribir aquella carta me hizo llorar.

«Abro puertas, cierro puertas», escribía. No amaba a nadie, amaba a todos. Adoraba el sexo, odiaba el sexo. La vida es una mentira, la verdad es una mentira. Sus pensamientos concluían con una herida curativa. «Estoy desnudo cuando dibujo. Dios me tiene de la mano y cantamos juntos.» Su manifiesto como artista.

Prescindí de los aspectos confesionales y acepté aquellas palabras como una hostia consagrada. Él había trazado una línea que me seduciría y terminaría uniéndonos. Doblé la carta y volví a meterla en el sobre, sin saber qué sucedería a continuación.

⊷ ⊨⊩ ⊷

Las paredes estaban cubiertas de dibujos. Emulé a Frida Kahlo y creé una serie de autorretratos completados por versos que reflejaban mi fragmentado estado emocional. Me imaginaba su gran sufrimiento, que hacía que el mío pareciera pequeño. Una noche Janet bajaba mientras yo subía las escaleras de casa. «Nos han robado», gritó. La seguí hasta el piso. Me dije que poseíamos muy pocas cosas que pudieran interesar a un ladrón. Entré en mi habitación. Los ladrones, frustrados

Autorretrato, Brooklyn, 1968

por la ausencia de artículos vendibles, habían roto la mayor parte de mis dibujos. Los pocos que seguían intactos estaban llenos de barro y huellas de botas.

Profundamente afectada, Janet decidió que era hora de dejar el piso para ir a vivir con su novio. En el East Village, la zona este de la Avenida A continuaba siendo peligrosa y, como había prometido a Robert que no me quedaría allí sola, regresé a Brooklyn. Encontré un piso de dos habitaciones en Clinton Avenue, a una manzana del portal donde había dormido el verano anterior. Clavé los dibujos que habían sobrevivido en la pared. Luego, de forma impulsiva, fui a Jake's y compré pinturas al óleo, pinceles y lienzos. Decidí que iba a pintar.

Había observado a Howie mientras pintaba cuando estuve con él. Su proceso era físico y abstracto de un modo distinto al de Robert. Recordé mis ambiciones de juventud, dominada por el deseo de coger un pincel. Llevé mi cámara al MoMA y busqué inspiración. Saqué una serie de retratos en blanco y negro de la *Mujer I* de De Kooning y los llevé a revelar. Clavé las fotografías en la pared y comencé su retrato. Me divertía hacer un retrato de un retrato.

Robert seguía en San Francisco. Había escrito que me echaba de menos y que había cumplido su misión de descubrir cosas nuevas sobre sí mismo. Aunque me hablara de sus experiencias con otros hombres, me aseguraba que me amaba.

Mi reacción a su confesión fue más intensa de lo que esperaba. Nada en mi experiencia me había preparado para aquello. Me parecía que le había fallado. Yo creía que un hombre se hacía homosexual cuando no encontraba a la mujer adecuada para salvarlo, un concepto erróneo que había desarrollado a partir de la trágica unión de Rimbaud y el poeta Paul Verlaine. Rimbaud lamentó hasta el final de su vida no haber hallado una mujer con quien compartir todo su ser, tanto física como intelectualmente.

En mi imaginación literaria, la homosexualidad era una maldición poética, una noción que había aprendido de Mishima, Gide y Genet. No sabía nada de su realidad. La consideraba ligada de forma inevitable a la afectación y la extravagancia. Me había preciado de ser tolerante, pero mi comprensión era limitada y provinciana. Incluso cuando leía a Genet, consideraba a sus hombres una raza mística de ladrones y marineros. No comprendía su mundo del todo. Yo admiraba a Genet como poeta.

Estábamos evolucionando por caminos distintos. Yo necesitaba indagar más allá de mí y Robert necesitaba buscar dentro de sí. Exploraba el vocabulario de su obra y, conforme sus componentes cambiaban y se metamorfoseaban, estaba, de hecho, creando un diario de su evolución interna, anunciando el surgimiento de una identidad sexual reprimida. Jamás me había dado indicios en su conducta que yo relacionara con la homosexualidad.

Me di cuenta de que Robert había intentado renunciar a su naturaleza, negar sus deseos, hacer las cosas bien por nosotros. Por mi parte, me preguntaba si yo habría podido disipar aquellos impulsos. Él había sido demasiado tímido y respetuoso y le había dado miedo hablar de aquellos temas, pero no cabía duda de que seguía amándome, y yo a él.

Cuando Robert regresó de San Francisco, parecía a la vez triunfante y preocupado. Abrigaba la esperanza de que volviera transformado, y lo hizo, pero no del modo que yo había imaginado. Parecía brillar, casi el mismo de antes, y estaba más cariñoso conmigo que nunca. Aunque había experimentado un despertar sexual, aún confiaba en que pudiéramos hallar una forma de continuar con nuestra relación. Yo no estaba segura de poder asimilar su nuevo concepto de sí, ni de si él asimilaría el mío. Mientras vacilaba, conoció a alguien, un muchacho llamado Terry, y se embarcó en su primera relación sentimental con un hombre.

Todos los encuentros físicos que había tenido en San Francisco habían sido fortuitos y experimentales. Terry era un novio de verdad, amable y guapo, con el pelo castaño ondulado. Los envolvía un halo de narcisismo, con sus ceñidos abrigos idénticos y sus miradas de complicidad. Eran un reflejo exacto, no tanto en su parecido físico como en su lenguaje no verbal, en su sincronización. Yo sentía una mezcla de comprensión y envidia por su intimidad y los secretos que imaginaba que compartían.

Robert había conocido a Terry a través de Judy Linn. Terry, dulce y empático, aceptaba el cariño de Robert hacia mí y me trataba con afecto y compasión. A través de Terry y Robert, observé que la homosexualidad era una forma de ser natural. Pero, conforme los sentimientos entre Terry y Robert se ahondaban y la relación intermitente con mi pintor se espaciaba, descubrí que estaba completamente sola y plagada de contradicciones.

Robert y Terry me visitaban a menudo y, aunque no había nada negativo entre los tres, algo se quebró dentro de mí. Quizá fuera el frío, mi regreso a Brooklyn con las manos vacías o mi desacostumbrada soledad, pero me pasaba largos ratos llorando. Robert hacía todo lo posible para animarme mientras Terry nos contemplaba, sin poder hacer nada. Cuando Robert venía solo, yo le suplicaba que se quedara. Él me aseguraba que me tenía siempre en el pensamiento.

Cuando se acercaban las navidades, acordamos regalarnos un cuaderno de dibujo. En cierto sentido, Robert me estaba mandando deberes para que me recuperara, dándome algo creativo en que concentrarme. Le regalé un libro encuadernado en piel lleno de dibujos y poemas, y él, un cuaderno cuadriculado con dibujos muy parecidos a los que me había enseñado nuestra primera noche. Lo encuaderné en seda morada, cosida a mano con hilo negro.

Lo que resta en mi recuerdo del final de 1968 es la expresión preocupada de Robert, la fuerte nevada, lienzos de bodegones y una pizca de alivio proporcionado por los Rolling Stones. El día de mi cumpleaños, Robert vino a verme solo. Me trajo un disco nuevo. Puso la cara A y me guiñó un ojo. Sonó «Sympathy for the Devil» y empezamos a bailar. «Es mi canción», dijo.

— ❊ —

¿Adónde conduce todo? ¿En qué nos convertiremos? Aquellas eran nuestras preguntas de juventud, y el tiempo nos reveló las respuestas.

Conduce al otro. Nos convertimos en nosotros.

Durante un tiempo Robert me protegió, después dependió de mí, y luego fue posesivo conmigo. Su transformación era la rosa de Genet y, al florecer, las espinas se le habían clavado muy hondo. También yo quería experimentar el mundo con más intensidad. Pero, a veces, esas ganas solo eran un deseo de retornar al momento en que nuestra tenue luz era vertida por farolillos colgantes con cristales de espejo. Nos habíamos aventurado a salir de casa como los niños de Maeterlinck en pos del pájaro azul, y nos habíamos quedado atrapados en las enmarañadas zarzas de nuestras nuevas experiencias.

Robert reaccionaba como mi querido hermano gemelo. Sus rizos oscuros se fundían con mi pelo enredado mientras me deshacía en lágrimas. Me prometía que podíamos volver a nuestra antigua vida, a ser como éramos, me prometía lo que fuera si dejaba de llorar.

Una parte de mí quería hacerlo, pero temía que no pudiéramos regresar nunca más a aquel lugar, sino solo ir y venir por nuestro río de lágrimas como los hijos del barquero. Estaba deseando viajar, a París, a Egipto, a Samarcanda, lejos de él, lejos de nosotros.

También él tenía un camino que seguir, y no le quedaría más remedio que dejarme atrás.

Aprendimos que queríamos demasiadas cosas. Solo podíamos dar desde lo que éramos y lo que teníamos. Separados, pudimos ver incluso con más claridad que no queríamos estar sin el otro.

Yo necesitaba alguien con quien hablar. Regresé a Nueva Jersey para el cumpleaños de mi hermana Linda, que cumplía veintiún años. Ambas estábamos en un mal momento y nos consolamos mutuamente. Le llevé un libro de fotografías de Jacques-Henri Lartigue y, mientras pasábamos las páginas, nos entraron ganas de visitar Francia. Nos quedamos despiertas, maquinando, y, antes de darnos las buenas noches, habíamos prometido ir juntas a París, toda una hazaña para dos chicas que no se habían subido nunca a un avión.

Aquel proyecto me sostuvo durante todo el largo invierno. Hice horas extra en Scribner's para ahorrar dinero mientras urdía nuestra ruta, localizaba talleres de artistas y cementerios, trazaba un itinerario para las dos, como había hecho cuando planificaba los movimientos tácticos de nuestro ejército de hermanos.

No creo que aquel fuera un período artísticamente productivo para Robert ni para mí. Él estaba embargado por la intensidad de vivir la naturaleza que había reprimido conmigo y hallado a través de Terry. Pero, pese a estar complacido en ese aspecto, parecía falto de inspiración, si no aburrido, y quizá no podía evitar establecer comparaciones entre su vida con Terry y la nuestra.

«Patti, nadie ve como nosotros», me dijo.

❊

La primavera y el poder restaurador de Semana Santa volvieron a unirnos. Nos sentábamos en la taberna próxima a Pratt y pedíamos nuestro menú favorito: un sándwich caliente de pan de centeno con queso y tomate, y leche malteada de chocolate. En aquella época, teníamos suficiente dinero para dos sándwiches.

Los dos nos habíamos entregado a otros. Habíamos vacilado y los habíamos perdido, pero nos habíamos reencontrado. Al parecer, queríamos lo que ya teníamos, un amante y un amigo con quien crear, codo con codo. Ser fieles, pero libres.

Decidí que era buen momento para irme de viaje. Mis horas extra sin vacaciones dieron fruto y la librería me concedió una excedencia. Mi hermana y yo metimos lo imprescindible en nuestras bolsas de lona. A regañadientes dejé mis dibujos para viajar ligera de equipaje. Cogí un cuaderno y le regalé mi cámara a mi hermana.

Robert y yo prometimos trabajar duro mientras estuviéramos separados. Yo compondría poemas para él y Robert haría dibujos para mí. Prometió escribir y mantenerme al día de sus actividades.

Cuando nos abrazamos para decirnos adiós, él se separó y me miró fijamente. No dijimos nada.

━━ ⚎ ━━

Con nuestros escasos ahorros, Linda y yo fuimos a París vía Islandia en un avión de hélice. Fue un viaje arduo y, pese a estar ilusionada, tuve sentimientos encontrados por abandonar a Robert. Todas nuestras cosas estaban apiladas en dos cuartitos de Clinton Street en Brooklyn, vigiladas por un viejo casero que andaba claramente tras ellas.

Robert había dejado Hall Street y estaba viviendo en casa de unos amigos cerca de Myrtle Avenue. A diferencia de mí, no le motivaba viajar. La perspectiva de ganarse la vida como artista era su objetivo primordial, pero entretanto dependía de trabajos ocasionales y del dinero de su beca de estudios.

Linda y yo estábamos contentísimas de encontrarnos en París, la ciudad de nuestros sueños. Nos alojamos en un hotelucho de Montmartre y recorrimos la ciudad en busca de los sitios donde Piaf había cantado, Gérard de Nerval había dormido y Baudelaire estaba enterrado. Vi unas pintadas en la rue des Innocents que me inspiraron para dibujar. Linda y yo encontramos una tienda de material artístico y nos pasamos horas allí, examinando bonitos papeles de dibujo franceses con exquisitas filigranas de ángeles. Compré algunos lápices y unas cuantas láminas de papel Arches y elegí un gran portafolio rojo con cintas de lona que utilicé como mesa en mi cama. Con una pierna cruzada y la otra colgando, dibujé con trazo seguro.

Llevé mi portafolio de galería en galería. Nos unimos a un grupo de músicos callejeros y tocamos para ganar unas monedas. Yo trabajaba en mis dibujos y escribía, y Linda hacía fotografías. Comíamos pan con queso, bebíamos vino argelino, tuvimos piojos, llevábamos camisetas de cuello de barca y merodeábamos felizmente por las callejuelas de París.

Vimos *Uno más uno* de Godard. La película me impresionó mucho políticamente y renovó mi afecto por los Rolling Stones. Solo unos días después, el rostro de Brian Jones aparecía en todos los periódicos franceses: *Est mort, 27 ans*. Lamenté no poder asistir al concierto gratuito que el resto de la banda celebró en su memoria ante más de doscientas cincuenta mil personas en Hyde Park, el cual culminó cuando Mick Jagger soltó montones de palomas blancas. Dejé mis lápices de dibujo y comencé un ciclo de poemas a Brian Jones, en los que expresé por primera vez en mi obra mi pasión por el rock and roll.

Uno de los momentos memorables de nuestra estancia en París era la larga caminata hasta la oficina de American Express para enviar y recibir correspondencia. Siempre había alguna cosa de Robert, divertidas cartitas donde describía su obra, su salud, sus dificultades y siempre su amor.

Por un tiempo, se había trasladado de Brooklyn a Manhattan, donde compartía un loft en Delancey Street con Terry, con quien aún mantenía una cordial amistad, y un par de amigos de Terry que tenían una empresa de mudanzas. Se sacaba un poco de dinero trabajando como mozo y el loft tenía suficiente espacio vacío para que pudiera continuar desarrollando su arte.

Sus primeras cartas me parecieron un poco tristes, pero se animaron cuando contó que había visto *Cowboy de medianoche*. Robert no solía ir al cine, pero aquella película le caló hondo. «Trata de un vaquero que se prostituye en la calle Cuarenta y dos», me escribió, y la llamó «obra de arte». Se sintió profundamente identificado con el protagonista e introdujo el concepto de puto en su obra y, más adelante, en su vida. «Puto, puto, puto. Supongo que es lo que me va.»

A veces parecía perdido. Yo leía sus cartas y deseaba estar en casa, junto a él. «Patti, tenía muchísimas ganas de llorar —escribió—, pero mis lágrimas están dentro. Tengo una venda en los ojos que no las deja salir. Hoy no veo. Patti, no sé nada.»

Cogía el metro a Times Square y se mezclaba con los estafadores, proxenetas y prostitutas en lo que él llamaba «el jardín de la perversión». Se sacó una fotografía para mí en un fotomatón, con la chaqueta que yo le había regalado y una vieja gorra de la marina francesa calada hasta las cejas; siempre ha sido mi fotografía preferida de Robert.

En respuesta, le hice un dibujo collage titulado *Mi puto*, en el que utilicé una de sus cartas como componente. Aunque Robert me aseguraba que no tenía nada de que preocuparme, daba la impresión de que se estaba sumergiendo cada vez más en el hampa sexual que represen-

taba en sus obras. Parecía sentirse atraído por la imaginería sadomasoquista («No estoy seguro de lo que significa todo eso, solo sé que es
bueno»), y me describía obras tituladas *Pantalones superajustados* y dibujos donde laceraba a personajes sadomasoquistas con un cutter. «Le
he puesto un gancho donde debería tener la polla, del que voy a colgar
mi cadena de dados y calaveras.» Hablaba de utilizar vendas ensan-
grentadas y gasas adornadas con estrellas.

No perdía el tiempo. Filtraba aquel mundo a través de su propia estética. De una película titulada *Male Magazine* dijo que era «mero cine
de explotación con un reparto íntegramente masculino». Cuando visitó Tool Box, un bar sadomasoquista, le pareció que solo era «un puñado de mierda y cadenas enormes colgadas de la pared, nada realmente
excitante», y deseó poder diseñar un lugar así.

Conforme transcurrían las semanas, me preocupaba que no estuviera bien de salud. No era propio de él quejarse de su estado físico.
«Tengo la boca hecha polvo —escribió—; las encías están blancas y me
duelen.» A veces no tenía dinero suficiente para comer.

La posdata aún reflejaba su chulería: «Me han acusado de vestir como un puto, de tener mente de puto y cuerpo de puto».

«Te sigo queriendo como siempre», terminaba, y firmaba «Robert»
con la «t» en forma de estrella azul, nuestro signo.

━━◆━━

Mi hermana y yo regresamos a Nueva York el 21 de julio. Todo el mundo hablaba de la luna. Un hombre había caminado por ella, pero yo
apenas me enteré.

Cargada con mi bolsa de lona y mi portafolios, encontré el loft donde Robert se alojaba, en Delancey Street, debajo del puente Williams-
burg. Él se alegró muchísimo de verme, pero lo encontré muy desme-
jorado. Sus cartas no me habían preparado del todo para su mal estado
de salud. Tenía una gingivitis ulcerosa aguda y fiebre alta, y había adel-

gazado. Intentaba disimular su debilidad, pero, cada vez que se levantaba, se mareaba. No obstante, había sido productivo.

Estábamos solos; sus compañeros de piso se habían ido a Fire Island ese fin de semana. Le leí algunos de mis nuevos poemas y él se durmió. Me paseé por el loft. La obra que tan gráficamente me había descrito en sus cartas estaba diseminada por el suelo encerado. Su confianza en ella estaba justificada. Era buena. Sexo masculino. También había una composición sobre mí, con el sombrero de paja en un campo de rectángulos naranjas.

Ordené sus cosas. Sus lápices de colores, sacapuntas metálicos, restos de revistas para hombres, estrellas doradas y gasa. Luego, me acosté a su lado y reflexioné sobre cuál sería mi siguiente paso.

Antes de que amaneciera, nos despertaron una serie de disparos y gritos. La policía nos ordenó que cerráramos con llave y no saliéramos durante unas horas. Habían asesinado a un joven delante de nuestra puerta. A Robert le horrorizó que hubiéramos estado tan cerca del peligro la noche de mi regreso.

Por la mañana, al abrir la puerta, me impresionó ver la silueta del cuerpo de la víctima dibujada con tiza. «No podemos quedarnos aquí», dijo Robert. Estaba preocupado por nuestra seguridad. Lo dejamos casi todo —mi bolsa de lona con mis recuerdos de París, su material de trabajo y su ropa—; nos llevamos únicamente nuestra posesión más valiosa: los portafolios. Cruzamos la ciudad hasta el hotel Allerton de la Octava Avenida, conocido por lo baratas que eran sus habitaciones.

Aquellos días señalaron el punto más bajo de nuestra vida en común. No recuerdo cómo nos orientamos para llegar al hotel. Era un lugar horrible, oscuro y descuidado, con ventanas llenas de polvo que daban a una calle ruidosa. Robert me dio veinte dólares que había ganado trasladando pianos; los gastamos casi todos en la fianza de la habitación. Compré leche, pan y mantequilla de cacahuete, pero no pudimos comer. Me senté junto a la cama de hierro y lo observé mientras sudaba y tiritaba. Los muelles rotos del viejo colchón atravesaban la sábana llena de manchas. La habitación hedía a orines y a líquido fumigador, y el papel pintado se desprendía de la pared como la piel muerta en verano. No había agua corriente en el lavabo corroído, solo alguna que otra gota que caía durante la noche.

Pese a su enfermedad, Robert quiso hacer el amor y nuestra unión quizá lo reconfortó, porque dejó de sudar. Por la mañana, salió al pasillo para ir al baño y regresó visiblemente alterado. Había manifestado signos de gonorrea. Su sentimiento de culpa y su temor a haberme contagiado lo angustiaron todavía más.

Por suerte, se pasó la tarde durmiendo mientras yo deambulaba por los pasillos. El hotel estaba lleno de indigentes y yonquis. Los hoteles baratos no me eran ajenos. En Pigalle, mi hermana y yo nos habíamos alojado en un sexto piso sin ascensor, pero nuestra habitación estaba limpia y hasta era acogedora, con una romántica vista de los tejados de París. Aquel sitio no tenía nada de romántico, atestado de hombres medio desnudos que intentaban encontrarse una vena en extremidades infestadas de llagas. Todo el mundo tenía la puerta abierta porque hacía muchísimo calor y me veía obligada a apartar la mirada mientras iba y venía del baño para mojar paños que ponía a Robert en la frente. Me sentía como una niña en un cine que cierra los ojos para no ver la escena de la ducha de *Psicosis*. Era la única imagen que hacía reír a Robert.

Su almohada estaba plagada de piojos que se mezclaban con sus enredados rizos oscuros. Yo había visto muchos piojos en París y pude al menos relacionarlos con el mundo de Rimbaud. Aquella almohada, manchada y llena de bultos, era más lamentable todavía.

Fui a buscar agua para Robert y una voz me llamó desde la puerta de enfrente. Costaba saber si era de hombre o mujer. Al mirar, vi a un travestido un poco decrépito con un andrajoso vestido de gasa sentado al borde de la cama. Me sentí segura con él mientras me contaba su historia. Había sido bailarín clásico, pero ahora era un adicto a la morfina, una mezcla de Nureyev y Artaud. Seguía teniendo las piernas musculosas, pero le faltaban casi todos los dientes. Cuán magnífico debió de ser con sus cabellos dorados, hombros anchos y pómulos altos. Me senté junto a la puerta, la única espectadora de su onírica representación, donde bailó etéreamente por el pasillo como Isadora Duncan con su vaporoso vestido de gasa mientras cantaba una versión atonal de «Wild is the Wind».

Me contó las historias de algunos de sus vecinos, habitación por habitación, y qué habían sacrificado por el alcohol y las drogas. Yo no había visto jamás tanto sufrimiento colectivo ni tantas esperanzas rotas, tantas almas melancólicas que se habían destrozado la vida. Él parecía regir sobre todas ellas mientras lamentaba dulcemente su propia carrera fallida y bailaba por los pasillos con el pálido vestido de gasa.

Sentada junto a Robert, examinando nuestro destino, casi lamenté nuestro afán de ser artistas. Los voluminosos portafolios apoyados en la sucia pared, el mío rojo con cintas grises, el suyo negro con cintas negras, parecían una pesada carga material. A veces, incluso en París, deseaba abandonarlo todo en una callejuela y ser libre. Pero, cuando desataba las cintas y contemplaba nuestra obra, sabía que íbamos por buen camino. Solo necesitábamos un poco de suerte.

Por la noche, Robert, por lo general tan estoico, gritó. Le habían salido flemones, estaba muy congestionado y empapado en sudor. Fui en busca del ángel morfinómano. «¿Tienes algo para él? —le supliqué—. ¿Algo para aliviarle el dolor?» Intenté romper su velo narcótico. Él me regaló un momento de lucidez y vino a nuestra habitación. Robert estaba delirando debido a la fiebre. Creí que iba a morir.

«Tienes que llevarlo a un médico —dijo el ángel morfinómano—. Tenéis que iros de aquí. Este sitio no es para vosotros.» Lo miré a la cara. Todo lo que había experimentado estaba en aquellos apagados ojos azules. Por un momento, se encendieron. No por él, sino por nosotros.

No teníamos dinero suficiente para pagar el hotel. Al despuntar el alba, desperté a Robert y le ayudé a vestirse y a bajar por la escalera de incendios. Lo dejé en la acera y volví a subir para coger nuestros portafolios. Todo lo que teníamos.

Cuando alcé la vista vi a algunos de los desdichados residentes agitando pañuelos. Estaban asomados a las ventanas y gritaban «Adiós, adiós» a las criaturas que huían del purgatorio de su existencia.

Paré un taxi. Robert se subió, seguido de los portafolios. Antes de entrar, miré por última vez el patético esplendor de aquella escena, las manos despidiéndonos, el siniestro cartel luminoso del hotel y el ángel morfinómano cantando desde la escalera de incendios.

Robert apoyó la cabeza en mi hombro. Percibí que parte de la tensión abandonaba su cuerpo.

—Todo va a ir bien —dije—. Recuperaré mi trabajo y te pondrás mejor.

—Vamos a conseguirlo, Patti —dijo él.

Prometimos no volver a separarnos hasta que ambos supiéramos que estábamos preparados para valernos por nosotros mismos. Y mantuvimos aquella promesa durante todo lo que aún nos quedaba por vivir.

—Hotel Chelsea —dije al conductor, hurgándome los bolsillos para encontrar monedas, no del todo segura de poder pagarle.

Hotel Chelsea

Estoy sentada en el vestíbulo, fumando Kools y leyendo novelas policíacas baratas como el mismísimo Mike Hammer mientras espero a William Burroughs. Él llega vestido de punta en blanco con una gabardina oscura, un traje gris y corbata. Me quedo unas cuantas horas en mi puesto escribiendo poemas. Él sale tambaleándose de El Quixote, un poco borracho y desarreglado. Le enderezo la corbata y le paro un taxi. Es nuestra tácita rutina.

Entretanto, observo el movimiento. Vigilo el tráfico que circula por el vestíbulo, en cuyas paredes hay colgadas feas obras de arte. Mamotretos invasivos que los clientes endilgan a Stanley Bard a cambio del alquiler. El hotel es un refugio desesperado pero animado para montones de jóvenes con talento de todas las capas sociales. Guitarristas callejeros y bellezas drogadas con vestidos victorianos. Poetas heroinómanos, dramaturgos, cineastas arruinados y actores franceses. Todas las personas que pasan por aquí son alguien, aunque no sean nadie en el mundo exterior.

El ascensor es lento. Me bajo en la séptima planta para ver si está Harry Smith. Pongo la mano en el pomo de la puerta, no percibo nada salvo silencio. Las paredes amarillas tienen un aire institucional, como un reformatorio. Utilizo las escaleras y regreso a nuestra habitación. Orino en el baño del pasillo que compartimos con presos desconocidos. Abro la puerta. No hay rastro de Robert a excepción de una nota en el espejo. «He ido a la calle Cuarenta y dos. Te quiero. Azul.» Veo que ha ordenado sus cosas. Re-

vistas para hombres muy bien apiladas. La tela metálica enrollada y atada y los botes de pintura en spray alineados debajo del lavabo.

Enciendo la plancha eléctrica. Cojo agua del grifo. Hay que dejarla correr durante un rato porque sale marrón. Solo es óxido y minerales, a decir de Harry. Mis cosas están en el cajón de abajo. Cartas de tarot, cintas de seda, un bote de Nescafé y mi taza —una reliquia de infancia con el retrato de tío Wiggily, el caballero conejo—. Saco mi Remington de debajo de la cama, coloco bien la cinta y meto un folio en blanco. Hay mucho sobre lo que informar.

Robert estaba sentado en una silla debajo de un Larry Rivers en blanco y negro. Tenía la tez palidísima. Me arrodillé y le cogí la mano. El ángel morfinómano había dicho que, a veces, podías conseguir habitación en el hotel Chelsea a cambio de arte. Mi intención era ofrecer nuestra obra. Pensaba que los dibujos que había hecho en París tenían fuerza, y no cabía duda de que la obra de Robert eclipsaba todo lo que adornaba el vestíbulo. Mi primer obstáculo sería Stanley Bard, el director del hotel.

Entré en su despacho con mucha calma, dispuesta a convencerlo de nuestras virtudes. De inmediato, me indicó que saliera mientras continuaba una conversación telefónica que parecía interminable. Salí, me senté en el suelo al lado de Robert y calibré la situación.

Harry Smith apareció de repente, como si se hubiera escindido de la pared. Tenía el pelo cano, la barba enmarañada, y me miró con unos ojos brillantes y curiosos agrandados por sus gafas negras con montura de pasta. «¿Quién eres tienes dinero sois gemelos por qué lleváis una cinta en la muñeca?»

Estaba esperando a su amiga Peggy Biderman con la esperanza de que pudiera invitarlo a comer. Pese a estar centrado en su problema, pareció que se ponía en nuestra piel y se preocupó de inmediato por Robert, que apenas se mantenía erguido.

Se quedó plantado delante de nosotros, un poco cheposo, con una andrajosa chaqueta de tweed, pantalones de algodón y botas militares, ladeando la cabeza como un sabueso muy inteligente. Aunque solo tenía cuarenta y cinco años, parecía un viejo con un perpetuo entusiasmo infantil. Harry era venerado por su *Antología de la música folk americana* y todo el mundo, del guitarrista menos conocido a Bob Dylan, estaba influido por ella. Robert se encontraba demasiado mal para hablar con Harry y yo diserté sobre la música de los Apalaches mientras esperaba a que el señor Bard me recibiera. Harry mencionó que estaba rodando una película inspirada en Bertolt Brecht y yo le recité parte de «Pirata Jenny». Aquello selló nuestra amistad, aunque le decepcionó un poco que no tuviéramos dinero. Me siguió por el vestíbulo, diciendo:

—¿Estás segura de que no eres rica?

—Los Smith nunca somos ricos —dije. Él pareció desconcertado.

—¿Estás segura de que te apellidas Smith?

—Sí —respondí—, e incluso más de que somos parientes.

El señor Bard me dio permiso para volver a entrar en su despacho. Opté por adoptar un enfoque positivo. Le dije que estaba a punto de recibir un adelanto de mi jefe pero iba a darle la oportunidad de adquirir obras de arte que valían mucho más que la habitación. Canté las alabanzas de Robert y le ofrecí nuestros portafolios como garantía. Bard no lo tenía claro, pero me concedió el beneficio de la duda. No sé si la idea de ver nuestra obra significaba algo para él, pero pareció impresionado con mi supuesto empleo. Nos estrechamos la mano y me dio la llave. Habitación 1.017. Cincuenta y cinco dólares semanales por vivir en el hotel Chelsea.

Peggy había llegado y me ayudaron a subir a Robert. Abrí la puerta. La habitación 1.017 era famosa por ser la más pequeña del hotel, una habitación de color azul celeste con una cama metálica blanca cubierta por una colcha crema de felpilla. Había un lavabo y un espejo, una cómoda pequeña y un televisor en blanco y negro portátil colocado en el centro de un gran tapete descolorido. Robert y yo no habíamos tenido nunca televisor y permaneció desenchufado durante toda nuestra estancia, un talismán futurista y no obstante obsoleto.

Había un médico en el hotel y Peggy me dio su número. Teníamos una habitación limpia y una mano amiga. Por encima de todo, el Chelsea era el lugar donde Robert se recuperaría. Estábamos en casa.

Vino el médico y yo esperé fuera. La habitación era demasiado pequeña para los tres y no quería ver cómo le ponía una inyección a Robert. Le administró una fuerte dosis de tetraciclina, nos extendió varias recetas e insistió en que me hiciera una prueba. Robert estaba desnutrido, tenía mucha fiebre y padecía una gingivitis ulcerosa aguda y gonorrea. Teníamos que ponernos una tanda de inyecciones y habría que dar parte de que habíamos contraído una enfermedad venérea. El médico dijo que podíamos pagarle más adelante.

Acepté mal la probabilidad de haber contraído una enfermedad venérea que un desconocido había contagiado a Robert. No eran celos; se trataba más bien de que me sentía impura. Todo el Jean Genet que había leído tenía un aire de santidad que no incluía la gonorrea. Aquello se vio agravado por mi fobia a las agujas cuando el médico mencionó la tanda de inyecciones. Pero tuve que dejar a un lado mis dudas. Mi primera preocupación era el bienestar de Robert y él estaba demasiado enfermo para echarle nada en cara.

Permanecí a su lado, sentada en silencio. Qué distinta parecía la luz del hotel Chelsea cuando iluminaba nuestras cosas. No era luz natural, sino luz vertida por la lámpara y la bombilla del techo, intensa e implacable, pero parecía impregnada de una energía única. Robert estaba cómodamente acostado y le dije que no se preocupara, que volvía enseguida. No iba a abandonarlo. Teníamos nuestra promesa.

Eso significaba que no estábamos solos.

Salí del hotel y me detuve delante de la placa que honraba al poeta Dylan Thomas. Esa misma mañana habíamos escapado del infernal hotel Allerton y ya teníamos una habitación pequeña pero limpia en uno de los hoteles más históricos de Nueva York. Inspeccioné nuestro territorio inmediato. En 1969, la calle Veintitrés entre las avenidas Séptima y Octava aún tenía un ambiente de posguerra. Pasé por delante de una tienda de artículos de pesca, otra de discos usados con elepés de jazz parisino apenas visibles tras los polvorientos cristales del escaparate, un Automat bastante grande y el bar Oasis, con un cartel luminoso de una palmera. En la otra acera había una biblioteca pública junto a un espacioso centro de la Asociación de Jóvenes Cristianos.

Me dirigí al este, doblé por la Quinta Avenida y puse rumbo a la calle Cuarenta y ocho, donde estaba Scribner's. Aunque mi excedencia había sido larga, estaba segura de que volverían a contratarme. Regresaba sin muchas ganas, pero, considerando nuestra situación, Scribner's era una verdadera salvación. Mis jefes me saludaron afectuosamente y bajamos al sótano, donde compartí café y bollos de canela y los entretuve con anécdotas de la vida en las calles de París, acentuando los aspectos cómicos de nuestras desventuras, y terminé contratada. Además, me ofrecieron un adelanto para mis gastos inmediatos y el alquiler de una semana, lo cual impresionó muchísimo al señor Bard. No había abierto nuestros portafolios, pero los guardó para considerarlo en un futuro, así que aún cabía la posibilidad de que acabara pactando.

Llevé a Robert un poco de comida. Era lo primero que ingería desde mi regreso. Le expliqué cómo me había ido con Scribner's y con Bard. Nos asombramos de todo lo que había sucedido y recordamos nuestra pequeña odisea de la calamidad a la calma. Luego se quedó callado. Yo sabía qué estaba pensando. No decía que lo sentía, pero yo sabía que lo hacía. Se preguntaba, con la cabeza apoyada en mi hombro, si me habría ido mejor quedándome en París. Pero yo había regresado. Al final, como mejor estábamos era juntos.

Yo sabía cuidar de él. Se me daba bien atender a los enfermos, conseguir que les bajara la fiebre, porque lo había aprendido de mi madre. Permanecí a su lado mientras conciliaba el sueño. Estaba cansada. Mi vuelta a casa había dado un giro difícil, pero las cosas se estaban resolviendo y no me arrepentía de nada. Estaba ilusionada. Me quedé escuchando su respiración mientras la luz nocturna bañaba su almohada. Percibí la fuerza de nuestra unión en el hotel dormido. Hacía dos años, él me había rescatado cuando apareció de improviso en el parque Tompkins Square. Ahora lo había rescatado yo. En eso estábamos empatados.

Unos días después fui a Clinton Street para saldar cuentas con Jimmy Washington, nuestro antiguo casero. Subí las toscas escaleras de piedra por última vez. Sabía que jamás regresaría a Brooklyn. Aguardé un momento ante su puerta mientras me preparaba para llamar. Oí la canción «Devil in a Blue Dress» y a Jimmy Washington hablando con su señora. Abrió la puerta despacio y se sorprendió de verme. Había recogido las cosas de Robert, pero era evidente que se había encariñado de casi todas las mías. No pude evitar reírme al entrar en su casa. Mi caja taraceada con mis fichas de póquer azules, mi clíper con las velas hechas a mano y mi abigarrada infanta de escayola adornaban la repisa de su chimenea. Mi pañuelo mexicano cubría la voluminosa silla de madera que yo había lijado y repintado con barniz blanco. La llamaba mi silla de Jackson Pollock porque se parecía a una silla de jardín que había visto en una fotografía de la casa que Jackson Pollock y Lee Krasner tenían en Springs.

«Te lo estaba guardando todo —dijo Jimmy, un poco azorado—. No tenía la certeza de que volvieras.» Me limité a sonreír. Calentó café y llegamos a un acuerdo. Le debía el alquiler de tres meses: ciento ochenta dólares. Podía quedarse con la fianza de sesenta dólares y mis cosas y estaríamos en paz. Él había recogido los libros y los discos. Vi *Nashville Skyline* encima del montón. Robert me lo había regalado antes de que me fuera a París y yo había puesto «Lay Lady Lay» hasta la saciedad. Reuní mis cuadernos y entre ellos encontré el libro *Ariel* de Sylvia Plath, que Robert me compró cuando nos conocimos. Se me encogió fugazmente el corazón porque sabía que aquella etapa inocente de nuestra vida ya había pasado. Me metí un sobre en el bolsillo con las fotografías en blanco y negro de *Mujer I* que había sacado en el MoMA, pero dejé mis intentos fallidos de pintar su retrato, rollos de lienzo manchados de ocre, rosas y verde, recuerdos de una ambición pasada. Tenía demasiada curiosidad en el futuro para mirar atrás.

Al irme, vi uno de mis dibujos colgado en la pared. Si Bard no entendía mi arte, al menos lo hacía Jimmy Washington. Me despedí de mis pertenencias. Eran más apropiadas para él y para Brooklyn. Sin duda, siempre hay cosas nuevas.

↤ ⇥◈⇤ ↦

Aunque agradecía tener trabajo, volví a Scribner's muy a desgana. Estar en París por mi cuenta me había permitido moverme a mi antojo y me costó adaptarme. Mi amiga Janet se había mudado a San Francisco, de modo que había perdido a mi confidente poeta.

Con el tiempo, las cosas mejoraron al trabar amistad con Ann Powell. Tenía el cabello largo y castaño, tristes ojos oscuros y una melancólica sonrisa. Annie, como yo la llamaba, también era poeta, pero prefería lo autóctono. Adoraba a Frank O'Hara y el cine negro, y me llevaba a rastras hasta Brooklyn para ver películas protagonizadas por Paul Muni y John Garfield. Escribíamos atrevidos guiones para filmes de la serie B y yo representaba todos los papeles para divertirla durante el descanso para comer. Ocupábamos nuestro tiempo libre en rastrear las tiendas de ropa usada en busca del jersey negro de cuello alto ideal, el par de guantes blancos de cabritilla perfecto.

Annie había estudiado en un colegio de monjas de Brooklyn, pero adoraba a Maiakovski y a George Raft. Yo estaba encantada de tener a alguien con quien hablar de poesía y de novela negra, y discutir sobre los respectivos méritos de Robert Bresson y Paul Schrader.

En Scribner's ganaba en torno a setenta dólares semanales. Una vez pagado el alquiler, lo que nos quedaba se nos iba en comida. Tenía que aumentar nuestros ingresos e investigué otras formas de ganarme la vida aparte de fichar. Iba a las librerías de viejo en busca de libros que vender. Tenía buen ojo y, por unos pocos dólares, encontraba libros infantiles raros y primeras ediciones rubricadas que revendía por mucho más. Los beneficios de un ejemplar inmaculado de *El amor y el señor Lewisham*, dedicado por H. G. Wells, financiaron el alquiler y los billetes de metro de una semana.

En una de mis expediciones, encontré para Robert un ejemplar poco usado del *Index Book* de Andy Warhol. Le gustó pero se puso nervioso, pues también pensaba hacer un libro de desplegables. El *Index Book* contenía imágenes de Billy Name, el autor de las clásicas fotografías de la Factoría de Warhol. Incluía un castillo desplegable, un acordeón rojo sonoro, un biplano desplegable y un dodecaedro con el torso velloso. Robert creía que él y Andy seguían trayectorias paralelas. «Es bueno —dijo—. Pero el mío será mejor.» Estaba impaciente por levantarse y ponerse a trabajar. «No puedo quedarme en la cama —dijo—. Estoy perdiendo el tren.»

Robert estaba inquieto, pero tuvo que seguir en cama porque no podían extraerle las muelas del juicio afectadas hasta que la infección y la fiebre hubieran remitido. Detestaba estar enfermo. Se levantaba demasiado pronto y recaía. No tenía mi visión decimonónica de la convalecencia como una oportunidad para quedarse en la cama con fiebre leyendo libros o escribiendo largos poemas.

Cuando nos registramos yo no tenía idea de cómo sería vivir en el hotel Chelsea, pero me di cuenta de que terminar allí había sido un formidable golpe de suerte. Con lo que pagábamos, podríamos haber alquilado un piso bastante grande en el East Village, pero vivir en aquel hotel excéntrico y maldito nos daba sensación de seguridad y una educación excepcional. La buena voluntad que nos rodeaba demostraba que los Hados estaban conspirando para ayudar a sus entusiastas criaturas.

Robert tardó un tiempo, pero cuando estuvo más fuerte y recuperado se espabiló en Manhattan como yo me había curtido en París. Pronto salió a buscar trabajo. Los dos sabíamos que era incapaz de tener ninguno estable, pero aceptaba todos los empleos ocasionales que le ofrecían. El que más detestó fue llevar y traer obras de arte de las galerías. Le fastidiaba trabajar para artistas que sentía inferiores a él, pero le pagaban al contado. Dejábamos todos los centavos que nos sobraban en el fondo de un cajón para invertirlos en nuestro objetivo más inmediato: una habitación más grande. Era el principal motivo por el que pagábamos el alquiler con tanta diligencia.

Una vez que conseguías habitación en el Chelsea, no te echaban de inmediato si te retrasabas con el alquiler, pero sí pasabas a formar parte de la legión que se escondía del señor Bard. Queríamos instituirnos como buenos inquilinos porque estábamos en lista de espera para cambiarnos a una habitación más grande de la segunda planta. Durante toda mi infancia, había visto a mi madre bajar las persianas en muchos días soleados para esconderse de usureros y cobradores de facturas, y no tenía ganas de acobardarme ante el señor Bard. Casi todo el mundo le debía algo. Nosotros no le debíamos nada.

Vivíamos en nuestro cuartito como presos en una cárcel hospitalaria. La cama individual nos iba bien para dormir pegados, pero Robert no tenía espacio para trabajar, ni yo tampoco.

El primer amigo que Robert hizo en el Chelsea fue un diseñador de moda independiente que se llamaba Bruce Rudow. Había participado en la película de Warhol *The Thirteen Most Beautiful Boys* e interpretado un breve papel en *Cowboy de medianoche*. Era menudo y ágil y guardaba un extraño parecido con Brian Jones. Llevaba un sombrero cordobés negro de ala ancha como el de Jimi Hendrix que casi le tapaba los ojos claros y ojerosos. Tenía el cabello rubio y sedoso, los pómulos altos y la sonrisa ancha. La conexión con Brian Jones me habría bastado, pero también poseía un temperamento dulce y generoso. Era un poco coqueto, pero entre él y Robert no pasó nada. La coquetería formaba parte de su carácter afable.

Vino a visitarnos, pero no teníamos donde sentarnos, de modo que nos invitó a su habitación. Tenía una espaciosa zona de trabajo, con el suelo sembrado de pieles curtidas y recortes de cuero. Había patrones de papel de seda extendidos en largas mesas de trabajo y prendas acabadas colgadas a lo largo de las paredes. Tenía su propia fábrica en miniatura. Bruce diseñaba bonitas chaquetas negras de cuero con flecos plateados que se anunciaban en la revista *Vogue*.

Bruce tomó a Robert bajo su protección y su estímulo fue una bendición. Los dos tenían iniciativa y se inspiraban mutuamente. Robert estaba interesado en fusionar arte y moda y Bruce lo asesoraba sobre cómo introducirse en el mundo de la moda. Le ofreció una parte de su zona de trabajo. Pese a estar agradecido, a Robert no le gustaba trabajar en el espacio de otra persona.

Seguramente, la persona más influyente que conocimos en el Chelsea fue Sandy Daley, una artista afable y algo solitaria que vivía en la habitación contigua, la 1.019. Era una habitación íntegramente blanca; hasta los suelos eran blancos. Teníamos que quitarnos los zapatos antes de entrar. Había almohadones plateados inflados con helio procedentes de la Factoría original flotando por la habitación. Yo no había visto nunca un lugar como ese. Tomábamos café sentados en el suelo blanco y mirábamos sus libros de fotografía. A veces, Sandy parecía una oscura cautiva en su habitación blanca. Solía llevar un largo vestido negro y a mí me gustaba andar detrás de ella para ver cómo arrastraba la falda por el pasillo y la escalera.

Sandy había pasado mucho tiempo trabajando en Inglaterra, en el Londres de Mary Quant, las gabardinas de plástico y Syd Barrett. Llevaba las uñas largas, y su técnica para levantar el brazo del tocadiscos sin estropearse la manicura me maravillaba. Hacía fotografías sencillas y elegantes y siempre tenía una cámara Polaroid a mano. Fue Sandy quien prestó a Robert su primera cámara Polaroid y asumió el papel de crítica valiosa y confidente cuando él comenzó a hacer sus propias fotografías. Sandy nos apoyaba a los dos y fue capaz de asimilar, sin juzgarlas, las transiciones que Robert experimentó como hombre y como artista.

Su habitación encajaba mejor con Robert que conmigo, pero era un refugio agradable tras el caos de nuestro cuartito. Si necesitaba ducharme o simplemente quería abstraerme en un entorno luminoso y espacioso, su puerta siempre estaba abierta. A menudo me sentaba en el suelo junto a mi objeto preferido, un gran cuenco de plata repujada parecido a un brillante tapacubos con una gardenia flotando en el centro. Escuchaba *Beggars Banquet* hasta la saciedad mientras su fragancia impregnaba la habitación casi vacía.

También trabé amistad con un músico que se llamaba Matthew Reich. Su habitación era de lo más sobrio, con nada propio salvo una guitarra acústica y un cuaderno cuadriculado blanquinegro que contenía las letras de sus canciones y observaciones deslavazadas escritas a una velocidad inhumana. Era enjuto y fuerte, y estaba visiblemente obsesionado con Bob Dylan. Todo en él —su pelo, su indumentaria y su conducta— reflejaba el estilo de *Bringing It All Back Home*. Se había casado con la actriz Geneviève Waïte tras un brevísimo noviazgo. Ella enseguida advirtió que Matthew, pese a su inteligencia, estaba un poco trastornado y no era pariente de Bob Dylan. Se fugó con Papa John de The Mamas & The Papas y dejó a Matthew merodeando por los pasillos del hotel vestido con una camisa elegante y pantalones de pinzas.

Aunque se parecía a Bob Dylan, no había nadie como Matthew. Robert y yo le teníamos cariño, pero Robert solo lo toleraba en pequeñas dosis. Matthew fue el primer músico que conocí en Nueva York. Podía identificarme con su obsesión por Dylan y viéndolo componer una canción, crecía mi ilusión por convertir mis poemas en canciones.

Nunca supe si la rapidez con que hablaba se debía a las anfetaminas

o a su mente hiperactiva. Su lógica incomprensible a menudo me conducía a callejones sin salida o me llevaba por un laberinto interminable. Me sentía como Alicia con el Sombrerero Loco mientras intentaba entender sus chistes sin gracia, y me veía obligada a volver sobre mis pasos por el suelo ajedrezado para refugiarme en la lógica de mi peculiar universo.

Tuve que trabajar muchas horas para compensar el adelanto que me habían dado en Scribner's. Al cabo de un tiempo, me ascendieron y mi jornada comenzaba incluso más temprano. Me despertaba a las seis y caminaba hasta la Sexta Avenida, donde cogía el metro hasta Rockefeller Center. El billete costaba veinte centavos. A las siete, abría la caja de caudales, llenaba las cajas registradoras y lo preparaba todo para el nuevo día, alternándome con el encargado de la caja. Ganaba un poco más, pero prefería tener mi propio departamento y hacer pedidos. Terminaba de trabajar a las siete y, por lo general, volvía a casa andando.

Robert me abría la puerta, impaciente por enseñarme sus progresos. Una noche, después de leer mi cuaderno, concibió un tótem para

Brian Jones. Tenía forma de flecha, con pelo de conejo por el Conejo Blanco, una frase del osito Winnie y un minúsculo retrato de Brian. Lo terminamos juntos y lo colgamos sobre nuestra cama.

«Nadie ve como nosotros, Patti», repitió. Siempre que decía cosas como aquella, por un mágico instante, era como si fuéramos las dos únicas personas en el mundo.

Robert pudo por fin extraerse las muelas del juicio impactadas. Se sintió mal durante unos días, pero también estaba aliviado. Era fuerte, pero propenso a contraer infecciones, de modo que yo lo seguía a todas partes con agua salada tibia para mantenerle los huecos limpios. Él se aclaraba la boca, pero fingía que se enfadaba. «Patti —decía—, eres como una sirena de Ben Casey con tus tratamientos de agua salada.»

Harry, que a menudo nos pisaba los talones, estaba de acuerdo conmigo. Señaló la importancia de la sal en los experimentos de alquimia y, al instante, sospechó que yo tramaba hacer algo sobrenatural.

«Sí —dije—. Voy a convertir sus empastes en oro.»

Hubo risas. Un ingrediente imprescindible para sobrevivir. Y nos reíamos mucho.

⊷ ⋈ ⊶

Se percibía una vibración en el ambiente, una sensación de aceleramiento. Había comenzado con la luna, tan inaccesible y poética. Ahora, el hombre había caminado por ella, suelas de goma pisando una perla de los dioses. Quizá fuera la conciencia de que el tiempo pasaba, de que era el último verano de la década. A veces, yo solo quería levantar las manos y parar. Pero ¿parar qué? Mi maduración, tal vez.

La luna estaba en la portada de la revista *Life*, pero los titulares de todos los periódicos pregonaban los brutales asesinatos de Sharon Tate y sus amigos. Los asesinatos de Manson no encajaban con ninguna de las imágenes de un crimen sacadas del cine negro, pero eran la clase de noticias que avivaban la imaginación de los residentes del hotel. Casi todos estaban obsesionados con Charles Manson. Al principio, Robert repasó la información con Harry y Peggy, pero yo no soportaba hablar del tema. Los últimos momentos de Sharon Tate me obsesionaban pues imaginaba su horror al saber que estaban a punto de asesinar a su hijo nonato. Me refugié en mis poemas, que escribí en un cuaderno naranja. La imagen de Brian Jones flotando boca abajo en una piscina era la dosis máxima de tragedia que podía asimilar.

Robert estaba fascinado con la conducta humana, con lo que impulsaba a personas que parecían normales a cometer actos criminales. Siguió las noticias sobre Manson, pero su curiosidad disminuyó conforme la conducta de Manson se volvía más excéntrica. Cuando Matthew le enseñó la fotografía de un periódico donde aparecía con una «X» grabada en la frente, Robert copió la «X» y la utilizó como símbolo en un dibujo.

«La "X" me interesa, pero Manson no —dijo a Matthew—. Está loco. La locura no me interesa.»

Una o dos semanas después, entré en El Quixote buscando a Harry y Peggy. Era un bar restaurante contiguo al hotel que estaba comunicado con el vestíbulo por una puerta, por eso lo considerábamos nuestro bar, como les había ocurrido a muchos desde hacía décadas. Dylan Thomas, Terry Southern, Eugene O'Neill y Thomas Wolfe eran algunos de los clientes que habían bebido más de la cuenta en El Quixote.

Yo llevaba un vestido azul marino de lunares blancos y un sombrero de paja, mi conjunto de *Al este del Edén*. A mi izquierda, Janis Joplin estaba conversando con su banda en una mesa. A mi derecha vi a Grace Slick con Jefferson Airplane y a componentes de Country Joe & The Fish. En la última mesa, delante de la puerta, estaba Jimi Hendrix con la cabeza gacha, comiendo con el sombrero puesto, delante de una rubia. Había músicos por doquier, sentados a las mesas con montañas de gambas con salsa verde, paella, jarras de sangría y botellas de tequila.

Pese a mi asombro, no me sentía una intrusa. El Chelsea era mi casa y El Quixote mi bar. No había guardias de seguridad ni ningún trato de privilegio. Estaban allí por el festival de Woodstock, pero yo estaba tan encerrada en el hotel que no era consciente del festival ni de qué significaba.

Grace Slick se levantó y pasó por mi lado. Llevaba un vestido indio hasta los pies y tenía los ojos violetas como Liz Taylor.

—Hola —dije, advirtiendo que yo era más alta.

—Hola —respondió ella.

Cuando regresé a mi habitación, sentí una inexplicable afinidad con aquellas personas, aunque no tenía forma de interpretar tal sentimiento. Jamás habría podido predecir que un día tomaría su camino. En aquella época, aún era una larguirucha dependienta de librería de veintidós años que lidiaba con varios poemas inconclusos.

Esa noche, demasiado excitada para dormir, me pareció que había infinitas posibilidades dando vueltas sobre mi cabeza. Miré el techo de escayola como había hecho de niña. Me pareció que los vibrantes dibujos se perfilaban.

El mandala de mi vida.

—— ❈❈❈ ——

El señor Bard nos devolvió los portafolios. Abrí la puerta y los vi apoyados en la pared, el negro con cintas negras, el rojo con cintas grises. Los abrí y examiné todos los dibujos con detenimiento. Ni siquiera tenía la certeza de que Bard los hubiera mirado. Desde luego, si lo había hecho, no los había visto con mis ojos. Cada dibujo, cada collage, reafirmó mi fe en nuestra capacidad. Nuestra obra era buena. Nos merecíamos estar allí.

A Robert le disgustó que Bard no aceptara nuestro arte como recompensa. Estaba preocupado por cómo nos las íbamos a arreglar porque esa tarde habían anulado las dos mudanzas que tenía. Estaba tumbado en la cama con la camiseta blanca, el pantalón de peto y las sandalias, con un aspecto muy parecido al día en que nos conocimos. Pero cuando abrió los ojos para mirarme, no sonrió. Éramos como pescadores que echaban las redes. Estas eran resistentes, pero a menudo regresábamos a puerto con las manos vacías. Yo pensaba que teníamos que redoblar esfuerzos y encontrar a alguien que invirtiera en Robert. Al igual que Miguel Ángel, él solo necesitaba un Papa a su medida. Con la cantidad de personas influyentes que cruzaban las puertas del Chelsea, cabía la posibilidad de que un día consiguiéramos un mecenas. En el hotel, la vida era un mercado abierto donde todo el mundo tenía algo propio que vender.

Entretanto, acordamos olvidar nuestras preocupaciones por esa noche. Cogimos unas monedas de nuestros ahorros y caminamos hasta la calle Cuarenta y dos. Nos detuvimos en un fotomatón de Playland para hacernos retratos: cuatro por veinticinco centavos. Compramos un perrito caliente y un refresco de papaya en Benedict's y nos mezclamos con la multitud. Marineros de permiso, prostitutas, desertores, turistas explotados y víctimas diversas de abducciones alienígenas. Era un malecón urbano con bingos, quioscos de recuerdos, restaurantes cubanos, clubes de estriptís y tiendas de empeño que no cerraban. Por cincuenta centavos era posible dormir en una sucia butaca de un cine y ver películas extranjeras combinadas con porno blando.

Visitamos los puestos de libros usados que vendían grasientas noveluchas y revistas picantes. Robert siempre andaba buscando material para sus collages, y yo, tratados sobre ovnis o novelas policíacas con portadas llamativas. Conseguí la novela *Yonqui* de William Burroughs, editada por Ace Books y firmada con su seudónimo William Lee, que no vendí nunca. Robert encontró unas cuantas páginas sueltas de un portafolio de bocetos de muchachos arios con gorras negras de cuero dibujados por Tom de Finlandia.

Por solo un par de dólares, tuvimos suerte los dos. Regresamos a casa cogidos de la mano. Por un momento, me rezagué para verlo caminar. Sus andares de marinero siempre me conmovían. Sabía que algún día yo me detendría y él seguiría caminando, pero, hasta entonces, nada podría separarnos.

El último fin de semana del verano fui a Nueva Jersey para visitar a mis padres. Caminé hasta Port Authority y me subí al autobús de muy buen humor, con ganas de ver a mi familia y visitar las librerías de viejo de Mullica Hill. A todos nos gustaba leer y yo solía encontrar algún libro que revendía en Nueva York. Encontré una primera edición de *Doctor Martino* rubricada por William Faulkner.

En casa de mis padres reinaba un desánimo poco habitual. Mi hermano iba a alistarse en la Marina y mi madre, pese a ser profundamente patriótica, estaba consternada por la posibilidad de que Todd fuera enviado a Vietnam. La matanza de My Lai había afectado muchísimo a mi padre. «La inhumanidad del hombre hacia el hombre», solía decir, citando a Robert Burns. Lo vi plantar un sauce llorón en el patio. Parecía simbolizar su dolor por el camino que había tomado nuestro país.

Más adelante, la gente diría que el asesinato perpetrado en diciembre durante el concierto organizado por los Rolling Stones en Altamont señaló el fin del idealismo de los años sesenta. Para mí, enfatizó la dualidad del verano de 1969, Woodstock y el culto a Manson, nuestro caótico baile de máscaras.

⤙ ⌸ ⤚

Robert y yo nos levantamos temprano. Habíamos ahorrado un poco de dinero para nuestro segundo aniversario. Yo había preparado la ropa la noche anterior, lavándola y aclarándola en el lavabo. Él la había escurrido, porque tenía más fuerza en las manos, y la había colgado en la cabecera de hierro que utilizábamos como tendedero. Con objeto de vestirse para la ocasión, había desmontado una de sus obras, que consistía en dos camisetas negras estiradas en un marco vertical. Yo había vendido el libro de Faulkner y, además de pagar el alquiler de una semana, le había comprado un sombrero borsalino en JJ Hat Center de la Quinta Avenida. Era un sombrero flexible. Lo observé mientras se peinaba y se lo probaba de distintas formas delante del espejo. Estaba claramente complacido mientras se pavoneaba con su regalo de aniversario.

Metió el libro que yo estaba leyendo, mi jersey, sus cigarrillos y una botella de soda en un saco blanco. No le importó llevarlo, porque le daba un aire de marinero. Cogimos la línea F del metro y nos bajamos al final.

El trayecto a Coney Island siempre me gustaba. El mero hecho de llegar al mar en metro me parecía increíblemente mágico. Estaba sumergida en una biografía de Caballo Loco cuando regresé al presente y miré a Robert. Era como un personaje de *Brighton Rock* con su sombrero típico de los años cuarenta, la camiseta negra de redecilla y las sandalias.

Llegamos a nuestra parada. Él se levantó de un salto, con la expectación de un niño, y volvió a meter mi libro en el saco. Me cogió de la mano.

Para mí, no había nada más maravilloso que Coney Island con su obstinada inocencia. Era la clase de sitio que nos gustaba: las deslucidas galerías comerciales, los carteles desconchados de otras épocas, algodón azucarado y muñecas Kewpie en palitos, vestidas con plumas y brillantes sombreros de copa. Paseamos por las agonizantes barracas de feria. Habían perdido su lustre pero seguían anunciando rarezas humanas como el niño con cara de asno, el hombre caimán y la niña con tres piernas. Robert encontraba fascinante el mundo de los fenómenos de feria, aunque últimamente los estaba sustituyendo por muchachos vestidos de cuero en su obra.

Paseamos por el malecón y encargamos nuestra fotografía a un hombre anciano con una cámara compacta. El revelado tardaba una hora, así que caminamos hasta el final del largo muelle pesquero, donde había una barraca en la que servían café y chocolate caliente. Clavadas en la pared detrás de la caja, había imágenes de Jesús, el presidente Kennedy y los astronautas. Era uno de mis lugares preferidos y a menudo fantaseaba con conseguir un trabajo allí y vivir en uno de los viejos edificios de pisos situados enfrente de Nathan's.

Por todo el muelle había niños pescando cangrejos con sus abuelos. Metían pollo crudo en una jaulita atada a una cuerda y la arrojaban al mar. Una violenta tormenta se llevó el muelle en la década de 1980, pero Nathan's, que era el lugar preferido de Robert, se mantuvo en pie. Por lo general, solo teníamos dinero para un perrito caliente y una Coca-Cola. Él se comía casi toda la salchicha y yo casi todo el chucrut. Pero aquel día teníamos dinero suficiente para dos de todo. Cruzamos la playa para saludar al mar y le canté a Robert «Coney Island Baby», de The Excellents. Él escribió nuestros nombres en la arena.

Aquel día fuimos nosotros mismos, sin ninguna preocupación. Fue una suerte que aquel momento quedara congelado en una fotografía. Era nuestro primer auténtico retrato neoyorquino. Éramos nosotros. Solo unas semanas antes, habíamos tocado fondo, pero nuestra estrella azul, como Robert la llamaba, estaba apareciendo. Fuimos al metro para hacer el largo trayecto de regreso, volvimos a nuestra pequeña habitación y despejamos la cama, felices de estar juntos.

Harry, Robert y yo estábamos sentados a una mesa de El Quixote, compartiendo tapas de gambas con salsa verde mientras hablábamos sobre la palabra «magia». Robert la utilizaba a menudo cuando nos describía, cuando se refería a un buen poema o dibujo y, más adelante, cuando elegía una fotografía de una hoja de contactos. «Esta es la que tiene la magia», decía.

Conociendo la fascinación de Robert por Aleister Crowley, Harry afirmó que era hijo del mago ocultista. Le pregunté si podía invocar a su padre si le dibujábamos una estrella de cinco puntas en la mesa.

Peggy, que se había sentado con nosotros, nos hizo bajar a todos de las nubes. «A ver, magos de pacotilla, ¿puede alguien conjurar la pasta para pagar la cuenta?»

No puedo decir con exactitud qué hacía Peggy. Sé que trabajaba en el Museo de Arte Moderno. Solíamos bromear sobre el hecho de que ella y yo éramos las dos únicas personas del hotel oficialmente empleadas. Peggy era una mujer amable y animada, con una apretada cola de caballo, ojos oscuros y un desleído bronceado, que parecía conocer a todo el mundo. Tenía un lunar entre las cejas que Allen Ginsberg había apodado su tercer ojo y podría haber pasado perfectamente por una actriz secundaria de una película beatnik. Vaya pandilla formábamos, hablando todos a la vez, contradiciéndonos y discrepando, una cacofonía de afectuosas discusiones.

Robert y yo no solíamos pelearnos. Él rara vez levantaba la voz, pero, si estaba enfadado, se le notaba en los ojos, la frente o la tensión de la mandíbula. Cuando teníamos un problema del que necesitábamos hablar, nos íbamos a la «bollería mala» situada en la esquina de la Octava Avenida y la calle Veintitrés. Era la versión Edward Hopper de Dunkin' Donuts. El café estaba recalentado y los bollos rancios, pero no cerraba en toda la noche. Allí nos sentíamos menos encerrados que en nuestra habitación y nadie nos molestaba. Era posible encontrar todo tipo de personajes a cualquier hora: hombres dormidos, putas que hacían la calle, transeúntes y travestidos. Podías entrar sin que nadie se fijara en ti, suscitando, a lo sumo, una breve mirada.

Robert siempre se tomaba un donut con azúcar relleno de mermelada y yo un cruller francés. Por algún motivo, mis crullers franceses valían cinco centavos más que los donuts normales. Cada vez que pedía uno, Robert decía: «¡Patti! En realidad no te gustan; lo haces para fastidiar. Solo los quieres porque son franceses». Él los llamaba «crullers de poeta».

Fue Harry quien aclaró la etimología del cruller. No era francés, sino holandés: una pasta acanalada en forma de aro hecha con masa de bizcocho que tenía una textura ligera y esponjosa y se comía el martes de carnaval. Estaban hechos con todos los huevos, mantequilla y azúcar prohibidos en Cuaresma. Yo lo declaré donut sagrado. «Ya sabemos por qué tiene un agujero.»* Harry pensó un momento y me miró con el ceño fruncido, fingiendo enfado. «No, no, es holandés —dijo—. En holandés no funciona.» Sagrado o no, la conexión del bollo con Francia quedó descartada para siempre.

Una noche, Harry y Peggy nos invitaron a visitar al compositor George Kleinsinger, que tenía varias habitaciones interconectadas en el Chelsea. Yo siempre me resistía a visitar gente, sobre todo si eran personas mayores. Pero Harry utilizó el señuelo de que George había compuesto la música de *Archy y Mehitabel*, unos dibujos animados sobre la amistad entre una cucaracha y un gato callejero. Las habitaciones de Kleinsinger eran una selva tropical más que una residencia de hotel, un tinglado digno de Anna Kavan. Supuestamente, la atracción era su colección de serpientes exóticas, que incluía una pitón de casi cuatro metros de longitud. Robert parecía fascinado por ellas, pero yo estaba aterrorizada.

Mientras todos se turnaban para acariciar a la pitón, tuve libertad para fisgar entre las composiciones musicales de George, apiladas sin ningún orden entre los helechos, las palmeras y los ruiseñores enjaulados. Me entusiasmó encontrar partituras originales de Shinbone Alley entre un montón que había encima de un archivador. Pero la auténtica revelación fue hallar pruebas de que aquel caballero modesto y amable que criaba serpientes era, ni más ni menos, el compositor de la música de *Tubby la tuba*. Él me lo confirmó y casi lloré cuando me enseñó partituras originales de aquella música tan querida de mi infancia.

* Juego entre las palabras homófonas *holy*, «sagrado», y *holey*, «agujereado». *(N. de la T.)*

El Chelsea era como una casa de muñecas situada en los límites de la realidad y cada una de su centenar de habitaciones encerraba un pequeño universo. Yo deambulaba por los pasillos al acecho de sus espíritus, vivos o muertos. Mis aventuras consistían en travesuras inocentes como dar un empujoncito a una puerta entreabierta para vislumbrar el piano de cola de Virgil Thomson o remolonear delante de la puerta de Arthur C. Clark con la esperanza de que saliera. De vez en cuando, me tropezaba con Gert Schiff, el erudito alemán, cargado con volúmenes de Picasso, o con Viva perfumada con Eau Sauvage. Todo el mundo tenía algo que ofrecer y nadie parecía tener mucho dinero. Incluso los más prósperos parecían tener únicamente lo justo para vivir como vagabundos derrochadores.

Me encantaba aquel lugar, su elegancia decadente y la historia que tan posesivamente albergaba. Corrían rumores de que los baúles de Oscar Wilde languidecían en el sótano que se anegaba con frecuencia. Allí pasó sus últimas horas Dylan Thomas, sumergido en la poesía y el alcohol. Thomas Wolfe lidió con los centenares de páginas manuscritas de su *You Can't Go Home Again*. Bob Dylan compuso «Sad-Eyed Lady of the Lowlands» en nuestra planta y se decía que Edie Sedgwick, colocada de speed, había prendido fuego a su habitación mientras se pegaba sus tupidas pestañas falsas a la luz de una vela.

Muchos habían escrito, conversado y sufrido en las habitaciones de aquella casa de muñecas victoriana. Muchas faldas habían lamido aquellas desgastadas escaleras de mármol. Muchas almas pasajeras habían contraído matrimonio, dejado huella y sucumbido allí. Yo desenterraba sus espíritus mientras me escabullía de una planta a otra, anhelando conversar con una desaparecida procesión de orugas que fumaban en pipa.

Harry me atravesó con su fingida mirada de amenaza. Me puse a reír.

—¿Por qué te ríes?

—Porque me hace cosquillas.

—¿Notas eso?

—Sí, claro.

—¡Fascinante!

De vez en cuando, Robert se sumaba al juego. Harry intentaba que apartara la mirada, diciendo, por ejemplo: «¡Tienes los ojos increíblemente verdes!». Una lucha de miradas podía durar varios minutos, pero el estoicismo de Robert siempre se imponía. Harry jamás reconocía su derrota. Se limitaba a apartar la mirada y terminar la conversación, como si la lucha de miradas no hubiera sucedido. Robert sonreía con complicidad, claramente complacido.

Harry estaba fascinado con Robert, pero conversaba conmigo. A menudo, iba a visitarlo sola. Sus faldas de indio semínola estaban por toda la habitación. Era muy maniático con ellas y parecía encantado de vérmelas puestas, aunque no me dejaba tocar su colección de huevos ucranianos pintados a mano. Los manejaba como si fueran diminutos bebés. Tenían elaborados dibujos parecidos a las faldas. Sí, me permitía jugar con su colección de varitas mágicas, varas de chamán con intrincados labrados envueltas en periódicos. La mayoría medía casi medio metro, pero mi favorita era la más pequeña, del tamaño de una varita de director de orquesta; tenía la pátina de un viejo rosario que se ha quedado liso de tanto rezar.

Harry y yo podíamos charlar sobre alquimia y Charlie Patton de forma simultánea. Él montaba con morosidad horas de metraje para su misterioso proyecto cinematográfico basado en *Ascenso y caída de la ciudad de Mahagonny*, de Brecht. Nadie sabía con exactitud de qué se trataba, pero, antes o después, todos fuimos llamados a participar en sus dilatados comienzos. Harry puso grabaciones de los rituales de peyote de los indios kiowa y canciones populares del oeste de Virginia. Sentí una afinidad con sus voces e, inspirada por ellas, compuse una canción y se la canté antes de que se disipara en el aire enrarecido de su desordenada habitación.

Hablábamos de todo, ya fuera el árbol de la vida o de la hipófisis. Casi todos mis conocimientos eran intuitivos. Tenía una imaginación flexible y siempre estaba lista para un juego al que solíamos jugar. Harry me ponía a prueba con una pregunta. La respuesta tenía que ser un hecho verídico que daba pie a mentiras compuestas de hechos.

—¿Qué comes?

—Judías.

—¿Por qué las comes?

—Para cabrear a Pitágoras.

—¿Bajo las estrellas?

—Fuera del círculo.

Comenzábamos con frases sencillas y seguíamos cuanto hiciera falta hasta dar con un buen remate: creábamos una suerte de poema satírico, a menos que yo metiera la pata y utilizara una referencia inapropiada. Harry jamás se equivocaba y parecía saber un poco de todo, el rey indiscutible manipulando información.

Harry también era experto en hacer figuras de cordel. Si estaba de buen humor, se sacaba una madeja de cordel del bolsillo y formaba una estrella, un espíritu femenino, jugando a pasarse el cordel componiendo figuras él solo. Nos sentábamos a sus pies en el vestíbulo y lo observábamos como niños asombrados mientras sus diestros dedos creaban interesantes figuras enrollando y enredando el cordel. Tenía centenares de páginas de notas que documentaban figuras de cordel y su importancia simbólica. Harry nos entretenía con aquella valiosa información, pero, por desgracia, sus juegos de manos nos tenían tan hipnotizados que ninguno le seguía.

Una vez, estando yo sentada en el vestíbulo leyendo *La rama dorada*, advirtió que tenía una primera edición en dos tomos muy estropeada. Insistió en que fuéramos de expedición a Samuel Weiser's para disfrutar de la tercera edición, que era la mejor y estaba muy ampliada. Weiser's albergaba la mayor selección de libros sobre temas esotéricos de Nueva York. Accedí a ir si él y Robert no se colocaban, porque la combinación de los tres en el mundo exterior, en una librería ocultista, ya era suficientemente letal.

Harry conocía a los hermanos Weiser bastante bien, y me dieron la llave de una vitrina para que examinara la famosa edición de 1955 de *La rama dorada*, que consistía en trece recios tomos verdes con interesantes títulos como *El espíritu del maíz* y *El chivo expiatorio*. Harry se metió en una sala contigua con el señor Weiser, muy probablemente para descifrar algún manuscrito místico. Robert estaba leyendo el *Diario de un drogadicto*.

Teníamos la impresión de que habían pasado horas. Harry tardaba mucho en regresar y lo encontramos inmóvil en medio de la librería como si estuviera paralizado. Lo observamos durante un buen rato, pero no se movió. Por fin, Robert, desconcertado, se acercó y le preguntó:

—¿Qué haces?

Harry lo miró con ojos de chivo hechizado.

—Leo —respondió.

Conocimos a muchas personas enigmáticas en el Chelsea, pero, por algún motivo, cuando cierro los ojos para pensar en ellas, Harry es siempre el primero que veo. Tal vez porque fue la primera persona que conocimos allí. Pero, más probablemente, porque fue un período mágico y Harry creía en la magia.

❊

El gran deseo de Robert era acceder al mundo que rodeaba a Andy Warhol, aunque no quería formar parte de su séquito ni actuar en sus películas. A menudo decía que conocía su juego y pensaba que, si pudiera hablar con él, Andy lo reconocería como a un igual. Aunque yo creía que Robert merecía ser recibido por Andy, me parecía improbable que pudieran dialogar sobre algo importante, porque Andy era como una anguila, perfectamente capaz de eludir cualquier confrontación seria.

Aquella misión nos condujo al triángulo de las Bermudas de Nueva York: Brownie's, Max's Kansas City y la Factoría, todos próximos entre sí. La Factoría se había trasladado de su domicilio original en la calle Cuarenta y siete al número 33 de Union Square. Brownie's era un restaurante de comida sana cercano donde comían los acólitos de Warhol, y Max's, el bar donde pasaban las noches.

Al principio, Sandy Daley nos acompañaba a Max's porque estábamos demasiado intimidados para ir solos. No conocíamos las reglas y ella nos hizo de guía imparcial. Max's funcionaba de una forma muy similar a un instituto, con la diferencia de que las personas populares no eran las animadoras ni los ases del fútbol y la reina del baile seguro que sería un hombre, vestido de mujer, más femenino que la mayoría de las mujeres.

Max's Kansas City estaba en la esquina de la calle Dieciocho y Park Avenue South. Se suponía que era un restaurante, aunque pocos de nosotros teníamos dinero para comer allí. Era bien sabido que el propietario, Mickey Ruskin, simpatizaba con los artistas y hasta les ofrecía un bufet libre gratuito por el precio de una consumición. Se decía que aquel bufet, en el que había alitas de pollo, mantenía con vida a muchos artistas y reinonas en apuros. Yo no lo frecuenté porque trabajaba y Robert, que no bebía, era demasiado orgulloso para ir.

Había un gran toldo blanquinegro en el exterior y, encima, un cartel aún más grande que anunciaba que estabas a punto de entrar en Max's Kansas City. Era un local informal y austero, decorado con grandes obras de arte abstracto que regalaban a Mickey artistas con cuentas astronómicas. Todo, salvo las paredes blancas, era rojo: sillas, manteles, servilletas. Hasta sus emblemáticos garbanzos se servían en boles rojos. La gran atracción era el plato de carne de res y langosta. La zona vip, bañada de luz roja, era el objetivo de Robert, y la meta definitiva, la legendaria mesa redonda que aún conservaba el halo rosado de su rey plateado ausente.

En nuestra primera visita, no pasamos de la parte delantera. Nos sentamos a una mesa, compartimos una ensalada y nos comimos los incomibles garbanzos. Robert y Sandy pidieron Coca-Cola. Yo tomé café. Apenas había ambiente. Sandy había conocido Max's cuando era el centro social del universo subterráneo y Andy Warhol reinaba pasivamente en la mesa redonda con su carismática reina rubia platino, Edie Sedgwick. Las damas de honor eran hermosas, y entre los caballeros andantes estaban Ondine, Donald Lyons, Rauschenberg, Dalí, Billy Name, Lichtenstein, Gerard Malanga y John Chamberlain. En tiempos recientes, se habían sentado a la mesa redonda miembros de la realeza tales como Bob Dylan, Bob Neuwirth, Nico, Tim Buckley, Janis Joplin, Viva y The Velvet Underground. Max's tenía un glamour tan enigmático como cabía desear. Pero por su arteria principal fluía la sustancia que terminó acelerando su mundo y derribándolos a todos, el speed. Las anfetaminas exacerbaron su paranoia, los despojaron de algunas de sus facultades innatas, les robaron su seguridad e hicieron estragos en su belleza.

Andy Warhol ya no estaba allí, ni tampoco su corte. Andy no salía tanto desde que Valerie Solanas le había disparado, pero también cabía la posibilidad de que se hubiera aburrido, como solía ocurrirle. Pese a su ausencia, Max's continuaba siendo el local de moda en el otoño de 1969. La zona vip era el refugio de quienes querían las llaves del segundo reino plateado de Andy, a menudo descrito como un centro comercial más que artístico.

Nuestro debut en Max's transcurrió sin incidentes y, por el bien de Sandy, derrochamos nuestro dinero en coger un taxi al hotel. Llovía y no queríamos que el largo vestido negro se le manchara de barro.

Durante un tiempo continuamos yendo a Max's los tres juntos. Sandy no se implicaba emocionalmente en aquellas expediciones y amortiguaba mi conducta huraña e inquieta. Al final, me resigné y acepté el asunto de Max's como una rutina más relacionada con Robert. Llegaba de Scribner's después de las siete y nos tomábamos unos sándwiches calientes de queso en un restaurante barato. Robert y yo nos contábamos los chismes del día y nuestros progresos artísticos. Luego llegaba el interminable momento de decidir qué ponernos para ir a Max's.

Sandy no tenía un vestuario variado, pero era meticulosa con su aspecto. Poseía unos cuantos vestidos negros idénticos diseñados por Ossie Clark, el rey de King's Road. Eran como elegantes camisetas hasta los pies, sin forma pero ligeramente ceñidos, de manga larga y cuello redondo. Parecían tan fundamentales para su imagen que yo a menudo fantaseaba con comprarle un armario entero.

Me vestía como si fuera una figurante que se prepara para una toma de una película de la *nouvelle vague*. Tenía unas cuantas imágenes, entre ellas, una camiseta rayada de cuello de barca y un pañuelo rojo como Yves Montand en *El salario del miedo*, una imagen bohemia parisina con medias verdes y zapatillas de ballet rojas, o mi versión de Audrey Hepburn en *Cara de ángel*, con un jersey negro largo, medias negras, calcetines blancos y zapatillas deportivas negras. Fuera cual fuese el guión, necesitaba unos diez minutos para prepararme.

Para Robert, vestirse era arte vivo. Se liaba un canuto fino, se lo fumaba y miraba sus escasas prendas de ropa mientras reflexionaba sobre sus accesorios. Reservaba la marihuana para hacer vida social, lo cual le relajaba pero le quitaba la noción del tiempo. Esperar mientras Robert decidía cuántas llaves colgarse de la hebilla del cinturón era cómicamente exasperante.

Sandy y Robert eran muy parecidos en su preocupación por el detalle. La búsqueda del accesorio apropiado podía imbuirlos en una caza estética del tesoro durante la cual investigaban a Marcel Duchamp o las fotografías de Cecil Beaton, Nadar o Helmut Newton. A veces, los estudios comparativos impulsaban a Sandy a hacer unas cuantas polaroids, lo cual suscitaba una conversación sobre la validez de las fotos con la Polaroid como arte. Finalmente, llegaba el momento de plantear la pregunta shakespeariana: ¿debería o no debería Robert llevar tres collares? Uno era demasiado sutil y dos no impactaban. De modo que el segundo debate era: ¿deberían ser tres o ninguno? Sandy comprendía que Robert estaba resolviendo una ecuación artística. Yo también lo sabía, pero, para mí, la cuestión era ir o no ir; en aquellas complicadas tomas de decisiones, mi capacidad de fijar la atención era la de un adolescente colocado.

→ ⊨⊧ ←

La víspera de Halloween, cuando niños expectantes cruzaban corriendo la Tercera Avenida con sus coloridos disfraces de papel, salí de nuestra minúscula habitación con mi vestido de *Al este del Edén*, pisé los cuadros blancos del suelo ajedrezado, bajé varios tramos de la escalera y me detuve ante la puerta de nuestra nueva habitación. El señor Bard, fiel a su promesa, me había puesto en la mano la llave de la habitación 204 con un afectuoso movimiento de cabeza. Estaba justo al lado de la habitación donde Dylan Thomas había escrito sus últimas palabras.

El día de Todos los Santos, Robert y yo recogimos nuestras escasas pertenencias, las metimos en el ascensor y bajamos a la segunda planta. Nuestra nueva habitación daba a la parte de atrás. El baño, que estaba un poco sucio, se encontraba en el pasillo. Pero la habitación era preciosa, con dos ventanas desde las que se veían viejos edificios de ladrillo y altos árboles que casi habían perdido las hojas. Había una cama de matrimonio, un lavabo con un espejo y un armario empotrado sin puertas. El cambio nos animó.

Robert colocó sus sprays de pintura debajo del lavabo. Yo rebusqué en mi montón de ropa y encontré una tela de seda marroquí para tapar el hueco del armario. Había una mesa grande de madera que Robert podía utilizar para trabajar. Y, como la habitación estaba en la segunda planta, yo podía subir y bajar por la escalera; detestaba utilizar el ascensor. Aquello me permitía concebir el vestíbulo como una prolongación de la habitación, porque mi verdadero puesto estaba allí. Si Robert salía, yo podía escribir y disfrutar con el barullo de las idas y venidas de nuestros vecinos, que a menudo me ofrecían palabras de aliento.

Robert se pasó casi toda la noche sentado a la mesa, trabajando en las primeras páginas de un nuevo libro desplegable. Utilizó tres imágenes de fotomatón donde yo salía con mi sombrero de Vladimir Maiakovski y las rodeó de mariposas y ángeles de tela fina. Como de costumbre, me complacía muchísimo que utilizara una referencia a mí en su arte, como si a través de él fuera a ser recordada.

Nuestra nueva habitación era más apropiada para mí que para Robert. Yo tenía todo lo que necesitaba, pero no era lo bastante grande para que trabajaran dos personas. Como él utilizaba la mesa, clavé en la pared una lámina de papel satén Arches y comencé un dibujo de nosotros en Coney Island.

Robert bosquejaba instalaciones que no podía ejecutar y yo percibía su frustración. Centró su atención en hacer collares, animado por Bruce Rudow, que veía un potencial comercial en ellos. A Robert siempre le había gustado hacer collares, para su madre y luego para él. En Brooklyn, ambos nos habíamos hecho amuletos especiales, que poco a poco fuimos elaborando más y más. En la habitación 1.017, el primer cajón de nuestra cómoda había estado repleto de cintas, cordel, minúsculas calaveras de marfil y cuentas de vidrio coloreado y de plata, que comprábamos por una miseria en rastros y tiendas religiosas españolas.

Nos sentábamos en la cama y hacíamos collares con perlas, cuentas africanas y semillas barnizadas de rosarios rotos. Mis collares eran un poco rudimentarios, pero los de Robert eran intrincados. Yo le tejía trenzas de cuero y él añadía cuentas, plumas, nudos y patas de conejo.

La cama no era el mejor lugar para trabajar, porque las cuentas se perdían entre los pliegues de la colcha o se caían al suelo y se incrustaban en las grietas de la madera.

Robert colgó unos cuantos collares terminados en la pared y el resto en una percha detrás de la puerta. A Bruce le entusiasmaron, lo cual impulsó a Robert a desarrollar nuevos enfoques. Quería hacer collares de piedras semipreciosas, montar patas de conejo en platino o engarzar calaveras en plata y oro, pero de momento utilizábamos lo que encontrábamos. Robert era un maestro en divinizar lo insignificante. Compraba el material en Lamston's, el almacén de baratillo que había enfrente del Chelsea, y en Capitol, la tienda de artículos de pesca situada unas casas más abajo.

En Capitol se podían comprar impermeables, cañas de bambú para la pesca con mosca o un carrete Ambassador, pero a nosotros nos interesaban las cosas pequeñas. Comprábamos plumeros, señuelos con plumas y plomos diminutos. Los plumeros para pescar lucios eran los mejores para hacer collares, porque se fabricaban en una infinidad de colores además de jaspeado y blanco. El dueño se limitaba a suspirar y nos entregaba nuestras adquisiciones en una bolsita de papel de estraza como las que utilizaban las tiendas de chucherías a granel. Saltaba a la vista que no éramos pescadores profesionales, pero, cuando nos conoció, nos rebajó el precio de señuelos rotos con las plumas intactas y de una caja de pesca usada con bandejas abatibles, que era ideal para guardar nuestro material.

También estábamos pendientes de los clientes que pedían marisco en El Quixote. Cuando habían pagado la cuenta, yo recogía las pinzas de langosta en una servilleta. Robert las limpiaba, las lijaba y las pintaba con pulverizador. Yo rezaba una pequeña oración en agradecimiento a la langosta mientras él las ensartaba en un collar y añadía cuentas metálicas separadas por pequeños nudos. Yo hacía pulseras trenzando cordones de cuero y utilizando varias cuentas pequeñas. Robert se ponía todo lo que hacíamos con mucha seguridad. La gente mostraba interés y él abrigaba esperanzas de venderlo.

En el Automat no había langosta, pero era uno de nuestros sitios preferidos para comer. Era rápido y barato, si bien la comida aún parecía casera. Robert, Harry y yo íbamos juntos a menudo, aunque conseguir que ellos dos se pusieran en camino podía llevar mucho más tiempo que comer.

La rutina era más o menos la siguiente: tengo que subir a buscar a Harry. Él no encuentra las llaves. Miro en el suelo y las encuentro debajo de algún libro esotérico. Él se pone a leerlo y eso le recuerda otro libro que necesita. Se lía un canuto mientras yo busco ese otro libro. Llega Robert y se coloca con Harry. Entonces sé que es mi fin. Cuando van fumados, tardan una hora en hacer una cosa que lleva diez minutos. Luego Robert decide ponerse el chaleco vaquero que se ha hecho quitando las mangas a su chaqueta y vuelve a nuestra habitación. Harry piensa que mi vestido negro de terciopelo es demasiado lúgubre para llevarlo durante el día. Robert sube en el ascensor mientras nosotros bajamos por la escalera, frenéticas idas y venidas, como si estuviéramos representando las estrofas de «Taffy Was a Welshman».

Horn & Handart, el rey de los Automats, estaba justo al lado de la tienda de artículos de pesca. La rutina consistía en coger sitio y bandeja e ir hasta la pared del fondo, donde había una serie de ventanillas. Insertabas unas cuantas monedas en una ranura, abrías la trampilla de vidrio y sacabas un sándwich o un pastel de manzana. Un verdadero restaurante de dibujos animados. Mi plato favorito era la empanada de pollo o el bollo cubierto de semillas de amapola y relleno de queso, mostaza y lechuga. A Robert le gustaban las dos especialidades de la casa: los macarrones con queso y la leche con cacao. Ni él ni Harry entendían que no me gustara la famosa leche con cacao de Horn & Handart, pero, para un niña que se había criado a base de leche en polvo con sirope de chocolate Bosco, era demasiado densa, por lo que solo tomaba café.

Yo siempre tenía hambre. Enseguida metabolizaba lo que ingería. Robert podía pasarse sin comer mucho más tiempo que yo. Si no teníamos dinero, sencillamente no comíamos. Robert era capaz de funcionar, pese a notarse un poco débil, pero yo me sentía como si fuera a desmayarme. Una tarde de llovizna, se me antojó uno de aquellos sándwiches de queso y lechuga. Rebusqué entre nuestras cosas y encontré cincuenta centavos justos, me puse la trinchera gris y el sombrero de Maiakovski y fui al Automat.

Cogí una bandeja e inserté las monedas, pero la trampilla no se abrió. Volví a intentarlo, en vano, y entonces me di cuenta de que habían subido el precio a sesenta y cinco centavos. Estaba decepcionada, por no decir más, cuando oí una voz que decía: «¿Te ayudo?».

Me volví y era Allen Ginsberg. No nos conocíamos, pero era imposible no identificar el rostro de uno de nuestros grandes poetas y activistas. Miré sus penetrantes ojos oscuros, acentuados por su oscura barba rizada, y me limité a asentir con la cabeza. Allen insertó los quince centavos que faltaban y también me invitó a una taza de café. Sin abrir la boca, lo seguí hasta su mesa y empecé a comerme el sándwich.

Allen se presentó. Mientras él hablaba de Walt Whitman, mencioné que me había criado en Camden, donde estaba enterrado el poeta. Entonces se inclinó sobre la mesa y me miró con mucha atención.

—¿Eres una chica? —preguntó.

—Sí —respondí—. ¿Hay algún problema?

Él solo se rió.

—Lo siento. Te había tomado por un chico muy bello.

Lo comprendí de inmediato.

—¿Significa eso que tengo que devolver el sándwich?

—No, disfrútalo. El error ha sido mío.

Me contó que estaba escribiendo una larga elegía para Jack Kerouac, que había muerto hacía poco.

—Tres días después del cumpleaños de Rimbaud —dije. Le estreché la mano y nos separamos.

Al cabo de un tiempo, Allen se convirtió en mi buen amigo y maestro. A menudo recordábamos nuestro primer encuentro y en una ocasión me preguntó cómo describiría la forma en que nos conocimos. «Yo diría que me diste de comer cuando tenía hambre», respondí. Y era verdad.

Nuestra habitación se estaba llenando de cosas. Ahora no solo contenía los portafolios, libros y la ropa, sino el material que Robert había guardado en la habitación de Bruce Rudow: tela metálica, gasa, bobinas de cuerda, sprays de pintura, cola, planchas de masonita, rollos de papel pintado, azulejos, linóleo y montones de revistas para hombres antiguas. Era incapaz de tirar nada de aquello. Utilizaba contenidos masculinos de un modo que yo no había visto, recortes de revistas que había conseguido en la calle Cuarenta y dos integrados en collages con líneas que, al entrecruzarse, atraían la mirada del espectador.

Yo le preguntaba por qué no hacía él las fotografías. «Oh, es demasiada complicación —respondía—. Me da pereza, y las copias saldrían demasiado caras.» Había hecho fotografías en Pratt, pero se impacientaba demasiado con el lento proceso de revelado.

Entretanto, encontrar revistas para hombres era un verdadero suplicio. Yo me quedaba buscando libros en rústica de Colin Wilson mientras Robert iba a la trastienda. Daba un poco de miedo. Parecía que estuviéramos haciendo algo malo. Los dueños de aquellos negocios eran malhumorados y, si abrías una revista precintada, tenías que comprarla.

Tales transacciones crispaban a Robert. Las revistas eran caras (valían cinco dólares cada una) y no podía estar seguro de que el contenido le sirviera. Cuando por fin elegía una, regresaba al hotel de inmediato. Quitaba el precinto de celofán con la expectación de Charlie cuando desenvolvía una tableta de chocolate con la esperanza de encontrar un boleto dorado. Robert lo comparaba con las veces que pedía las cajas sorpresa anunciadas en las contraportadas de los tebeos sin decírselo a sus padres. Estaba pendiente del correo para interceptarlas y se llevaba sus tesoros al baño, donde echaba el pestillo, abría la caja y llenaba el suelo de trucos de magia, gafas de rayos X y caballitos de mar en miniatura.

A veces tenía suerte y había varias imágenes que podía utilizar en una obra existente, o una tan buena que le inspiraba una idea completamente nueva. Pero a menudo las revistas lo decepcionaban y las arrojaba al suelo, frustrado y arrepentido de haber derrochado nuestro dinero.

A veces las imágenes que escogía me desconcertaban, como en Brooklyn, pero comprendía su proceso. Yo había utilizado recortes de revistas de moda para hacer complicados disfraces a muñecas de papel.

«Deberías hacer las fotos tú», le decía.

Se lo decía continuamente.

De vez cuando, yo hacía mis propias fotografías, pero las llevaba a revelar a un Fotomat. No sabía nada de revelado. Me hice una idea del proceso viendo trabajar a Judy Linn. Después de graduarse en artes gráficas, Judy se había dedicado a la fotografía. A veces, cuando iba a visitarla a Brooklyn, nos pasábamos el día haciendo fotografías, yo era la modelo. Nos compenetrábamos como artista y modelo, teníamos las mismas referencias visuales.

Recurríamos a todo, desde *Butterfield 8* a la *nouvelle vague*. Ella sacaba los fotogramas de nuestras películas imaginarias. Aunque yo no fumaba, me metía unos cuantos Kools de Robert en el bolsillo para conseguir una determinada imagen. Para las fotografías de nuestro Blaise Cendrars, necesitábamos un humo espeso; para las de nuestra Jeanne Moreau, una combinación negra y un cigarrillo.

Cuando le enseñaba las fotografías de Judy, a Robert le divertían mis personajes. «Patti, tú no fumas —decía, haciéndome cosquillas—. ¿Me estás robando tabaco?» Yo pensaba que se enfadaría, porque el tabaco era caro, pero, cuando volví a casa de Judy, me sorprendió dándome los dos últimos cigarrillos de su arrugado paquete.

«Sé que soy una falsa fumadora —dije—, pero no hago daño a nadie y, además, tengo que mejorar mi imagen.» Todo por Jeanne Moreau.

Robert y yo continuamos yendo a Max's, los dos solos, por la noche. Con el tiempo, adquirimos suficiente categoría para acceder a la zona vip, donde nos sentábamos en un rincón bajo una escultura fluorescente de Dan Flavin, bañados en luz roja. La portera, Dorothy Dean, había tomado simpatía a Robert y nos dejaba pasar.

Dorothy era menuda, negra e inteligentísima. Llevaba gafas de vampiresa, vestía conjuntos de chaqueta y jersey y había ido a las mejores escuelas. Montaba guardia en la entrada de la zona vip como un sacerdote abisinio que vela por el Arca de la Alianza. Nadie cruzaba la puerta a menos que ella lo autorizara. Robert respondía a su lengua mordaz y a su cáustico sentido del humor. Ella y yo manteníamos las distancias.

Yo sabía que Max's era importante para Robert. Él me apoyaba tanto con mi obra que no podía negarle aquel ritual nocturno.

Mickey Ruskin nos permitía quedarnos sentados durante horas con un café o una Coca-Cola y no pedir casi nada. Algunas noches no había nada de ambiente. Regresábamos andando al hotel, exhaustos, y Robert decía que no volveríamos más. Otras noches la animación era frenética, un oscuro cabaret impregnado de la delirante energía del Berlín de los años treinta. Estallaban ruidosas peleas entre actrices frustradas y reinonas indignadas. Parecía que todas esperaran ser recibidas por un fantasma, y ese fantasma era Andy Warhol. Yo me preguntaba si a él le importaban siquiera un poco.

Una de aquellas noches, Danny Fields se acercó y nos invitó a sentarnos a la mesa redonda. Aquel sencillo gesto nos daba opción a establecernos como residentes permanentes, lo cual era un paso importante para Robert. Él reaccionó con elegancia. Se limitó a asentir con la cabeza y me condujo hasta la mesa. No dio ninguna muestra de cuánto significaba para él. Siempre he estado agradecida a Danny por el detalle que tuvo con nosotros.

Robert estaba a gusto porque al fin se encontraba donde quería. No puedo decir que yo me sintiera cómoda. Las chicas era bonitas pero crueles, quizá porque no parecía haber muchos varones interesados en ellas. Percibía que me toleraban y que Robert les atraía. Para ellas, era su objetivo, de igual modo que el círculo íntimo que ellos constituían lo era para él. Parecía que anduvieran todos tras él, hombres y mujeres, pero en esa época a Robert lo motivaba la ambición, no el sexo.

Estaba feliz de haber salvado aquel obstáculo pequeño y, no obstante, monumental. Pero yo, pese a no demostrarlo, pensaba que la mesa redonda, incluso en sus mejores momentos, estaba condenada por su propia naturaleza. Abandonada por Andy, vuelta a ocupar por nosotros, que sin duda volveríamos a abandonarla para dejar sitio a nuestros sucesores.

Miré a todas las personas de la zona vip, bañadas en luz roja como la sangre. Dan Flavin había concebido su instalación en respuesta al creciente número de víctimas mortales de la guerra de Vietnam. Ninguna de las personas que frecuentaban la zona vip iba a morir en Vietnam, pero pocas de ellas sobrevivirían a las crueles plagas de su generación.

↤ ⚎ ↦

Cuando regresaba con la colada hecha, me pareció oír la voz de Tim Hardin cantando «Black Sheep Boy». Robert había conseguido un tocadiscos a cambio de una mudanza y había puesto nuestro disco favorito. Fue una sorpresa para mí. No teníamos tocadiscos desde nuestra época en Hall Street.

Era el domingo anterior al día de Acción de Gracias. Aunque se estaba acabando el otoño, casi hacía calor. Había recogido nuestra ropa sucia, me había puesto un viejo vestido de algodón, unas medias de lana y un jersey grueso y me había ido a la Octava Avenida. Antes había preguntado a Harry si necesitaba lavar ropa, pero él había fingido horror ante la perspectiva de que tocara sus calzoncillos y me había despachado. Después de meter la ropa en la lavadora con una buena dosis de bicarbonato sódico, había ido a tomarme un café con leche a Asia de Cuba, que estaba a dos manzanas de la lavandería.

Doblé las prendas. Sonó la que llamábamos nuestra canción, «How Can You Hang On to a Dream?». Ambos éramos soñadores, pero Robert también pasaba a la acción. Yo ganaba el dinero, pero él poseía instinto y concentración. Tenía planes para sí mismo, pero también para mí. Quería que nos desarrolláramos como artistas, pero no había espacio. Todas las paredes estaban ocupadas. Él no tenía posibilidad de ejecutar las obras que concebía. Su pintura en spray era nociva para mi tos persistente. A veces subía a la azotea del Chelsea, pero ya empezaba a hacer frío y viento. Finalmente, decidió que iba a encontrar un espacio para los dos y empezó a consultar el *Village Voice* y a preguntar por ahí.

Entonces tuvo un golpe de suerte. Había un vecino, un inútil obeso con un abrigo arrugado que paseaba su bulldog francés por la calle Veintitrés. Él y su perro tenían la misma cara repleta de flácidos pliegues de piel. Lo llamábamos el Porquero. Robert se fijó en que vivía unas casas más abajo, encima del bar Oasis. Una noche se detuvo a acariciar el perro y entabló conversación con él. Le preguntó si sabía de alguna habitación libre en su edificio y el Porquero respondió que él tenía alquilada toda la segunda planta pero solo utilizaba la habitación delantera como trastero. Robert le preguntó si se la podía subarrendar. Al principio se mostró reacio, pero al perro le gustaba Robert y accedió. Se la ofreció por cien dólares mensuales a partir del primero de enero. Con un mes de fianza, podía dedicar lo que quedaba de año en vaciarla. Robert no sabía de dónde íbamos a sacar el dinero, pero selló el trato con un apretón de manos.

Me llevó a ver el espacio. Tenía ventanales con vistas a la calle Veintitrés y veíamos la Asociación de Jóvenes Cristianos y la parte superior del cartel del bar Oasis. Era lo que él necesitaba: al menos tres veces más grande que nuestra habitación, con mucha luz y una pared con un centenar de clavos.

—Podemos colgar los collares ahí —dijo.

—¿Podemos?

—Claro —respondió—. Tú también puedes trabajar aquí. Será nuestro espacio. Puedes ponerte a dibujar otra vez.

—El primer dibujo será del Porquero —dije—. Le debemos mucho. Y no te preocupes por el dinero. Lo conseguiremos.

Poco después, encontré una colección de veintiséis tomos de la obra completa de Henry James por una miseria. Estaba en perfecto estado. Conocía a un cliente de Scribner's que la querría. Las guardas de seda estaban intactas, los fotograbados parecían nuevos y las páginas no tenían manchas. Saqué cien dólares limpios. Metí los billetes de cinco dólares en un calcetín, lo até con una cinta y se lo di a Robert. Él lo abrió y dijo: «No sé cómo lo haces».

Robert dio el dinero al Porquero y empezó a vaciar la mitad delantera del loft. Había mucho trabajo. Yo pasaba al salir de Scribner's y lo encontraba hundido hasta las rodillas en los extravagantes escombros del Porquero: tubos fluorescentes llenos de polvo, rollos de material aislante, estanterías de alimentos en conserva caducados, envases medio vacíos de detergentes sin etiquetas, bolsas de aspiradora, rollos de persianas rotas, cajas enmohecidas de impresos de Hacienda de hacía décadas y sucios fardos de revistas *National Geographic* atados con un cordel rojo y blanco que aproveché para trenzar pulseras.

Robert vació, limpió y pintó el espacio. Pedimos cubos al hotel, los llenamos de agua y los llevamos allí. Cuando terminamos, nos quedamos callados, imaginando las posibilidades que tenía. Jamás habíamos disfrutado de tanta luz. Incluso después de que Robert limpiara y pintara de negro la mitad de los ventanales, la luz seguía entrando a raudales. Encontramos un colchón, mesas de trabajo y sillas en la basura. Fregué el suelo con agua de eucalipto hervida en el hornillo eléctrico.

Lo primero que Robert llevó del Chelsea fueron nuestros portafolios.

Las cosas estaban mejorando en Max's. Dejé de ser tan crítica y me relajé. No sé cómo, pero me aceptaron, aunque nunca encajé del todo. Se acercaban las navidades y reinaba una melancolía generalizada, como si todo el mundo recordara al mismo tiempo que no tenía adónde ir.

Incluso allí, en el territorio de las supuestas reinonas, Wayne County, Holly Woodlawn, Candy Darling y Jackie Curtis no se podían clasificar tan a la ligera. Eran artistas de performance, actrices y cómicas. Wayne era ingeniosa; Candy, guapa, y Holly, teatral, pero yo apostaba por Jackie Curtis. En mi opinión, era la que poseía más potencial. Conseguía desviar una conversación solo para soltar una de las frases lapidarias de Bette Davis. Y sabía cómo llevar un vestido barato. Con tanto maquillaje, era la versión setentera de una aspirante a estrella de los años treinta. Purpurina en los párpados. Purpurina en el cabello. Colorete con purpurina. Yo detestaba la purpurina y sentarme con Jackie significaba irme a casa embadurnada de ella.

Poco antes de la Navidad, Jackie parecía afligida. Le pedí una «bola de nieve», un manjar codiciado e inasequible. Era un enorme pedazo de tarta de chocolate rellena de helado de vainilla y cubierta de tiras de coco. Ella se la comió mientras el helado se manchaba con la purpurina de sus lágrimas. Candy Darling se sentó a su lado y la consoló con su voz tranquilizante mientras metía la uña pintada en su plato.

Jackie y Candy me conmovían especialmente por su modo de vivir la fantasía de que serían actrices. Ambas tenían facetas de Mildred Rogers, la vulgar camarera analfabeta de *Servidumbre humana*. Candy tenía el físico de Kim Novak, y Jackie, su dicción. Las dos se habían adelantado a su tiempo, pero no vivieron lo suficiente para ver la época a la que se habían adelantado.

«Pioneras sin fronteras», como diría Andy Warhol.

La noche de Navidad nevó. Caminamos hasta Times Square para ver la valla publicitaria blanca que proclamaba: «¡LA GUERRA HA TERMINADO! Si tú quieres. Feliz Navidad de John y Yoko». Estaba encima del quiosco donde Robert compraba casi todas sus revistas para hombres, entre Child's y Benedict's, dos restaurantes que no cerraban de noche.

Al alzar la vista, nos sorprendió la ingenua humanidad de aquel retablo neoyorquino. Robert me cogió de la mano y, mientras la nieve se arremolinaba a nuestro alrededor, lo miré a la cara. Él entrecerró los ojos y asintió, impresionado de ver que los artistas habían llegado a la calle Cuarenta y dos. Para mí, era el mensaje. Para Robert, el soporte.

Inspirados por aquello, regresamos a la calle Cuarenta y tres para contemplar nuestro espacio. Los collares colgaban de alcayatas y Robert había clavado algunos de nuestros dibujos en la pared. Fuimos hasta el ventanal y miramos la nieve que caía más allá del cartel fluorescente del bar Oasis con su sinuosa palmera. «Mira —dijo él—, está nevando en el desierto.» Pensé en una escena de la película *Scarface* de Howard Hawks, donde Paul Muni y su chica están en una ventana, mirando un cartel de neón donde pone «El mundo es tuyo». Robert me apretó la mano.

Los años sesenta estaban tocando a su fin. Robert y yo celebramos nuestros cumpleaños. Robert cumplió veintitrés. Luego los cumplí yo. El número primo perfecto. Robert me hizo un corbatero con la imagen de la Virgen María. Yo le regalé una correa de cuero con siete calaveras de plata. Él se puso las calaveras. Yo me puse corbata. Nos sentíamos preparados para los años setenta.

«Es nuestra década», dijo él.

Viva entró en el vestíbulo con los aires inaccesibles de Greta Garbo, en un intento de intimidar al señor Bard para que no le pidiera el alquiler atrasado. La cineasta Shirley Clarke y la fotógrafa Diane Arbus entraron por separado, ambas como si tuvieran algo importante que hacer. Jonas Mekas, con su omnipresente cámara y su discreta sonrisa, fotografiaba los rincones más recónditos del Chelsea. Yo estaba parada en el vestíbulo, con un cuervo negro disecado que había comprado por una miseria en el Museo de los Indios Americanos. Creo que querían deshacerse de él. Había decidido llamarlo Raymond, por Raymond Roussel, el autor de *Locus solus.* Estaba pensando en lo mágico que era aquel vestíbulo cuando la pesada puerta acristalada se abrió como si la hubiera empujado el viento y entró una conocida figura envuelta en una capa escarlata y negra. Era Salvador Dalí. Miró a su alrededor con nerviosismo y, al ver mi cuervo, sonrió. Me puso su elegante mano huesuda en la coronilla y dijo:

—Eres como un cuervo, un cuervo gótico.

—Bueno —dije a Raymond—, otro día más en el Chelsea.

A mediados de enero, conocimos a Steve Paul, el representante de Johnny Winter. Steve era un carismático empresario que había propor-

Corbatero, 30 de diciembre de 1969

cionado a los sesenta uno de los grandes clubes rockeros de Nueva York, el Scene. Ubicado en una callejuela próxima a Times Square, se convirtió en un punto de reunión para músicos visitantes e improvisaciones musicales nocturnas. Vestido de terciopelo azul y perpetuamente desconcertado, era una mezcla de Oscar Wilde y el gato sonriente de Alicia. Estaba negociando un contrato de grabación para Johnny y se había instalado en el Chelsea.

Una noche coincidimos todos en El Quixote. En el poco tiempo que pasamos con Johnny, me fascinaron su inteligencia y su instinto para apreciar el arte. En la conversación, era franco y agradablemente excéntrico. Nos invitó a verlo tocar en el Fillmore East; yo jamás había visto un intérprete tan seguro en su interacción con el público. Era atrevido y descarado. Giraba como un derviche y se adueñaba del escenario mientras agitaba su velo de pelo albino. Rápido y fluido con la guitarra, hipnotizó al público con su mirada desviada y su pícara sonrisa de demonio.

El 2 de febrero asistimos a una reducida fiesta en el hotel para celebrar que Johnny firmaba con Columbia Records. Pasamos casi toda la velada charlando con Johnny y Steve Paul. Johnny admiraba los collares de Robert y quiso comprarle uno; también hablaron de que Robert le diseñara una capa negra de rejilla.

Mientras charlábamos, me sentí físicamente inestable, maleable, como si estuviera hecha de barro. Nadie pareció dar indicios de que yo hubiera sufrido algún cambio. Los largos cabellos de Johnny me parecieron dos flácidas orejas blancas. Steve Paul, vestido de terciopelo azul, estaba apoyado en una montaña de almohadones, fumando canutos a cámara lenta, lo cual contrastaba con la presencia de Matthew, que entraba y salía de la habitación como una bala. Me sentía tan cambiada que escapé y me encerré en nuestro antiguo baño compartido de la décima planta.

No estaba segura de lo que me había ocurrido. Mi experiencia se parecía a la escena de «cómeme, bébeme» de *Alicia en el país de las maravillas*. Como ella, intenté reaccionar con contención y curiosidad a aquella experiencia psicodélica. Me dije que debían de haberme drogado con algún alucinógeno. Yo no tomaba ninguna clase de droga y mis limitados conocimientos provenían de observar a Robert o leer descripciones de las visiones inducidas por drogas de Gautier, Michaux y Thomas de Quincey. Me acurruqué en un rincón, sin saber qué hacer. Desde luego, no quería que nadie me viera cambiando de tamaño, aunque todo estuviera en mi cabeza.

Robert, que también debía de ir colocado, registró el hotel hasta encontrarme, se sentó en el pasillo junto a la puerta del baño y me estuvo hablando para ayudarme a encontrar el camino de vuelta.

Por fin, salí del baño. Dimos un paseo y regresamos al abrigo de nuestra habitación. Al día siguiente se nos pegaron las sábanas. Cuando me levanté, me puse histriónicamente gafas oscuras y una gabardina. Robert fue muy considerado conmigo y no me hizo ninguna broma, ni siquiera por la gabardina.

Tuvimos un día hermoso que terminó en una noche de inusitada pasión. Escribí felizmente sobre ella en mi diario y añadí un corazoncito como una muchacha adolescente.

Es difícil describir la velocidad con que cambiaron nuestras vidas en los meses siguientes. Parecía que jamás hubiéramos estado tan unidos, pero nuestra felicidad pronto se vería ensombrecida debido a la preocupación de Robert por el dinero.

No encontraba trabajo. Le preocupaba que no pudiéramos mantener los dos sitios. Recorría continuamente todas las galerías y solía regresar frustrado y desmoralizado. «No miran mi obra —se lamentaba—. Se enrollan para ver si ligan conmigo. Prefiero cavar zanjas a acostarme con esa gente.»

Acudió a una agencia de empleo para encontrar trabajo a tiempo parcial, pero no le salió nada. Aunque vendía algún que otro collar, le estaba costando introducirse en el negocio de la moda. Se fue deprimiendo cada vez más por el dinero y por que fuera yo quien debía conseguirlo. Su preocupación por nuestra situación económica fue, en parte, lo que le impulsó a reconsiderar la idea de prostituirse.

Sus primeros intentos habían estado alimentados por la curiosidad y el romanticismo de *Cowboy de medianoche*, pero trabajar en la calle Cuarenta y dos le pareció duro. Decidió cambiar al territorio de Joe Dallesandro, en el East Side cerca de Bloomingdale's, donde era más seguro.

Le supliqué que no fuera, pero él estaba decidido a intentarlo. Mis lágrimas no lo detuvieron, de modo que lo observé mientras se vestía para la noche que le esperaba. Lo imaginé aguardando en una esquina, arrebatado de entusiasmo, ofreciéndose a un desconocido con el propósito de ganar dinero para nosotros.

—Por favor, ten cuidado —fue todo lo que pude decir.

—No te preocupes. Te quiero. Deséame suerte.

¿Quién conoce el corazón de la juventud salvo la propia juventud?

⊷ ⊠ ⊷

Me desperté y él no estaba. Había una nota en la mesa. «No podía dormir —decía—. Espérame.» Me levanté, y estaba escribiendo una carta a mi hermana cuando él entró en la habitación agitadísimo. Dijo que tenía que enseñarme una cosa. Me vestí a toda prisa y lo seguí a nuestro espacio. Subimos la escalera corriendo.

Al entrar, eché un rápido vistazo. La habitación parecía vibrar con su energía. Vi espejos, bombillas y cadenas esparcidos sobre una tela encerada de color negro. Robert había comenzado una nueva obra, pero me señaló otra apoyada en la pared de los collares. Había dejado de montar lienzos cuando perdió el interés por la pintura, pero conservaba uno de los bastidores. Lo había forrado con fotografías de sus revistas para hombres. Los rostros y los torsos de jóvenes envolvían el marco. Estaba casi temblando.

—Es bueno, ¿verdad?

—Sí —dije—. Una genialidad.

Era una obra relativamente simple, pero parecía poseer una fuerza innata. Nada en ella era excesivo. Era un objeto perfecto.

El suelo estaba sembrado de recortes de papel. La habitación hedía a cola y barniz. Robert colgó el bastidor en la pared, encendió un cigarrillo y lo contemplamos juntos en silencio.

Dicen que los niños no distinguen entre objetos animados e inanimados; yo creo que sí lo hacen. Un niño imparte a una muñeca o soldado de hojalata un hálito vital mágico. El artista dota su obra de vida como un niño con sus juguetes. Tanto en la vida como en su arte, Robert imprimía a los objetos su impulso creativo, su sagrada potencia sexual. Transformaba en arte un llavero, un cuchillo de cocina o un simple marco de madera. Amaba su obra y amaba sus cosas. En una ocasión cambió un dibujo por un par de botas de montar, nada prácticas pero casi bellas espiritualmente. Las lustraba con la dedicación de un mozo que cepilla a un lebrel antes de una carrera.

Aquel idilio con el buen calzado alcanzó su cima una noche cuando regresábamos de Max's. Al doblar la esquina de la Séptima Avenida, nos tropezamos con un par de relucientes zapatos de piel de caimán abandonados en la acera. Robert los cogió, los apretó contra sí y declaró que eran un tesoro. De color marrón, con cordones de seda, no parecían usados. Entraron de puntillas en una de sus obras, que él a menudo desmontaba para ponérselos. Si metía varios pañuelos de papel en las estrechas punteras, le ajustaban bastante bien, aunque no eran muy apropiados para sus pantalones de peto y el jersey de cuello alto. Cambió el jersey por una camiseta negra de rejilla, se colgó un gran manojo de llaves de la hebilla del cinturón y se quitó los calcetines. Entonces estuvo listo para un noche en Max's, sin dinero para el taxi pero con los pies relucientes.

La noche de los zapatos, como terminamos llamándola, fue para

Robert una señal de que estábamos en el buen camino, aunque hubiera tantos caminos que se cruzaban entre sí.

Gregory Corso podía entrar en una habitación y crear un caos instantáneo, pero era fácil perdonarlo porque tenía el mismo potencial para crear una gran belleza.

Es posible que me lo presentara Peggy, porque estaban muy unidos. Le tomé mucha simpatía, por no mencionar que lo consideraba uno de nuestros grandes poetas. Mi desgastado ejemplar de su libro *El feliz cumpleaños de la muerte* estaba sobre la mesilla de noche. Gregory era el poeta más joven de la generación beat. Era guapo pese a estar algo castigado y andaba con la arrogancia de John Garfield. A menudo se tomaba a sí mismo a broma, pero su poesía se la tomaba siempre muy en serio.

Gregory adoraba a Keats y a Shelley y entraba tambaleándose en el vestíbulo con los pantalones caídos, declamando sus versos con elocuencia. Cuando me quejé de mi incapacidad para terminar ninguno de mis poemas, él me citó a Paul Valéry: «Los poetas no terminan poemas, los abandonan —y luego añadió—: No te preocupes, te irá bien, chiquilla». Yo le pregunté: «¿Cómo lo sabes?». Y él me respondió: «Porque lo sé».

Gregory me llevó a The Poetry Project de San Marcos, un colectivo de poetas que se reunían en la histórica iglesia de la calle Diez Este. Cuando íbamos a escucharlos recitar, Gregory los interrumpía y gritaba: «¡Mierda! ¡Mierda! ¡Sin sangre! ¡Hazte una transfusión!», cuando le parecían prosaicos.

Al observar su reacción, tomé nota para asegurarme de no resultar nunca aburrida si algún día recitaba mis poemas.

Gregory me hizo listas de libros que leer, me dijo qué diccionario debía comprarme, me animó y me puso a prueba. Gregory Corso, Allen Ginsberg y William Burroughs fueron los maestros que tuve, y no hubo

Hotel Chelsea, habitación 204, 1970

ninguno que no pisara el vestíbulo del hotel Chelsea, mi nueva universidad.

⊷ ⩢⩤ ⊷

«Estoy harto de parecer un pastor —dijo Robert, inspeccionándose el pelo en el espejo—. ¿Me lo puedes cortar como un rockero de los años cincuenta?» Aunque estaba muy encariñada con sus rebeldes rizos, saqué las tijeras y pensé en la estética rockabilly mientras se los cortaba. Recogí uno con tristeza y lo metí entre las páginas de un libro mientras Robert, fascinado con su nueva imagen, se miraba en el espejo.

En febrero, me llevó a la Factoría para ver las primeras pruebas de *Trash*. Era la primera vez que nos invitaban y estaba muy ilusionado. La película no me conmovió. Quizá no fuera lo bastante francesa para mí. Robert se integró bien en el círculo de Warhol, aunque le desconcertó el ambiente aséptico de la nueva Factoría y le decepcionó que Andy Warhol no apareciera. A mí me tranquilizó ver a Bruce Rudow y él me presentó a su amiga Diane Podlewski, que interpretaba a la hermana de Holly Woodlawn en la película. Era una muchacha sureña de carácter dulce, con un peinado afro muy voluminoso y ropa marroquí. La reconocí por una fotografía de Diane Arbus tomada en el Chelsea, más chico que chica.

Cuando cogimos el ascensor para marcharnos, Fred Hughes, el representante de Warhol, se dirigió a mí en tono condescendiente: «¡Ohhh! Qué peinado tan de Joan Baez. ¿Cantas folk?». No sé por qué, dado que yo la admiraba, pero su comentario me fastidió.

Robert me cogió la mano.

«Ignóralo», dijo.

Pasé unos días de mal humor. Una de esas noches en que la mente comienza a recordar momentos desagradables, me puse a pensar en lo que había dicho Fred Hughes. Que le den, pensé, molesta por su condescendencia.

Me miré en el espejo colgado encima del lavabo. Me di cuenta de que no había cambiado de peinado desde la adolescencia. Me senté en el suelo y abrí las escasas revistas de rock que tenía. Habitualmente las compraba por si salían fotografías nuevas de Bob Dylan, pero no era a Bob a quien buscaba. Recorté todas las fotografías que encontré de Keith Richards. Las estudié durante un rato, cogí las tijeras y salí de la época folk a base de tijeretazos. Me lavé el pelo en el baño del pasillo y me lo sequé con la toalla. Fue una experiencia liberadora.

Cuando Robert regresó a casa, se sorprendió pero le gustó. «¿Qué mosca te ha picado?», preguntó. Me limité a encogerme de hombros. Pero, cuando fuimos a Max's, mi peinado causó sensación. No podía dar crédito al interés que despertó. Aunque continuaba siendo la misma persona, de pronto mi estatus social mejoró. Mi peinado de Keith Richards estaba en boca de todos. Pensé en las chicas que conocí en el instituto. Soñaban con ser cantantes y terminaron siendo peluqueras. Yo no deseaba ninguna de las dos cosas, pero, al cabo de unas semanas, estaría cortando el pelo a mucha gente y cantando en La MaMa.

En Max's alguien me preguntó si era andrógina. Le pregunté qué significaba eso. «Ya sabes, como Mick Jagger.» Imaginé que debía de ser bueno. Pensé que la palabra significaba hermoso y feo al mismo tiempo. Fuera cual fuese su significado, con un peinado así, me convertí milagrosamente en andrógina de la noche a la mañana.

De pronto, me llovieron las ofertas. Jackie Curtis me pidió que actuara en su obra *Femme Fatale*. No tuve ningún problema en sustituir a un muchacho que interpretaba la réplica masculina de Penny Arcade y soltaba frases como: «Podía tomarla o dejarla / y la tomó y luego la dejó».

La MaMa fue uno de los primeros teatros experimentales de Nueva York y también uno de los más marginales. En la facultad, yo había participado en algunas obras de teatro: fui Fedra en *Hipólito* de Eurípides y madame Dubonnet en *El novio*. Actuar me gustaba, pero aborrecía memorizar textos y el maquillaje compacto que te ponían. En realidad, no comprendía la vanguardia, aunque pensaba que trabajar con Jackie y su compañía podía ser divertido. Jackie me dio el papel sin hacerme ninguna prueba, de modo que no sabía dónde me metía.

⊷ ≍╎≍ ⊷

Estaba sentada en el vestíbulo, intentando no dar la impresión de que esperaba a Robert. Me preocupaba cuando desaparecía en el laberinto de su mundo de prostitución. Incapaz de concentrarme, estaba en mi sitio de siempre, inclinada sobre mi cuaderno cuadriculado naranja, que contenía mi ciclo de poemas sobre Brian Jones. Tenía la pinta de *Canción del sur* —sombrero de paja, chaqueta de Hermano Conejo, botas de trabajo y pantalones bombacho— e insistía en la misma serie de frases cuando me interrumpió una voz extrañamente familiar.

—¿Qué haces, corazón?

Levanté la vista y vi el rostro de un desconocido que lucía las gafas oscuras perfectas.

—Escribo.

—¿Eres poeta?

—Puede.

Cambié de postura, fingí desinterés y simulé que no lo había reconocido, pero su forma de arrastrar la voz era inconfundible, y también su sonrisa taimada. Sabía a quién tenía delante; era el tío de *No mires atrás.* El otro. Bobby Neuwirth, el provocador pacifista. El álter ego de Bob Dylan.

Era pintor y cantautor y le gustaba el riesgo. Era el confidente de muchos de los grandes cerebros y músicos de su generación, solo un poco anterior a la mía.

Para disimular lo impresionada que estaba, me levanté, asentí con la cabeza y me dirigí a la puerta sin despedirme. Él me llamó.

—Oye, ¿dónde has aprendido a andar así?

Me volví.

—En *No mires atrás*.

Él se rió y me invitó a un chupito de tequila en El Quixote. Yo no bebía, pero me lo tomé de un trago, sin limón ni sal, solo para parecer interesante. Era fácil conversar con Bobby y hablamos de todo, de Hank Williams al expresionismo abstracto. Me pareció que le caía bien. Me quitó el cuaderno de las manos y lo hojeó. Supongo que vio potencial en él, porque dijo: «¿Te has planteado componer canciones?». No estuve segura de qué contestar.

«La próxima vez que nos veamos, quiero una canción tuya», añadió mientras salíamos del bar.

Fue todo lo que dijo. Cuando se marchó, juré componerle una canción. Había jugueteado con letras para Matthew, compuesto para Harry unas cuantas canciones que imitaban la música de los Apalaches, pero no me habían parecido gran cosa. Ahora tenía una verdadera misión y alguien digno de ella.

Robert volvió tarde a casa, malhumorado y un poco molesto porque me hubiera tomado una copa con un desconocido. Pero, a la mañana siguiente, coincidió conmigo en que era inspirador que alguien como Bob Neuwirth se interesara por mi trabajo. «A lo mejor es quien consigue que cantes —dijo—, pero no te olvides nunca del primero que quería que cantaras.»

A Robert siempre le había gustado mi voz. Cuando vivíamos en Brooklyn, me pedía que le cantara mientras conciliaba el sueño y yo le cantaba a Piaf y baladas de James Child.

—No quiero cantar. Solo quiero componer canciones para él. Quiero ser poeta, no cantante.

—Puedes ser las dos cosas —dijo Robert.

Durante gran parte del día, pareció acosado por algún conflicto interior y fluctuó entre el afecto y el malhumor. Yo sabía que le pasaba algo, pero él no quería hablar.

Los días siguientes fueron de una calma desconcertante. Robert dormía mucho y, cuando se despertaba, me pedía que le leyera mis poemas, sobre todo los que componía para él. Al principio me preocupó que le hubieran herido. Entre sus largos silencios, consideré la posibilidad de que hubiera conocido a alguien.

Reconocí los silencios como señales. Ya habíamos pasado por aquello. Aunque no hablamos de ello, me fui preparando para los cambios que se avecinaban. Robert y yo continuábamos teniendo relaciones íntimas y creo que a los dos nos resultaba difícil hablar las cosas abiertamente. De forma paradójica, él parecía quererme más cerca. Quizá fuera la intimidad previa al final, como un caballero que compra joyas a su amante antes de decirle que su relación se ha acabado.

Domingo, luna llena. Robert estaba crispado y, de pronto, necesitó salir. Me miró durante mucho rato. Le pregunté si estaba bien. Él dijo que no lo sabía. Lo acompañé hasta la esquina. Me quedé en la calle, mirando la luna. Más tarde, como estaba nerviosa, salí a tomar un café. La luna se había vuelto roja como la sangre.

Cuando por fin regresó apoyó la cabeza en mi hombro y se quedó dormido. No me enfrenté a él. Más tarde revelaría que había cruzado una línea. Había estado con un hombre, y no por dinero. Lo encajé como pude. Mi armadura aún tenía sus puntos vulnerables y Robert, mi caballero, la había agujereado, pese a que no deseaba hacerlo.

Comenzamos a hacernos más regalos. Bagatelas que encontrábamos en un rincón polvoriento del escaparate de una tienda de empeños. Objetos que nadie más quería. Cruces de pelo trenzado, deslustrados amuletos y haikus de amor escritos en cintas y cuero. Nos dejábamos notas, pastelitos. Cosas. Como si pudiéramos taponar el agujero, reconstruir la pared resquebrajada. Llenar la herida que habíamos abierto para permitir la entrada a otras experiencias.

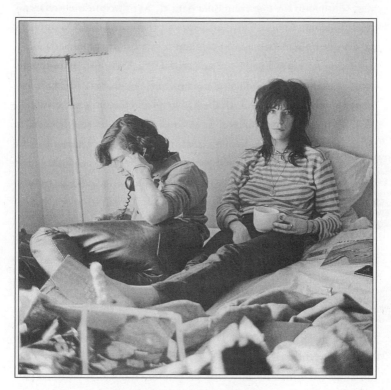
Hotel Chelsea, habitación 204, 1970

Llevábamos varios días sin ver al Porquero, pero habíamos oído los gemidos de su perro. Robert llamó a la policía y ellos echaron la puerta abajo. El Porquero había muerto. Robert entró para identificar el cadáver, y se lo llevaron, también al perro. La parte trasera del loft era el doble de grande. Pese a sentirse muy mal, Robert no pudo evitar codiciarla.

Estábamos seguros de que nos echarían del estudio, dado que no teníamos contrato. Robert hizo una visita al propietario y le dijo la verdad sobre nuestra presencia allí. El dueño pensó que sería difícil alquilarlo por el persistente olor a muerte y orina de perro, y, en vez de echarnos, nos ofreció todo el loft por treinta dólares menos que nuestra habitación del Chelsea y un plazo de dos meses para limpiarlo y pintarlo. Para apaciguar a los dioses del Porquero, hice un dibujo titulado *Vi un hombre, paseaba a su perro* y, cuando lo terminé, Robert parecía estar en paz con la penosa marcha del Porquero.

Estaba claro que no podíamos permitirnos vivir en el Chelsea y tener, además, el loft entero. Yo no quería dejar el Chelsea, con su identificación con poetas y escritores, Harry y nuestro baño del pasillo. Hablamos mucho de ello. Yo me quedaría con la habitación delantera más pequeña y él con la parte de atrás. El dinero que ahorraríamos sufragaría los gastos fijos. Yo sabía que era lo más práctico, que incluso era una idea emocionante. Los dos tendríamos espacio para trabajar y estaríamos cerca del otro. Pero también era muy triste, en especial para mí. Me encantaba vivir en el hotel y sabía que cuando nos marcháramos todo cambiaría.

—¿Qué será de nosotros? —pregunté.

—Siempre habrá un nosotros —respondió.

Robert y yo no habíamos olvidado la promesa que nos habíamos hecho en el taxi que nos llevó del hotel Allerton al Chelsea. Era evidente que no estábamos listos para seguir por nuestra cuenta. «Solo estaré a una puerta de distancia», dijo él.

Tuvimos que apretarnos el cinturón. Necesitábamos reunir cuatrocientos cincuenta dólares, el alquiler y la fianza de un mes. Robert desapareció más de lo habitual y ganó algún que otro billete de veinte dólares. Yo había escrito algunas críticas discográficas y me enviaban montones de discos gratis. Cuando reseñaba los que me gustaban, los llevaba a una tienda del East Village que se llamaba Freebeing. Pagaban un dólar por disco, de modo que si tenía diez era un buen pellizco. De hecho, ganaba más vendiendo discos que escribiendo críticas. No era precisamente prolífica y, por lo general, elegía artistas poco conocidos como Patty Waters, Clifton Chenier o Albert Ayler. Mi interés no era tanto criticar como poner a los lectores sobre aviso de artistas que podían habérseles pasado por alto. Entre los dos conseguimos reunir el dinero.

Yo aborrecía hacer las maletas y limpiar. Robert asumió aquella carga de buen grado y sacó los escombros, limpió y pintó como había hecho en Brooklyn. Entretanto, mi tiempo estaba dividido entre Scribner's y La MaMa. Por la noche, nos encontrábamos en Max's después de mis ensayos. Entonces ya teníamos suficiente desenvoltura para sentarnos a la mesa redonda como veteranos.

El preestreno de *Femme Fatale* fue el 4 de mayo, el día que mataron a unos estudiantes de la Universidad Estatal de Kent. Nadie hablaba mucho de política en Max's salvo de la política de la Factoría. Casi todo el mundo aceptaba que el gobierno estaba corrupto y que la guerra de Vietnam era una equivocación, sin embargo, la masacre de la Universidad de Kent ensombreció la producción y la noche no fue muy buena.

Las cosas mejoraron cuando la obra se estrenó oficialmente. Robert asistió a todas las representaciones y llevó a muchos de sus nuevos amigos. Entre ellos había una muchacha que se llamaba Tinkerbelle. Vivía en la calle Veintitrés, en el complejo de pisos London Terrace, y era una chica típica de la Factoría. A Robert le atraía su agudo ingenio, pero,

pese a su aspecto pícaro, también tenía una lengua afiladísima. Yo toleraba sus dardos con cordialidad, imaginando que, para Robert, ella era
su versión de Matthew.

Fue Tinkerbelle quien nos presentó a David Croland. Físicamente,
David hacía buena pareja con Robert. Era alto y esbelto con el pelo oscuro y rizado, la piel pálida y los ojos castaños. Era de buena familia y
había estudiado diseño en Pratt. En 1965, Andy Warhol y Susan Bot-
tomly lo vieron en la calle y lo contrataron para sus películas. Susan,
conocida como International Velvet, se estaba preparando para ser la siguiente superestrella después de Edie Sedgwick. David tuvo un apasionado idilio con Susan y cuando ella lo dejó, en 1969, huyó a Londres,
donde aterrizó en un terreno abonado para el cine, la moda y el rock
and roll.

El director de cine escocés Donald Cammel lo tomó bajo su protección. Cammel se hallaba en el punto de confluencia de aquellas tres
esferas; él y Nicolas Roeg acababan de colaborar en la película *Performance* con Mick Jagger. David, que era supermodelo en Boys Inc., te-

nía confianza en sí mismo y no se dejaba intimidar. Cuando lo reprendieron por utilizar su belleza, él replicó: «Yo no utilizo mi belleza. La utilizan otras personas».

Cambió Londres por París y regresó a Nueva York a principios de mayo. Tinkerbelle lo había acogido en su piso de London Terrace y tenía ganas de presentárnoslo. David era simpático y nos respetaba como pareja. Le encantaba visitar nuestro loft, al que llamaba nuestra factoría de arte, y manifestaba auténtica admiración cuando miraba nuestra obra.

La vida nos parecía más fácil con David en ella. A Robert le gustaba estar con él y que apreciara su obra. Fue David quien le consiguió uno de sus primeros encargos importantes, una doble página para el *Esquire* en la que aparecían Zelda y Scott Fitzgerald con los ojos tapados por una capa de pintura en spray. Robert recibió trescientos dólares, más de lo que había ganado de una sola vez en toda su vida.

David conducía un Corvair blanco con la tapicería roja, y nos llevaba a dar vueltas alrededor de Central Park. Era la primera vez que

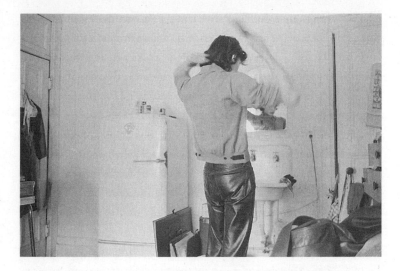

montábamos en un coche que no fuera un taxi o el de mi padre cuando nos recogía en la parada de autobús en Nueva Jersey. David no era rico, pero estaba en mejor situación económica que Robert y se comportaba con él de un modo generoso pero discreto. Lo invitaba a comer y pagaba la cuenta. Robert, a su vez, le regalaba collares y dibujitos. La suya era una gravitación totalmente natural. David introdujo a Robert en su mundo, una sociedad en la que él se integró enseguida.

Comenzaron a pasar cada vez más tiempo juntos. Yo observaba a Robert mientras se arreglaba para salir como si fuera un caballero que se prepara para una cacería. Lo escogía todo con mucho cuidado. El pañuelo de color que doblaría y se metería en el bolsillo trasero. La pulsera. El chaleco. Y su método, largo y lento, de peinarse. Él sabía que a mí me gustaba con el pelo un poco alborotado, y yo sabía que no domaba sus rizos para mí.

Robert estaba prosperando socialmente. Había empezado a conocer personas que frecuentaban la Factoría y trabó amistad con el poeta Gerard Malanga. Gerard manejaba un látigo de domador cuando bailaba en los conciertos de The Velvet Underground y llevó a Robert a sitios como Pleasure Chest, una tienda de accesorios eróticos. También lo invitó a las tertulias literarias más sofisticadas de Nueva York. Robert me insistió para que asistiera a una en el complejo de pisos Dakota, en casa de Charles Henri Ford, el director de *View*, la influyente revista que introdujo el surrealismo en Estados Unidos.

Me sentí como si estuviera cenando en casa de un familiar un domingo por la noche. Mientras varios poetas recitaban poemas interminables, me pregunté si en el fondo Ford no estaría deseando volver a encontrarse en las tertulias de su juventud, presididas por Gertrude Stein y frecuentadas por personas de la talla de Breton, Man Ray y Djuna Barnes.

En un determinado momento, se acercó a Robert y dijo: «Tienes los ojos increíblemente azules». A mí me pareció bastante curioso, considerando que los ojos de Robert eran célebres por ser verdes.

La capacidad de adaptación de Robert a aquellas situaciones sociales continuaba asombrándome. Era muy tímido cuando nos conocimos, pero, conforme cruzaba las desafiantes aguas de Max's, el Chelsea y la Factoría, lo veía florecer.

↦ ⚞⚟ ↤

Nuestro tiempo en el Chelsea se estaba acabando. Aunque viviríamos a poca distancia del hotel, yo sabía que las cosas serían distintas. Creía que trabajaríamos más pero perderíamos cierta intimidad, además de nuestra cercanía a la habitación de Dylan Thomas. Otra persona ocuparía mi puesto en el vestíbulo del Chelsea.

Una de las últimas cosas que hice en el Chelsea fue terminar el regalo de cumpleaños de Harry. «Alchemical Roll Call» era un poema ilustrado sobre las cosas de alquimia de las que habíamos hablado Harry y yo. Estaban reparando el ascensor, de modo que subí a la habitación 705 por las escaleras. Harry abrió la puerta antes de que llamara, llevaba un jersey de esquiar en pleno mes de mayo. Sostenía un cartón de leche como si estuviera a punto de vaciárselo en los platos de sus ojos.

Examinó mi regalo con gran interés y lo archivó de inmediato. Aquello era un honor y una maldición, porque seguro que desaparecería para siempre en el vasto laberinto de su archivo.

Decidió poner algo especial, un ritual de peyote que había grabado hacía años. Intentó colocar la cinta, pero tenía problemas con su magnetófono, un Wollensak de bobina abierta. «Esta cinta está más enredada que tu pelo», dijo con impaciencia. Me miró un momento y se puso a rebuscar en sus cajones y cajas hasta encontrar un cepillo de plata y marfil con las cerdas largas y pálidas. Fui a cogerlo. «¡No lo toques!», me regañó. Sin mediar palabra, se sentó en su silla y yo lo hice a sus pies. En completo silencio, me desenredó todos los nudos que tenía. Pensé que tal vez el cepillo había pertenecido a su madre.

Después, me preguntó si tenía dinero. «No», dije, y él fingió que se enfadaba. Pero yo conocía a Harry. Solo quería atenuar la intimidad de aquel momento. Cuando surgía un momento hermoso, Harry no podía evitar darle la vuelta.

El último día de mayo, Robert reunió a sus nuevos amigos en su parte del loft. Puso canciones de Motown en nuestro tocadiscos y parecía felicísimo. El loft era mucho más grande que nuestra habitación. Hasta teníamos espacio para bailar.

Al cabo de un rato, me marché y regresé a nuestra vieja habitación del Chelsea. Me senté en la cama y me puse a llorar. Luego me lavé la cara en nuestro pequeño lavabo. Fue la primera y única vez que sentí que había sacrificado algo por Robert.

Enseguida nos adaptamos a nuestra nueva vida. Yo pisaba los cuadros blancos del suelo ajedrezado de nuestro vestíbulo como había hecho en el Chelsea. Al principio, dormimos los dos en mi parte mientras Robert acondicionaba la suya. La primera vez que por fin dormí sola, las cosas comenzaron bien. Robert me cedió el tocadiscos y escuché a Piaf y escribí, pero pronto descubrí que no podía conciliar el sueño. Pasara lo que pasase, estábamos habituados a dormir abrazados. En torno a las tres de la madrugada, me envolví en la sábana de muselina y llamé a la puerta de Robert con suavidad. Él la abrió al instante.

—Patti —dijo—, ¿por qué has tardado tanto?

Entré, intentando aparentar indiferencia. Era obvio que llevaba toda la noche trabajando. Vi un dibujo nuevo, los componentes para una nueva obra. Una fotografía mía junto a su cama.

—Sabía que vendrías —dijo.

—He tenido una pesadilla. No podía dormir. Y tenía que ir al baño.

—¿Has ido al Chelsea?

—No —dije—. He meado en un vaso de plástico.

—Patti, no.

Había que andar un buen trecho hasta el Chelsea en mitad de la noche si no te podías aguantar.

—Anda, colega —dijo—. Ven aquí.

Todo me distraía, pero sobre todo yo misma. Robert venía a mi parte del loft y me regañaba. Sin él para ordenar mis cosas, yo vivía en un caos extremo. Coloqué la máquina de escribir en un cajón de embalaje naranja. El suelo estaba sembrado de hojas de papel cebolla llenas de canciones a medio escribir, meditaciones sobre la muerte de Maiakovski y elucubraciones sobre Bob Dylan. Había discos que reseñar por doquier. Tenía a mis héroes clavados en la pared, pero mis esfuerzos parecían todo menos heroicos. Me sentaba en el suelo para intentar escribir y, en cambio, me cortaba el pelo. Las cosas que creía que pasarían no ocurrían. Sucedían cosas que no había previsto.

Fui a visitar a mi familia. Tenía que pensar sobre qué dirección debía tomar. Me preguntaba si estaba haciendo lo correcto. ¿Era todo frivolidad? Me remordía la culpa que había sentido cuando actué la noche en que mataron a los cuatro estudiantes de la Universidad Estatal de Kent. Quería ser artista, pero quería que mi obra sirviera para algo.

Mi familia estaba sentada a la mesa. Mi padre nos leyó a Platón. Mi madre hizo sándwiches de albóndigas. Como de costumbre, reinaba un ambiente de camaradería. Durante la velada, recibí una llamada inesperada de Tinkerbelle. Me soltó con brusquedad que Robert y David tenían una aventura. «Están juntos en este momento», dijo con cierto aire triunfal. Respondí que la llamada era innecesaria y que ya lo sabía.

Estaba aturdida cuando colgué el auricular, pero tuve que preguntarme si Tinkerbelle no había hecho más que expresar en palabras lo que yo ya había adivinado. No estaba segura de por qué me había llamado. No me hacía un favor; nuestra amistad no era tan estrecha. Me pregunté si lo había hecho por maldad o únicamente por chivarse. También cabía la posibilidad de que no estuviera diciendo la verdad. Durante el trayecto de regreso en autobús, tomé la decisión de no mencionarlo y brindar a Robert la oportunidad de decírmelo a su manera.

Él parecía nervioso, como la vez que tiró al váter el aguafuerte de Blake. Había estado en la calle Cuarenta y tres y había visto una nueva revista para hombres que parecía interesante, pero costaba quince dólares. Tenía el dinero, pero quería estar seguro de que la revista lo valía. El dueño lo había pillado mientras le sacaba el celofán. Se había puesto a chillar y a exigirle que se la pagara. Disgustado, Robert se la había tirado a la cabeza y él lo había perseguido. Robert había salido corriendo de la tienda en dirección al metro, y del metro, directo a casa.

—Todo por una maldita revista.

—¿Era buena?

—No lo sé. Lo parecía, pero él me ha quitado las ganas de tenerla.

—Deberías sacar tú las fotos. Seguro que serían mejores.

—No sé. Supongo que es una posibilidad.

Unos días después nos encontrábamos en casa de Sandy. Robert cogió su cámara Polaroid con aire despreocupado. «¿Me la dejas?», preguntó.

⊷ ⚎ ⊷

La cámara Polaroid en las manos de Robert. El acto físico, un rápido movimiento de muñeca. El chasquido al sacar la fotografía y la expectación, sesenta segundos para ver cómo había quedado. La inmediatez del proceso se adecuaba a su carácter.

Al principio, jugueteó con la cámara. No estaba totalmente convencido de que fuera lo suyo. Y la película era cara, diez fotos por unos tres dólares, una suma considerable en 1971. Pero tenían bastante más calidad que las del fotomatón y no había que llevarlas a revelar.

Fui su primera modelo. Se sentía cómodo conmigo y necesitaba tiempo para definir su técnica. El mecanismo de la cámara era sencillo, pero las opciones eran limitadas. Hicimos incontables fotografías. Al principio, Robert tuvo que frenarme. Yo quería que hiciera fotografías como la carátula de *Bringing It All Back Home*, donde Bob Dylan se rodea de sus cosas preferidas. Distribuí mis dados y mi matrícula con el logo de The Sinner, un disco de Kurt Weill, mi disco de *Blonde on Blonde*, y me vestí con una combinación negra como Anna Magnani.

—Hay demasiada porquería —dijo—. Deja que te saque solo a ti.

—Pero estas cosas me gustan —aduje.

—No estamos haciendo una carátula. Estamos haciendo arte.

—¡Odio el arte! —grité, y Robert hizo la fotografía.

Él fue su primer modelo masculino. Nadie podía cuestionarle cuando se fotografiaba a sí mismo. Tenía el control. Viéndose, decidía qué quería ver.

Estaba satisfecho con sus primeras imágenes, pero la película valía tanto que se vio obligado a dejar la cámara, aunque no por mucho tiempo.

Robert dedicaba muchas horas a mejorar su espacio y la presentación de su obra. Pero, a veces, me miraba con preocupación. «¿Va todo bien?», me preguntaba. Yo le decía que estuviera tranquilo. En verdad, yo hacía tantas cosas que su orientación sexual no era mi preocupación inmediata.

David me caía bien, Robert estaba creando obras excepcionales y, por primera vez, podía expresarme como quería. Mi habitación reflejaba el colorido desorden de mi mundo interior, parte furgón, parte reino de las hadas.

Una tarde vino a vernos Gregory Corso. Primero visitó a Robert y fumaron hierba, así que, cuando pasó a mi parte del loft, el sol ya había empezado a ponerse. Yo estaba sentada en el suelo escribiendo en la Remington. Gregory entró y examinó la habitación muy despacio. Vasos para orinar y juguetes rotos. «Sí, una habitación como las que a mí me gustan.» Le acerqué un viejo sillón. Gregory se encendió un cigarrillo y se puso a leer mi montón de poemas abandonados. Se quedó dormido e hizo una pequeña quemadura en el brazo del sillón. La apagué con un poco de Nescafé. Él se despertó y se bebió el resto. Le di unos cuantos pavos para sus necesidades más apremiantes. Cuando se iba, miró un viejo crucifijo francés colgado encima de mi estera. Bajo los pies de Cristo había una calavera adornada con las palabras *Memento mori*. «Significa "Recuerda que eres mortal" —dijo Gregory—, pero la poesía no lo es.» Asentí.

Cuando se marchó, me senté en el sillón y pasé los dedos por la quemadura de cigarrillo, una cicatriz dejada por uno de nuestros grandes poetas. Gregory siempre suponía problemas y hasta podía hacer estragos, pero nos regaló una obra tan pura como un cervatillo recién nacido.

La clandestinidad estaba asfixiando a Robert y a David. Los dos disfrutaban con un poco de misterio, pero creo que David era demasiado franco para seguir ocultándome su relación. Comenzaron a surgir tensiones entre ellos.

Aquella situación alcanzó su punto crítico en una fiesta en la que Robert y yo habíamos quedado con David y su pareja, Loulou de la Falaise. Estábamos bailando los cuatro. Loulou, una carismática pelirroja, célebre musa de Yves Saint Laurent e hija de una modelo de Schiaparelli y un conde francés, me caía simpática. Llevaba una recia pulsera africana; cuando se la quitó, tenía un cordel rojo alrededor de su finísima muñeca que, según decía, le había atado Brian Jones.

Parecía que todo iba bien, salvo que Robert y David no hacían más que separarse de nosotras para discutir acaloradamente en un rincón. De pronto, David agarró a Loulou de la mano, la sacó de la pista de baile y abandonó la fiesta de forma repentina.

Robert corrió tras él y yo lo seguí. Cuando David y Loulou estaban subiendo a un taxi, Robert gritó a David que no se marchara. Loulou miró a David, desconcertada, y le preguntó: «¿Sois amantes?». Él cerró la puerta con violencia y el taxi arrancó.

Robert se vio obligado a contarme lo que yo ya sabía. Mantuve la calma y guardé silencio mientras se esforzaba por encontrar las palabras apropiadas para explicar lo que acababa de suceder. Verlo tan torturado no me procuró ningún placer. Sabía que aquello era difícil para él, de modo que le expliqué lo que Tinkerbelle me había contado.

Él se puso furioso.

«¿Por qué no me has dicho nada?»

Enterarse de que Tinkerbelle no solo me había dicho que tenía una aventura, sino también que era homosexual lo dejó destrozado. Era como si hubiera olvidado que yo ya lo sabía. También debió de resultarle difícil porque era la primera vez que lo identificaban abiertamente con una orientación sexual. Su relación con Terry en Brooklyn había quedado entre nosotros tres, no había salido a la luz pública.

Se puso a llorar.

—¿Estás seguro? —le pregunté.

—No estoy seguro de nada. Quiero hacer mi trabajo. Sé que se me da bien. Es todo lo que sé. Patti —dijo, abrazándome—, nada de esto tiene que ver contigo.

Robert apenas dirigió la palabra a Tinkerbelle después de aquello. David se mudó a la calle Diecisiete cerca de donde había vivido Washington Irving. Yo dormía en mi lado de la pared y Robert en el suyo. Nuestras vidas estaban avanzando a tanta velocidad que no podíamos detenernos.

Más tarde, sola con mis pensamientos, tuve una reacción retardada. Me sentí apesadumbrada, decepcionada de que Robert no hubiera confiado en mí. Me había dicho que no tenía nada de que preocuparme, pero, al final, lo había tenido. No obstante, entendía por qué no podía contármelo. Creo que tener que definir sus impulsos y limitar su identidad en virtud de su sexualidad era impropio de él. Su deseo sexual por los hombres lo consumía, pero yo jamás sentí que me amara menos. Para él, no era fácil cortar nuestras ataduras físicas. Yo lo sabía.

Ambos seguíamos fieles a nuestra promesa. Ninguno iba a dejar al otro. No lo vi nunca a través del cristal de su sexualidad. Mi imagen de él permanecía intacta. Era el artista de mi vida.

Bobby Neuwirth entraba en Nueva York como un jinete libre y salvaje. Se apeaba de su montura y todos los artistas, músicos y poetas se agrupaban, una reunión de las tribus. Era un catalizador para la acción. Se presentaba sin avisar y me llevaba a conocer mundo, exponiéndome a otros artistas y músicos. Yo era un potro, pero él valoraba y alentaba mis torpes intentos de componer canciones. Quería hacer cosas que confirmaran su fe en mí. Desarrollé largos poemas orales inspirados en narradores de cuentos como Blind Willie McTell y Hank Williams.

El 5 de junio de 1970 me llevó al Fillmore East para ver a Crosby, Stills, Nash & Young. De hecho, no era la clase de banda que me gustaba, pero me conmovió ver a Neil Young porque su canción «Ohio» me había causado una profunda impresión. Parecía consolidar la función del artista como comentarista responsable, dado que rendía homenaje a los cuatro jóvenes estudiantes de la Universidad Estatal de Kent que perdieron la vida en nombre de la paz.

Después fuimos en coche a Woodstock, donde The Band estaba grabando *Stage Fright*. Todd Rundgren era el ingeniero de sonido. Robbie Robertson estaba trabajando con ahínco, concentrándose en la canción «Medicine Man». Casi todos los demás fueron desapareciendo para irse de juerga. Me quedé hablando con Todd hasta el amanecer y descubrimos que ambos teníamos nuestra raíces en Upper Darby. Mis abuelos habían vivido cerca de la casa donde él nació y se crió. También éramos extrañamente similares: tímidos, sobrios, trabajadores, críticos y muy especiales.

Bobby continuó revelándome su mundo.

A través de él había conocido a Todd, a los artistas Brice Marden y Larry Poons y a los músicos Billy Swan, Tom Paxton, Eric Andersen, Roger McGuinn y Kris Kristofferson. Como una bandada de gansos, todos pusieron rumbo al hotel Chelsea para esperar la llegada de Janis Joplin. La única credencial que me permitía acceder al círculo íntimo de aquellas personas era la palabra de Bobby, y su palabra no admitía discusión. Me presentó a Janis Joplin como «la poeta» y, a partir de entonces, fue así como ella me llamó siempre.

Fuimos todos a Central Park para verla actuar en Wollman Rink. Las entradas estaban agotadas, pero había infinidad de gente diseminada por las rocas de los alrededores. Estuve con Bobby al lado del escenario, fascinada con la energía eléctrica de Janis. De pronto, comenzó a diluviar. Cuando se puso a relampaguear y tronar, dejaron el escenario vacío. Sin posibilidades de continuar, los ayudantes empezaron a desmontar el equipo. El público se negó a marcharse y comenzó a silbar.

Janis estaba destrozada.

—Me están silbando, tío —gritó a Bobby.

Él le apartó el pelo de los ojos.

—No te silban a ti, cariño —dijo—. Silban a la lluvia.

La efervescente comunidad de músicos alojados en el Chelsea en ese momento a menudo hallaba la forma de entrar en la suite de Janis con sus guitarras acústicas. Tuve el privilegio de verlos trabajar en canciones para su nuevo disco. Ella era la reina de la rueda radiante, sentada en su sillón con una botella de Southern Comfort, incluso por la tarde. Michael Pollard solía estar a su lado. Eran como gemelos inseparables, ambos con la misma forma de hablar, siempre diciendo «tío» entre frase y frase. Yo estaba sentada en el suelo cuando Kris Kristofferson cantó su «Me and Bobby McGee» y ella se le unió en el estribillo. Estuve allí en aquellos momentos, pero era tan joven y estaba tan absorta en mis pensamientos que apenas los reconocí como momentos.

Robert se perforó un pezón. Se lo hizo un médico en la habitación de Sandy Daley mientras estaba acurrucado en los brazos de David Croland. Ella lo rodó en 16 milímetros, un ritual impío, el *Canto de amor* de Robert. Yo confiaba en que, bajo la impecable dirección de Sandy, sería una toma hermosa. Pero el procedimiento me parecía repugnante y no fui, estaba segura de que se le infectaría, y ocurrió. Cuando le pregunté cómo había sido me respondió que interesante y asqueroso. Luego, nos fuimos los tres a Max's.

Estábamos sentados en la zona vip con Donald Lyons. Al igual que las principales figuras masculinas de la Factoría, Donald era un neoyorquino de barrio de procedencia católico-irlandesa. Había sido un clasicista brillante en Harvard, destinado a triunfar en el mundo académico. Pero se quedó fascinado con Edie Sedgwick, que estudiaba arte en Cambridge, y la siguió a Nueva York, renunciando a todo. Donald podía ser extremadamente cáustico cuando bebía, y repartía insultos o provocaba risas entre sus acompañantes. En sus mejores momentos, hablaba con erudición sobre cine y teatro, y citaba arcanos textos latinos y griegos y largos pasajes de T. S. Eliot.

Donald nos preguntó si queríamos ver a The Velvet Underground, que tocaba arriba. El concierto señalaba su reunión en Nueva York y el debut de la música rock en directo en Max's. Donald se extrañó de que yo no hubiera visto nunca a la banda e insistió en que subiéramos con él para verla tocar.

Me identifiqué de inmediato con la música, que tenía una palpitante cadencia surf. Nunca había prestado atención a las letras de Lou Reed y reconocí, sobre todo a través de los oídos de Donald, qué poesía tan potente contenían. En Max's, la sala de arriba era pequeña, con un aforo inferior a un centenar de personas y, conforme The Velvet Underground entraba en calor, nosotros comenzamos a movernos.

Robert salió a bailar con David. Llevaba una fina camisa blanca abierta hasta la cintura, y se le transparentaba el aro de oro que le adornaba el pezón. Donald me cogió de la mano y bailamos más o menos. David y Robert bailaron ostensiblemente. En nuestras diversas discusiones, Donald tenía razón con respecto a Homero, Heródoto y *Ulises*, y aún la tenía más con respecto a The Velvet Underground. Era la mejor banda de Nueva York.

El día de la Independencia, Todd Rundgren me preguntó si quería acompañarlo a Upper Darby para visitar a su madre. Lanzamos fuegos artificiales desde una parcela abandonada y nos comimos un helado Carvel. Después me encontré junto a la madre en el patio de su casa, mientras lo veía tocar con su hermana menor. La madre miraba con curiosidad su pelo multicolor y los pantalones acampanados de terciopelo. «He parido a un extraterrestre», soltó, lo cual me sorprendió, porque Todd parecía una persona muy sensata, al menos para mí. Cuando regresamos a Nueva York, los dos coincidimos en que éramos dos seres afines, tan extraterrestre uno como el otro.

Esa misma noche, en Max's, me tropecé con Tony Ingrassia, un dramaturgo que no trabajaba en La MaMa. Me pidió que hiciera una prueba para un papel de *Island*, su nueva obra. Me mostré un poco reacia, pero, cuando me dio el guión, me prometió que no habría maquillaje compacto ni purpurina.

Parecía un papel fácil para mí porque no tenía que relacionarme con ninguno de los personajes de la obra. Mi personaje, Leona, estaba desconectado del mundo, se chutaba speed y divagaba sobre Brian Jones sin ninguna coherencia. Nunca supe bien de qué trataba la obra, pero era una epopeya de Tony Ingrassia. Como en el *Candidato de Manchuria*, participaba todo el mundo.

Me puse mi raída camiseta de cuello de barca y kohl alrededor de los ojos, pues debía tener el peor aspecto posible. Supongo que conseguí parecer una yonqui con ojeras. Había una escena en la que vomitaba. No fue ningún problema. Me bastó con retener en la boca durante varios minutos una buena cantidad de garbanzos machacados y harina de maíz para echar las papas. Pero una noche, durante el ensayo, Tony me trajo una jeringuilla y dijo, como si nada: «Inyéctate solo agua, sácate un poco de sangre del brazo y la gente creerá que te estás chutando».

Casi me desmayé. No podía ni mirar la jeringuilla, y aún menos pincharme.

—No pienso hacer eso —dije.

Ellos se sorprendieron.

—¿No te has chutado nunca?

Por mi aspecto, todo el mundo daba por sentado que me drogaba. Me negué a chutarme. Finalmente, extendieron cera caliente en mi brazo y Tony me enseñó cómo hacerlo.

A Robert le pareció graciosísimo que me hubiera visto en aquel aprieto y no paraba de tomarme el pelo. Él conocía bien mi fobia a las agujas. Le gustaba verme actuar. Asistía a todos los ensayos, vestido de una forma tan increíble que se habría merecido un papel. Tony Ingrassia lo miraba y decía: «Está fabuloso. Ojalá supiera actuar».

«Tú siéntalo en una silla —sugirió Wayne County—. No tendría que hacer nada.»

Robert estaba durmiendo solo. Fui a llamar a su puerta y la encontré abierta. Me quedé viéndolo dormir, como había hecho cuando lo conocí. Continuaba siendo el mismo muchacho con el pelo enmarañado de pastor. Me senté en la cama y se despertó. Se apoyó en el codo y me sonrió. «¿Quieres meterte bajo las mantas, colega?» Comenzó a hacerme cosquillas. Nos peleamos y no pudimos parar de reír. Entonces se levantó de golpe. «Vamos a Coney Island —dijo—. Volveremos a sacarnos la foto.»

Hicimos todo lo que nos gustaba. Escribimos nuestros nombres en la arena, fuimos a Nathan's, paseamos por Astroland. Encargamos nuestra fotografía al mismo anciano y, por insistencia de Robert, me monté en su poni de peluche.

Nos quedamos hasta el atardecer y regresamos en metro. «Seguimos siendo nosotros», dijo Robert. Estábamos cogidos de la mano y me quedé dormida en su hombro en el viaje de vuelta.

Por desgracia, la nueva fotografía de los dos se perdió, pero aquella en la que aparezco montada en el poni, sola y un poco insolente, aún existe.

Robert estaba sentado en un cajón de embalaje naranja mientras yo le leía algunos de mis nuevos poemas.

—Deberías recitar para la gente —dijo, como hacía siempre.

—Recito para ti. Para mí es suficiente.

—Quiero que te escuchen todos.

—No, quieres que recite en una de esas espantosas tertulias.

Pero Robert, hay que decirlo, insistió y, cuando Gerard Malanga le dijo que ese martes había una tertulia moderada por el poeta Jim Carroll, consiguió que le prometiera que recitaría.

Accedí a intentarlo y escogí un par de poemas que me parecieron apropiados. No me acuerdo de lo que recité, pero sí recuerdo qué llevaba Robert: un par de zahones dorados de lamé diseñados por él. Tuvimos una conversación sobre la bragueta que completaba el conjunto y decidimos que no la llevara. Era la fiesta nacional de la República Francesa y dije bromeando que rodarían cabezas cuando aquellos poetas lo vieran.

Jim Carroll me gustó de inmediato. Parecía una persona bella, esbelto y fuerte, con el pelo largo y cobrizo, unas Converse negras de media caña y un carácter dulce. Vi en él una mezcla de Arthur Rimbaud y Parsifal, el loco puro.

Mi estilo estaba evolucionando de la formalidad de la prosa poética francesa a la provocación de Blaise Cendrars, Maiakovski y Gregory Corso. A través de ellos, mi obra adquirió humor y una pizca de arrogancia. Robert era siempre mi primer oyente y gané mucha confianza con el simple hecho de recitarle mis poemas. Escuché grabaciones de poetas de la generación beat y de Oscar Brown, y estudié a poetas líricos como Vachel Lindsay y Art Carney.

Una noche, después de un ensayo mortalmente largo de *Island*, me tropecé con Jim, que merodeaba por la entrada del Chelsea y estaba comiéndose un polo. Le pregunté si quería acompañarme a tomarme un mal café en la bollería mala. Él dijo que por supuesto. Le comenté que me gustaba escribir allí. La noche siguiente, me llevó a tomar un café malo a Bickford's de la calle Cuarenta y dos. Me dijo que a Jack Kerouac le gustaba escribir allí.

No estaba claro dónde vivía, pero pasaba mucho tiempo en el hotel Chelsea. La noche siguiente subió a casa conmigo y terminó quedándose a pasar la noche en mi parte del loft. Hacía mucho tiempo que no sentía algo intenso por alguien aparte de Robert.

Robert participaba del juego, pues nos habíamos conocido gracias a él. Se llevaba muy bien con Jim y, por suerte, dormir pared con pared no nos resultaba incómodo. A menudo, Robert se quedaba en casa de David y parecía alegrarse de que no estuviera sola.

A mi manera, me consagré a Jim. Lo tapaba con una manta mientras dormía. Por las mañanas, le llevaba bollos y café. Él no tenía mucho dinero y no se disculpaba por tener una adicción moderada a la heroína. A veces lo acompañaba cuando iba a pillar caballo. Yo no sabía nada de aquella clase de drogas salvo lo que había leído en *El libro de Caín*, el relato de Alexander Trocchi sobre un yonqui que escribe en una barca que surca los ríos de Nueva York mientras el caballo surca el río de su alma. Jim se chutaba en su mano pecosa, como un Huckleberry Finn con un lado oscuro. Yo apartaba la mirada y después le preguntaba si dolía. Él respondía que no, que no me preocupara por él. Luego me sentaba a su lado mientras recitaba a Walt Whitman y se quedaba más o menos dormido en el sillón.

Durante el día, mientras yo trabajaba, Robert y Jim iban paseando a Times Square. Los dos tenían cariño a los bajos fondos de la calle Cuarenta y dos y descubrieron que también compartían una afinidad por la prostitución, Jim para pagarse las drogas y Robert para pagar el alquiler. Incluso en aquel momento, Robert continuaba haciendo preguntas sobre él y sus deseos. No se sentía cómodo con que lo identificaran en virtud de su sexualidad, y se cuestionaba si se prostituía por dinero o por placer. Podía hablar de esos temas con Jim porque él no tenía prejuicios. Ambos obtenían dinero de los hombres, pero a Jim no le suponía ningún problema. Para él, solo eran negocios.

«¿Cómo sabes que no eres gay?», le preguntaba Robert.

Jim respondía que estaba seguro. «Porque siempre pido dinero.»

Hacia mediados de julio, pagué el último plazo de mi primera guitarra. La tenía apartada en una tienda de empeños de la Octava Avenida y era una pequeña Martin acústica, modelo Parlor. Tenía una minúscula calcomanía de un pájaro azul en la tapa delantera y una correa trenzada multicolor. Compré un cancionero de Bob Dylan y aprendí unos cuantos acordes sencillos. Al principio no me sonaron demasiado mal, pero, cuanto más tocaba la guitarra, peor me sonaban. No me daba cuenta de que las guitarras tenían que afinarse. Se la llevé a Matthew y él me la afinó. Entonces pensé que, siempre que se desafinara, podría encontrar un músico y preguntarle si quería tocarla. Había muchos músicos en el Chelsea.

Había compuesto «Fire of Unknown Origin» como poema, pero, después de conocer a Bobby, lo convertí en mi primera canción. Me esmeré en encontrar algunos acordes para acompañarla con la guitarra y se la canté a Robert y a Sandy. Ella se mostró especialmente complacida. El vestido de la muerte era el suyo.

> *Death comes sweeping down the hallway in a lady's dress*
> *Death comes riding up the highway in its Sunday best*
> *Death comes I can't do nothing*
> *Death goes there must be something that remains*
> *A fire of unknown origin took my baby away**

Participar en *Island* me demostró que actuar se me daba bien. No sufría de miedo escénico y me gustaba suscitar una reacción en el público. Pero tomé nota de que no tenía madera de actriz. Tenía la impresión de que ser actor era como ser soldado: había que sacrificarse en aras de un bien mayor. Había que creer en la causa. Sencillamente, no podía renunciar lo suficiente a mí misma para ser actriz.

---

* La Muerte viene por el pasillo vestida de mujer / la Muerte viene por la carretera vestida con sus mejores galas / la Muerte viene, no puedo hacer nada / la Muerte se va, algo debe de haber que permanezca / un fuego de origen desconocido se llevó a mi amor.

Interpretar a Leona determinó que la gente me percibiera, errónea-
mente, como a una adicta al speed. No sé cuánto tenía yo de actriz,
pero sí era lo bastante buena para labrarme una reputación. La obra fue
un éxito social. Andy Warhol vino todas las noches y manifestó un
auténtico interés por trabajar con Tony Ingrassia. Tennessee Williams
asistió a la última representación con Candy Darling colgada del brazo.
Candy, en su elemento deseado, estaba eufórica de que la vieran con el
gran dramaturgo.

Es posible que yo tuviera fuerza, pero carecía de la simpatía y el glamour trágico de mis compañeros. Los actores que hacían teatro alter-
nativo estaban comprometidos y trabajaban duro bajo las órdenes de
mentores como Ellen Stewart, John Vaccaro y el brillante Charles Lud-
lam. Aunque decidí no seguir su camino, agradecía lo que había aprendido. Pasaría algún tiempo antes de que pusiera en práctica mi experiencia teatral.

Cuando Janis regresó, en agosto, para repetir el concierto de Central
Park cancelado a causa de la lluvia, parecía extremadamente feliz. Tenía
ilusión por grabar y estaba resplandeciente a su llegada a Nueva York,
ataviada con boas de plumas magenta, rosa y moradas. Las llevaba en
todas partes. El concierto fue un gran éxito, y después fuimos todos a
Remington, un bar de artistas próximo a Lower Broadway. Las mesas
estaban ocupadas por su séquito: Michael Pollard, Sally Grossman, que
era la muchacha del vestido rojo de la carátula de *Bringing It All Back
Home*, Brice Marden, Emmett Grogan de The Diggers y la actriz Tues-
day Weld. En la máquina de discos sonaba Charlie Pride. Janis se pasó
la mayor parte de la fiesta con un hombre bien parecido por quien se
sentía atraída, pero justo antes de cerrar, él se escabulló con una chica
más guapa que ella. Janis se quedó destrozada. «Siempre me pasa lo
mismo, tío. Otra noche sola», sollozó, apoyándose en el hombro de
Bobby.

Bobby me pidió que la llevara al Chelsea y la vigilara. Subí con ella a su habitación y le hice compañía mientras se lamentaba de su destino. Antes de irme, le dije que le había compuesto una cancioncilla y se la canté.

> *I was working real hard*
> *To show the world what I could do*
> *Oh I guess I never dreamed*
> *I'd have to*
> *World spins some photographs*
> *How I love to laugh when the crowd laughs*
> *While love slips through*
> *A theatre that is full*
> *But oh baby*
> *When the crowd goes home*
> *And I turn in and I realize I'm alone*
> *I can't believe*
> *I had to sacrifice you**

Janis dijo: «Esa soy yo, tía. Esa es mi canción». Cuando me iba, se miró en el espejo y se arregló los boas.

—¿Qué tal estoy, tía?

—Pareces una perla —respondí—. Eres una perla.

Jim y yo pasábamos mucho tiempo en Chinatown. Con él, todas las salidas eran aventuras flotantes, un viaje por las nubes altas de estío. Me

---

* Me esforcé mucho / por enseñar al mundo lo que sabía hacer / oh, supongo que nunca imaginé / que tendría que hacerlo / el mundo hace girar algunas fotografías / cómo me gusta reír cuando ríe el público / mientras el amor se escapa / en un teatro que está lleno / pero, oh amor / cuando el público se va a casa / y me acuesto y me doy cuenta de que estoy sola / no puedo creer / que tuviera que sacrificarte.

gustaba verlo tratar a desconocidos. Íbamos a Hong Fat porque era barato, los *wantanes* estaban ricos y él conversaba con los viejos. Comías lo que te traían a la mesa o señalabas el plato de algún comensal porque la carta estaba en chino. Limpiaban las mesas vertiendo té caliente y secándolas con un trapo. Todo el restaurante olía a té *oolong*. A veces, Jim se ponía a hablar simplemente con uno de aquellos viejos de aspecto venerable, quien nos guiaba por el laberinto de su vida, por las guerras del opio y los fumaderos de opio de San Francisco. Y después caminábamos de Mott a Mulberry y de allí a la calle Veintitrés, de regreso a nuestros días, como si nada hubiera ocurrido.

Le regalé un arpa cítara para su cumpleaños y le compuse largos poemas en Scribner's durante mi descanso para comer. Confiaba en que se convirtiera en mi novio, pero aquello resultó imposible. Yo nunca le serviría como inspiración, aunque, al intentar expresar la intensidad de mis sentimientos, me volví más prolífica y creo que mejoré como escritora.

Jim y yo tuvimos algunos momentos muy dulces. Estoy segura de que también los hubo malos, pero mis recuerdos están teñidos de nostalgia y humor. Los nuestros fueron días y noches anárquicos, tan quijotescos como Keats y tan bárbaros como los piojos que pillamos, ambos seguros de que nos los había contagiado el otro mientras hacíamos un tedioso tratamiento con champú antipiojos Kwell en cualquiera de los baños del hotel Chelsea.

Jim era informal, evasivo, y a veces estaba demasiado colocado para hablar, pero también era amable, ingenioso y un verdadero poeta. Yo sabía que no me amaba, pero de todos modos lo adoraba. Con el tiempo, terminó distanciándose y me dejó un largo rizo de su cabello cobrizo.

Robert y yo fuimos a visitar a Harry. Él y un amigo estaban decidiendo quién debía ser el nuevo custodio de un cordero gris de juguete. Tenía tamaño reducido, ruedas y una larga cinta roja para arrastrarlo: era el cordero de Peter Orlovsky, el compañero de Allen Ginsberg. Cuando me lo confiaron, creí que Robert se enfadaría, porque le había prometido no tener en casa más basura inútil ni juguetes rotos. «Tienes que aceptarlo —dijo, poniéndome la cinta en la mano—. Es un clásico Smith.»

Unos días después, Matthew apareció de improviso con una caja de singles. Estaba obsesionado con Phil Spector; parecía que la caja contuviera todos los singles que había grabado Phil. Miró a su alrededor con nerviosismo. «¿Tienes algún single?», me preguntó, inquieto.

Me levanté, hurgué entre mi ropa sucia y encontré mi caja de singles, era de color crema y estaba decorada con notas musicales. Matthew contó de inmediato nuestra colección conjunta.

—Tenía razón —dijo—. Tenemos la cantidad justa.

—¿La cantidad justa para qué?

—Para una noche de cien discos.

A mí me pareció lógico. Los pusimos, uno tras otro, empezando por «I Sold My Heart to the Junkman». Cada canción era mejor que la anterior. Me levanté de un salto y me puse a bailar. Matthew iba cambiando las caras como un pinchadiscos desquiciado. Entonces entró Robert. Miró a Matthew. Me miró a mí. Miró el tocadiscos.

Estaban sonando The Marvelettes. Dije: «¿A qué esperas?».

Él dejó caer el abrigo al suelo. Aún quedaban treinta y tres singles por poner.

Era una dirección famosa, dado que había albergado el Film Guild Cinema en los años veinte y un ruidoso club country dirigido por Rudy Vallée en los treinta. El gran artista expresionista y maestro Hans Hoffman regentó una pequeña academia en la tercera planta durante las dos décadas siguientes, donde tuvo alumnos como Jackson Pollock, Lee Krasner y Willem de Kooning. En los años sesenta, albergó el club Generation, donde solía ir Jimi Hendrix, y cuando el club cerró, él adquirió el espacio y construyó un estudio modernísimo en las entrañas del número 52 de la calle Ocho.

El 28 de agosto había una fiesta para celebrar su inauguración. Wartoke Concern llevaba la prensa. Las invitaciones eran muy codiciadas y conseguí la mía por mediación de Jane Friedman, que trabajaba en Wartoke. Jane también se había encargado de la publicidad para el festival de Woodstock. Bruce Rudow nos había presentado en el Chelsea y ella había mostrado interés por mi trabajo.

Yo estaba muy ilusionada con ir. Me puse mi sombrero de paja y fui a pie, pero, cuando llegué, fui incapaz de entrar. Jimi Hendrix subió la escalera y por casualidad me encontró sentada en un peldaño como un pasmarote y sonrió. Tenía que coger un avión a Londres para tocar en el festival de la isla de Wight. Cuando le dije que era demasiado cobarde para entrar, él se rió con dulzura y dijo lo contrario de lo que cabría esperar: que era tímido y las fiestas le ponían nervioso. Pasó un ratito conmigo en la escalera y me contó lo que proyectaba hacer con el estudio. Soñaba con reunir a músicos de todo el mundo en Woodstock. Se sentarían en círculo en un campo y tocarían sin parar. No importaba qué melodía, en qué tono o con qué ritmo. Seguirían tocando pese a la disonancia hasta encontrar un lenguaje común. Al final, grabarían aquel lenguaje abstracto universal de la música en su nuevo estudio.

«El lenguaje de la paz. ¿Te va?» Me iba.

No recuerdo si llegué a entrar en el estudio, pero Jimi jamás hizo realidad su sueño. En septiembre fui a París con mi hermana y Annie. Sandy Daley tenía un contacto en una compañía aérea y nos ayudó a encontrar vuelos baratos. París había cambiado en un año, al igual que había hecho yo. Era como si, poco a poco, el mundo entero estuviera siendo despojado de su inocencia. O quizá lo estuviera viendo con demasiada claridad.

Mientras paseábamos por el boulevard Montparnasse vi un titular que me apenó muchísimo: *Jimi Hendrix est mort. 27 ans.* Sabía qué significaban aquellas palabras.

Jimi Hendrix jamás tendría ocasión de regresar a Woodstock para crear un lenguaje universal. Jamás volvería a grabar en Electric Lady. Sentí que todos habíamos perdido a un amigo. Recordé su espalda, su chaleco bordado y sus largas piernas cuando subió la escalera y salió al mundo por última vez.

El 3 de octubre, Steve Paul nos mandó un coche a Robert y a mí para que nos llevara a ver a Johnny Winter en el Fillmore East. Johnny estaba pasando unos días en el Chelsea. Después del concierto regresamos todos a su habitación. Había tocado en el velatorio de Jimi Hendrix y juntos lloramos la pérdida de nuestro poeta de la guitarra y nos consolamos hablando de él.

Pero la noche siguiente nos reuniríamos otra vez en la habitación de Johnny para volver a consolarnos. Solo escribí dos palabras en mi diario: Janis Joplin. Había muerto de una sobredosis en la habitación 105 del hotel Landmark de Los Ángeles, con veintisiete años.

Johnny se hundió. Brian Jones. Jimi Hendrix, Janis Joplin. Estableció de inmediato el nexo de las jotas, mientras el dolor se le mezclaba con el miedo. Era muy supersticioso y le preocupaba ser el siguiente. Robert intentó calmarlo, pero me dijo: «Lo entiendo perfectamente. Es muy raro»; me propuso que le echara las cartas y lo hice. Las cartas hablaban de una vorágine de fuerzas encontradas, pero no auguraban ningún peligro inminente. Con cartas o sin ellas, Johnny no se enfrentaba a la muerte. Tenía algo especial. Johnny era inconstante. Incluso mientras se preocupaba por las muertes del club de la jota y se paseaba frenéticamente por la habitación, era como si no pudiera quedarse quieto el tiempo suficiente para morir.

⊢⊣ ⋈ ⊢⊣

Yo estaba dispersa y bloqueada, rodeada de canciones sin terminar y poemas abandonados. Iba tan lejos como podía y me topaba con una pared, mis limitaciones imaginarias. Y entonces conocí a un hombre que me reveló su secreto, y era bastante sencillo. Cuando te topas con una pared, solo tienes que derribarla a patadas.

Todd Rundgren me llevó al Village Gate para escuchar a una banda que se llamaba The Holy Modal Rounders. Todd había grabado su propio álbum, *Runt*, y estaba buscando material interesante para producirlo. En el Village Gate, las grandes estrellas como Nina Simone y Miles Davis cantaban arriba, mientras que los grupos más marginales tocaban en el sótano. Yo no había oído nunca a The Holy Modal Rounders, cuya «Bird Song» formaba parte de la banda sonora de *Easy Rider*, pero sabía que serían interesantes porque a Todd le gustaba música poco corriente.

Fue como estar en un baile country en Arabia con una banda de psicobilly. Me concentré en el batería, que parecía un fugitivo de la justicia escondiéndose detrás de su instrumento mientras los polis lo buscaban en otro sitio. Poco antes de terminar cantó un tema titulado «Blind Rage» y mientras aporreaba la batería pensé: «Este tío encarna la auténtica alma del rock and roll». Poseía belleza, energía y un magnetismo animal.

Me lo presentaron cuando fuimos a los camerinos. Dijo que se llamaba Slim Shadow. «Es un placer, Slim», dije. Le mencioné que colaboraba con una revista de rock llamada *Crawdaddy* y que quería escribir un artículo sobre él. Pareció que la idea le divertía. Se limitó a asentir mientras yo comenzaba a soltarle el rollo y le hablaba de su potencial, de cómo «te necesita el rock and roll».

«Pues no me lo había planteado», fue su lacónica respuesta.

Estaba segura de que *Crawdaddy* aceptaría un artículo sobre aquella futura salvación del rock and roll, y Slim accedió a ir a la calle Veintitrés para que lo entrevistara. Le divirtió mi desorden, se repantigó en la estera y me habló de él. Dijo que había nacido en un remolque y me contó una buena historia. Hablaba bien. En una afortunada inversión de papeles, el cuentacuentos fue él y no yo. Era posible que sus historias fueran incluso más inventadas que las mías. Tenía una risa contagiosa y era rudo, inteligente e intuitivo. Para mí, era el tipo con la boca de vaquero.*

En los días siguientes, aparecía por la noche ante mi puerta con su sonrisa tímida y atractiva y yo cogía mi abrigo y salíamos a dar un paseo. Nunca nos alejábamos mucho del Chelsea, pero parecía que la ciudad se hubiera disuelto en un matorral de artemisa y la basura que arrastraba el viento se hubiera transformado en plantas rodantes.

Un frente frío se cernió sobre Nueva York en octubre. Empecé a tener una tos muy fea. La calefacción era imprevisible en el loft. No estaba concebido para vivir en él y de noche hacía frío. Robert a menudo se quedaba en casa de David y yo me tapaba con todas nuestras mantas y me quedaba despierta hasta muy tarde, leyendo tebeos de la Pequeña Lulú y escuchando a Bob Dylan. Las muelas del juicio me daban problemas y estaba agotada. Mi médico dijo que tenía anemia y me ordenó que tomara carne roja y bebiera cerveza negra, un consejo que dieron a Baudelaire durante el invierno que pasó en Bruselas solo y enfermo.

Yo tenía algo más de iniciativa que el pobre Baudelaire. Me puse un viejo abrigo de tela escocesa con los bolsillos muy grandes y robé dos pequeños filetes en Gristede's con intención de freírlos en el hornillo eléctrico en la sartén de hierro fundido de mi abuela. Me sorprendió encontrarme con Slim en la calle y dimos nuestro primer paseo diurno. Preocupada por que la carne se me estropeara, tuve que terminar confesándole que llevaba dos filetes crudos en el bolsillo. Él me miró, intentando determinar si le estaba diciendo la verdad. Luego me metió la

---

* Obra de teatro escrita e interpretada por Sam Shepard y Patti Smith en 1971. (*N. de la T.*)

mano en el bolsillo y sacó un filete en mitad de la Séptima Avenida. Negó con la cabeza, fingiendo que me reprendía, y dijo: «Vale, preciosa, vamos a comer».

Subimos y enchufé el hornillo. Nos comimos los filetes en la misma sartén. Después de ese día, Slim se preocupó por si yo comía suficiente. Al cabo de unas noches, pasó por casa y me preguntó si me gustaba la langosta de Max's. Le respondí que no la había probado nunca. Pareció sorprenderse.

—¿No has tomado langosta en Max's?

—No, no he comido nunca en Max's.

—¿Qué? Ponte el abrigo. Vamos a papear.

Cogimos un taxi hasta Max's. Slim entró tranquilamente en la sala vip, pero no nos sentamos a la mesa redonda. Luego, pidió por mí. «Tráigale la langosta más grande que tenga.» Advertí que todo el mundo nos estaba mirando. Me di cuenta de que nunca había ido a Max's con ningún hombre aparte de Robert, y Slim era un hombre guapísimo. Y cuando llegó mi gigantesca langosta con mantequilla, también me di cuenta de que aquel vaquero quizá no tenía dinero para pagar la cuenta.

Mientras comía, advertí que Jackie Curtis me estaba haciendo señas con la mano. Supuse que querría parte de mi langosta, lo que me pareció bien. Envolví una carnosa pinza en una servilleta y la seguí al aseo de señoras. Jackie se puso a interrogarme de inmediato.

—¿Qué estás haciendo con Sam Shepard? —soltó.

—¿Sam Shepard? —dije—. Oh, no. Ese tío se llama Slim.

—Cielo, ¿no sabes quién es?

—Es el batería de The Holy Modal Rounders.

Jackie hurgó frenéticamente en su bolso, contaminando el aire con su colorete.

—Es un dramaturgo experimental buenísimo. Daban una obra suya en Lincon Center. ¡Ganó cinco Obies! —dijo a toda velocidad mientras se perfilaba las cejas. Yo la miré con incredulidad. Su revelación parecía un giro argumental en un musical de Judy Garland y Mickey Rooney.

—Bueno, eso no significa mucho para mí —dije.

—No seas tonta —insistió ella, agarrándome con histrionismo—. Puede meterte en Broadway. —Jackie tenía el don de convertir cualquier contacto fortuito en una película de la serie B.

No quiso la pinza de langosta.

—No, gracias, cielo. Ando tras una presa más grande. ¿Por qué no lo traes a mi mesa? Me encantaría saludarlo.

Yo no tenía los ojos puestos en Broadway ni estaba dispuesta a pasearlo como un trofeo, pero supuse que, si lo que Jackie decía era cierto, seguro que tenía dinero para pagar la cuenta.

Regresé a la mesa y lo miré fijamente.

—¿Te llamas Sam? —pregunté.

—Oh, sí, así es —respondió él, arrastrando la voz como W. C. Fields. Pero en ese momento trajeron el postre, helado de vainilla con chocolate líquido.

—Sam es un buen nombre —dije—. Funcionará.

—Cómete tu helado, Patti Lee —dijo él.

Me sentía cada vez más fuera de lugar en la vorágine social de Robert. Él me acompañaba a meriendas, cenas y alguna que otra fiesta. Comíamos en mesas donde un único servicio tenía más tenedores y cucharas de los que necesitaba una familia de cinco. Nunca entendí por qué debíamos cenar separados ni por qué debía yo entablar conversación con personas que no conocía. Me limitaba a quedarme sentada, sintiéndome desgraciada mientras esperaba el plato siguiente. Nadie parecía tan impaciente como yo. No obstante, tenía que admirar a Robert cuando veía cómo se relacionaba con una facilidad que yo desconocía, ofreciendo fuego y manteniendo la mirada mientras hablaba.

Estaba comenzando a introducirse en la alta sociedad. En ciertos aspectos, su cambio social me resultaba más difícil de asimilar que su cambio sexual. Solo había tenido que comprender y aceptar la dualidad de su sexualidad. Pero, para seguirle los pasos en el terreno social, habría tenido que cambiar mis costumbres.

Algunos de nosotros nacemos rebeldes. Al leer la biografía de Nancy Mildford sobre Zelda Fitzgerald me identifiqué con su espíritu indómito. Me recuerdo pasando por delante de escaparates con mi madre y preguntándole por qué no los destrozaba la gente a patadas. Ella me explicó que había normas tácitas de conducta social y que ese era el modo de coexistir como personas. De inmediato, me sentí limitada por la noción de que nacemos en un mundo donde todo está determinado por quienes nos han precedido. Me esforcé por reprimir mis impulsos destructivos y, en cambio, desarrollé los creativos. Aun así, la niña contraria a las normas que llevaba dentro no había muerto.

Cuando expliqué a Robert las ganas que mi niña interior tenía de destrozar escaparates, él se rió de mí.

«¡Patti! Eres una mala semilla», dijo. Pero no era verdad.

En cambio, Sam se identificó con mi historia. No tuvo ningún problema en imaginarme con mis zapatitos marrones, rabiando por armar la gorda. Cuando le dije que a veces tenía ganas de dar una patada a un escaparate, solo dijo: «Dásela, Patti Lee. Yo te pago la fianza». Con Sam podía ser yo misma. Él comprendía mejor que nadie qué sentías al estar atrapado en tu propia piel.

Robert no congenió con Sam. Él me estaba animando a ser más refinada y le preocupaba que Sam solo exagerara mis modales irreverentes. Desconfiaban uno del otro y jamás lograron salvar aquella brecha. Un observador casual podría haberlo atribuido a que eran especies distintas, pero yo lo atribuía a que ambos tenían carácter y querían lo mejor para mí. Sin contar mis modales en la mesa, reconocía algo de mí en ambos y aceptaba sus encontronazos con humor y orgullo.

Alentado por David, Robert llevó su obra de galería en galería sin resultados. Impasible, buscó una alternativa y decidió exponer sus collages el día de su cumpleaños en la galería Stanley Amos del hotel Chelsea.

Lo primero que hizo fue ir a Lamston's. Era más pequeño y barato que Woolworth's. Robert y yo aprovechábamos cualquier excusa para fisgar entre su anticuado género: hilo, patrones, botones, artículos de droguería, las revistas *Redbook* y *Photoplay*, pebeteros, postales y bolsas de caramelos, pasadores y cintas. Robert compró montones de sus clásicos marcos plateados. A dólar la unidad, tenían mucho éxito y hasta los compraban personas como Susan Sontag.

Robert quería crear invitaciones únicas. Para ello, eligió una baraja de cartas ilustradas con porno blando que había comprado en la calle Cuarenta y dos e imprimió la información en el dorso. Luego las metió en un tarjetero de piel de vaca sintética que había encontrado en Lamston's.

La exposición consistía en collages centrados en fenómenos de feria, pero Robert preparó un retablo bastante grande para la ocasión. Utilizó varios de mis objetos personales en aquella creación, entre ellos mi piel de lobo, un pañuelo bordado de terciopelo y un crucifijo francés. Discutimos un poco por su apropiación de mis cosas, pero, por supuesto, cedí y Robert dijo que nadie lo compraría. Solo quería que la gente lo viera.

Fue en la suite 510 del hotel Chelsea. La habitación estaba atestada de gente. Robert llegó con David. Cuando miré a mi alrededor, rememoré toda nuestra historia en el hotel. Sandy Daley, una de las personas que más apoyaba a Robert, estaba radiante. A Harry le fascinó tanto el retablo que decidió filmarlo para su película inspirada en *Ascenso y caída de la ciudad de Mahagonny*. Jerome Ragni, el coautor de *Hair*, compró uno de los collages. El coleccionista Charles Coles se citó con Robert para hablar de una futura compra. Gerard Malanga y Rene Ricard alternaron con Donald Lyons y Bruce Rudow. David fue un anfitrión elegante y el portavoz de la obra de Robert.

Ver a personas mirando la obra que yo había visto crear a Robert fue una experiencia muy intensa. Había dejado de pertenecer a nuestro mundo privado. Era lo que siempre había deseado para él, pero compartirla con otros despertaba mi instinto posesivo. No obstante, el sentimiento que prevalecía en mí era la alegría de ver la expresión satisfecha de Robert mientras vislumbraba el futuro que tan resueltamente había buscado y tanto se había esforzado por alcanzar.

En contra de su predicción, Charles Coles compró el retablo y no recuperé nunca la piel de lobo, el pañuelo ni el crucifijo.

＋＋ ⊟⫯⊟ ＋＋

«Está muerta.» Bobby llamó desde California para decirme que Edie Sedgwick había muerto. Yo no la conocía, pero, cuando era adolescente, encontré una revista *Vogue* con una fotografía de ella en la que hacía una pirueta encima de una cama delante del dibujo de un caballo. Parecía profundamente ensimismada, como si en el mundo no existiera nadie más que ella. La arranqué y la clavé en la pared.

Bobby parecía sinceramente afligido por su prematura muerte. «Componle un poema», dijo, y prometí hacerlo.

Si quería componer una elegía para una muchacha como Edie, tenía que conectar con mi muchacha interior. Obligada a plantearme qué significaba ser mujer, me sumergí en mi esencia femenina, guiada por la muchacha ensimismada delante de un caballo blanco.

Estaba en la onda beat. Mis biblias se encontraban apiladas en pequeños montones. The Holy Barbarians. Los jóvenes airados. Rebusqué entre mis cosas y encontré algunos poemas de Ray Bremser. Me ponía a cien. Ray era como un saxofón humano. Percibías su facilidad para la improvisación en la manera en que el lenguaje se vertía como notas lineales. Inspirada, puse algo de Coltrane, pero no ocurrió nada. Solo estaba mareando la perdiz. Truman Capote acusó una vez a Kerouac de que no se sentaba a escribir, sino a mecanografiar. Pero Kerouac volcaba su alma en rollos de papel mecanográfico mientras aporreaba la máquina de escribir. Yo sí estaba mecanografiando. Me levanté con brusquedad, frustrada.

Cogí la antología de escritores beat y encontré «The Beckoning Sea», de George Mandel. Lo leí en voz baja y, después, a todo pulmón, para imbuirme del mar que anidaba en sus palabras y en el creciente ritmo de las olas. Seguí leyendo, declamando a Corso y Maiakovski y regresando al mar, para que George me ayudara a dar el salto.

Robert había entrado con sus pies felinos. Se sentó y asintió con la cabeza. Escuchó con todo su ser. Mi artista que no leería jamás. Luego se agachó y cogió un puñado de poemas del suelo.

—Tienes que cuidar mejor tu obra —dijo.

—Ni siquiera sé qué estoy haciendo —argüí, encogiéndome de hombros—, pero no puedo parar. Soy como un escultor ciego dando martillazos.

—Necesitas mostrar a la gente lo que sabes hacer. ¿Por qué no das un recital?

Me sentía frustrada con la escritura; no era una actividad suficientemente física.

Robert me dijo que tenía algunas ideas.

—Te conseguiré un recital, Patti.

Yo no esperaba dar ningún recital de poesía en un futuro próximo, pero la idea me fascinó. Había compuesto los poemas para mi propia satisfacción y la de unas pocas personas. Quizá fuera hora de averiguar si podía aprobar el examen de Gregory. En mi fuero interno, sabía que estaba preparada.

También había empezado a escribir más artículos para revistas de rock: *Crawdaddy, Circus, Rolling Stone*. Era una época en que la profesión de periodista musical podía ser una ocupación noble. Paul Williams, Nick Tosches, Richard Meltzer y Sandy Pearlman eran algunos de los escritores que admiraba. Tenía como modelo a Baudelaire, que escribió algunas de las críticas más grandes y personales del arte y la literatura del siglo XIX.

Recibí un álbum doble de Lotte Lenya entre un montón de discos para reseñar. Estaba decidida a que aquella gran artista fuera reconocida y llamé a Jann Wenner de *Rolling Stone*. No había hablado nunca con él y mi petición pareció desconcertarlo. Pero cuando le dije que en la carátula de *Bringing It All Back Home* Bob Dylan tenía un disco de Lotte Lenya en la mano, se ablandó. Tras la experiencia de mi poema para Edie Sedgwick, intenté reseñar el papel de Lotta Lenya como artista y potente presencia femenina. Concentrarme en aquel artículo me permitió fundir poesía y prosa, y me ofreció otro modo de expresarme. No creí que fueran a publicarlo, pero Jann me llamó para decirme que, pese a hablar como una camionera, había escrito un artículo excelente.

Colaborar con revistas de rock me puso en contacto con los escritores que admiraba. Sandy Pearlman me regaló *The Age of Rock II*, una antología publicada por Jonathan Eisen que reunía algunos de los mejores escritos sobre música del año anterior. El que más me conmovió fue un entusiasta pero bien informado artículo sobre música a cappella escrito por Lenny Kaye. Hablaba de mis raíces y me recordó las calles de mi juventud, donde los chicos se reunían en las esquinas para cantar melodías a tres voces de rhythm and blues. También contrastaba con el tono cínico y condescendiente de la mayoría de las críticas de la época. Decidí localizarlo y darle las gracias por un artículo tan inspirador.

Lenny trabajaba como dependiente en Village Oldies de Bleecker Street y me pasé por allí un sábado por la noche. La tienda tenía tapacubos en la pared y estanterías llenas de singles antiguos. En aquellos polvorientos montones de discos había casi cualquier canción que se te ocurriera buscar. En las visitas que hice más adelante, si no había clientes, Lenny ponía sus singles preferidos y bailábamos al ritmo de «Bristol Stomp» de The Dovells o nos marcábamos unos pasos de rock mientras Maureen Gray cantaba «Today's the Day».

El ambiente estaba cambiando en Max's. La residencia de verano de The Velvet Underground había atraído a los nuevos custodios del rock and roll. En la mesa redonda a menudo había músicos, prensa rockera y Danny Goldberg, que conspiraba para revolucionar el negocio de la música. Lenny se codeaba con Lillian Roxon, Lisa Robinson, Danny Fields y otros que, poco a poco, estaban haciendo suya la sala vip. Aún cabía esperar que Holly Woodlawn hiciera una entrada triunfal, Andrea Feldman bailara encima de las mesas y Jackie y Wayne hicieran gala de su genial desenvoltura, pero tenían sus días contados como centro de atención de Max's.

Robert y yo pasábamos menos tiempo allí y buscábamos nuestros propios ambientes. No obstante, Max's aún reflejaba nuestro destino. Robert había empezado a fotografiar a los clientes que llevaba Warhol aunque ya estuvieran en retirada. Y, poco a poco, yo me estaba codeando con el mundo del rock y con quienes lo habitaban, a través de la escritura y, a la larga, mis actuaciones.

Sam alquiló una habitación con balcón en el Chelsea. Me encantaba estar allí, volver a tener una habitación en el hotel. Podía ducharme siempre que quería. A veces solo leíamos sentados en la cama. Yo leía sobre Caballo Loco y él a Samuel Beckett.

Sam y yo tuvimos una larga discusión sobre nuestra vida en común. Entonces ya me había revelado que estaba casado y tenía un hijo pequeño. Quizá fuera la despreocupación de la juventud, pero yo no era del todo consciente de que nuestra irresponsabilidad podía afectar a otras personas. Conocí a su mujer, Olan, una actriz joven y con talento. No esperé jamás que Sam la dejara, y los tres nos adaptamos a aquel pacto tácito de coexistencia. Él se marchaba a menudo y me permitía quedarme sola en su habitación con sus vestigios: su manta india, la máquina de escribir y una botella de ron del Barrilito superior especial.

A Robert le horrorizaba la idea de que Sam estuviera casado. «Terminará dejándote», decía, pero eso yo ya lo sabía. Robert suponía que Sam era un vaquero imprevisible.

«Tampoco te gustaría Jackson Pollock», repliqué. Robert se limitó a encogerse de hombros.

Yo estaba escribiendo un poema para Sam, un homenaje a su obsesión con los vagones de ganado. Era un poema titulado «Ballad of a Bad Boy». Saqué la hoja de la máquina de escribir y lo leí en voz alta mientras me paseaba por la habitación. Funcionaba. Poseía la energía y el ritmo que estaba buscando. Llamé a la puerta de Robert. «¿Quieres oír una cosa?», dije.

Aunque estábamos un poco distanciados en aquel período, Robert con David y yo con Sam, teníamos nuestro territorio común. Nuestro arte. Como había prometido, Robert estaba decidido a conseguirme un recital. Intercedió por mí con Gerard Malanga, que iba a leer sus poemas en la iglesia de Saint Mark en febrero. Gerard accedió generosamente a que fuera su telonera.

The Poetry Project, liderado por Anne Waldman, era un foro deseable incluso para los poetas más consumados. Todo el mundo —Robert Creeley, Allen Ginsberg y Ted Berrigan entre otros— había recitado allí. Si leía mis poemas alguna vez, aquel tenía que ser el lugar. Mi objetivo no era solo hacerlo bien o defenderme. Era dejar huella en Saint Mark. Lo hacía por la poesía. Lo hacía por Rimbaud y lo hacía por Gregory. Quería impregnar la palabra escrita de la inmediatez y el ataque frontal del rock and roll.

Todd me sugirió que fuera agresiva y me regaló un par de botas negras de piel de serpiente para que me las pusiera. Sam sugirió que añadiera música. Pensé en todos los músicos que habían pasado por el Chelsea y entonces recordé que Lenny Kaye me había dicho que tocaba la guitarra eléctrica. Fui a verlo.

—Tocas la guitarra, ¿verdad?

—Sí, me gusta tocar la guitarra.

—¿Serías capaz de tocar un accidente de coche con una guitarra eléctrica?

—Sí —respondió él sin vacilar, y accedió a acompañarme. Vino a la calle Veintitrés con su Melody Maker y un pequeño amplificador Fender y tocó mientras yo recitaba mis poemas.

El recital estaba programado para el 10 de febrero de 1971. Judy Linn nos sacó una fotografía, a Gerard y a mí, sonriendo delante del Chelsea, para el folleto. Investigué si había algún buen augurio relacionado con la fecha: luna llena. El cumpleaños de Bertolt Brecht. Favorables los dos. En homenaje a Brecht, decidí inaugurar el recital cantando «Mackie Navaja». Lenny me acompañó con la guitarra.

La noche prometía. Gerard Malanga era un poeta y artista de performance muy carismático y atrajo a Andy Warhol y a casi toda la élite de su mundo, incluidos Lou Reed, Rene Ricard y Brigid Berlin. Los amigos de Lenny fueron a animarlo: Lillian Roxon, Richard y Lisa Robinson, Richard Meltzer, Roni Hoffman, Sandy Pearlman. Había un contingente del Chelsea entre los que se encontraban Peggy, Harry, Matthew y Sandy Daley. Poetas como John Giorno, Joe Brainard, Annie Powell y Bernadette Mayer. Todd Rundgren trajo a Miss Christine de The GTOs. Gregory cambiaba continuamente de postura en su asiento junto al pasillo mientras esperaba a ver con qué salía yo. Robert entró con David y se sentaron en primera fila, en el centro. Sam estaba apoyado en la barandilla del primer piso, animándome. El ambiente estaba electrizado.

Anne Waldman nos presentó. Yo estaba excitadísima. Dediqué la velada a delincuentes que iban de Caín a Genet. Escogí poemas como

«Oath», que comenzaba: «Jesús murió por los pecados de alguien / pero no por los míos», y suavicé el tono con «Fire of Unknown Origin». Recité «The Devil Has a Hangnail» para Robert y «Cry me a River » para Annie. «Picture Hanging Blues», escrito desde la posición de la novia de Jesse James, estaba, con su estribillo, más próximo a una canción que todo lo que había escrito hasta entonces.

Terminamos con «Ballad of a Bad Boy», acompañado por los duros acordes rítmicos y el *feedback* eléctrico de Lenny. Era la primera vez que se tocaba una guitarra eléctrica en la iglesia de Saint Mark, lo que provocó aplausos y abucheos. Aquel era suelo sagrado para la poesía, objetaron algunos, pero Gregory estaba exultante.

El acto tuvo sus momentos cumbre. En mi actuación, recurrí a toda la arrogancia reprimida que pude reunir. Pero después estaba tan cargada de adrenalina que me comporté como un gallito. No di las gracias ni a Robert ni a Gerard. Tampoco hablé con sus amigos. Me largué con Sam y nos tomamos un par de tequilas con langosta.

Tuve mi noche y fue emocionante, pero pensé que lo mejor sería tomarme las cosas con calma y olvidarlo todo. No tenía la menor idea de cómo asimilar aquella experiencia. Aunque sabía que había ofendido a Robert, él no podía disimular lo orgulloso que estaba de mí. Por otra parte, yo no debía olvidar que habia aflorado una faceta completamente distinta de cuya relación con el arte no estaba segura.

Tras mi recital de poesía me llovieron las ofertas. La revista *Creem* accedió a publicar varios de mis poemas. Me propusieron dar recitales en Londres y Filadelfia, Middle Earth Books se ofreció a publicar un opúsculo de mis poemas y Blue Sky Records, de Steve Paul, me propuso un posible contrato discográfico. Al principio, aquello me halagó, pero después me pareció embarazoso. Era una reacción más extrema que la suscitada por mi corte de pelo.

Me parecía que había sido demasiado fácil. Nada había sido tan fácil para Robert, ni para los poetas que yo admiraba. Decidí dar marcha atrás. Rechacé el contrato discográfico, pero dejé Scribner's y empecé a trabajar para Steve Paul y su novia, Friday. Tenía más libertad y ganaba un poco más, pero Steve se pasaba el día preguntándome por qué prefería hacerle la comida y limpiarle las jaulas de los pájaros a grabar un disco. Yo no creía que estuviera destinada a limpiar jaulas, pero también sabía que no debía aceptar el contrato.

Pensaba en algo que había aprendido leyendo *Crazy Horse: The Strange Man of the Oglalas*, de Mari Sandoz. Caballo Loco cree que vencerá en la batalla, pero que, si se detiene a recoger el botín, será derrotado. Tatúa rayos en las orejas de sus caballos para que se lo recuerden mientras cabalga. Intentaba aplicar su lección a mi vida y procuraba no quedarme con un botín que no me había ganado.

Decidí que quería hacerme un tatuaje similar. Estaba sentada en el vestíbulo dibujando versiones de rayos en mi cuaderno cuando entró una mujer singular. Tenía una alborotada melena pelirroja, un zorro vivo en el hombro y la cara llena de delicados tatuajes. Advertí que, si le borraban los tatuajes, dejarían al descubierto el rostro de Vali, la chica de la tapa de *Amor en la orilla izquierda*. Su fotografía había hallado un lugar en mi pared hacía ya mucho.

Sin más preámbulos, le pregunté si me tatuaría la rodilla. Ella me miró y asintió con la cabeza, sin decir nada. En los días siguientes, acordamos que me haría el tatuaje en la habitación de Sandy Daley y que Sandy lo filmaría, al igual que había hecho con Robert cuando él se perforó el pezón, como si ahora me tocara a mí iniciarme.

Yo quería ir sola, pero Sam quiso estar presente. La técnica de Vali era primitiva: una aguja de coser muy grande que ella iba chupando, una vela y un tintero de tinta añil. Había decidido ser estoica y no abrí la boca mientras ella me tatuaba el rayo en la rodilla. Cuando terminó, Sam le pidió que le tatuara la mano izquierda. Ella le perforó repetidamente la carne entre los dedos índice y pulgar hasta que apareció una luna creciente.

Una mañana, Sam me preguntó dónde estaba mi guitarra y le dije que se la había regalado a mi hermana menor, Kimberly. Esa tarde me llevó a una tienda de guitarras del Village. Había guitarras acústicas colgadas de la pared, como en una casa de empeños, solo que el cascarrabias del dueño no parecía querer separarse de ninguna. Sam me dijo que escogiera la que quisiera. Miramos muchas Martins, incluyendo algunas bonitas con incrustaciones de madreperla, pero la que me llamó la atención fue una estropeada Gibson negra, un modelo de la Gran Depresión. La trasera se había resquebrajado, la habían reparado y los clavijeros estaban roñosos. Pero había algo en ella que me enamoró. Pensé que, por su aspecto, nadie la querría salvo yo.

—¿Estás segura de que es esta, Patti Lee? —me preguntó Sam.

—Es la única —dije yo.

Sam pagó doscientos dólares por ella. Yo creía que el dueño se alegraría, pero nos siguió por la calle, diciendo: «Si alguna vez no la quieren, se la volveré a comprar».

Fue un bonito detalle que Sam me comprara una guitarra. Me recordó a una película que había visto titulada *Beau Geste*, protagonizada por Gary Cooper. El actor interpreta a un soldado de la Legión Extranjera francesa que, a costa de su propia reputación, protege a la mujer que lo crió. Decidí poner Bo a la guitarra, tal como suena Beau. Así me recordaría a Sam, que también se había enamorado de la guitarra.

Bo, que sigo conservando como un tesoro, se convirtió en mi verdadera guitarra. Con ella he compuesto la mayor parte de mis canciones. Compuse la primera para Sam, anticipando su marcha. Los remordimientos pesaban en nuestra vida y obra. Nos sentíamos más unidos que nunca, pero él tenía que marcharse y los dos lo sabíamos.

Una noche, mientras permanecíamos en silencio, pensando en lo mismo, Sam se levantó de golpe y puso su máquina de escribir encima de la cama.

—Escribamos una obra de teatro —dijo.

—No sé cómo escribir teatro —respondí.

—Es fácil —dijo él—. Empezaré yo.

Describió mi habitación de la calle Veintitrés: las matrículas, los discos de Hank Williams, el cordero de juguete, la cama en el suelo, y a continuación introdujo su personaje, Slim Shadow.

Luego, me acercó la máquina de escribir y dijo:

—Te toca, Patti Lee.

Decidí llamar Cavale a mi personaje. Me inspiré en una escritora franco-argelina llamada Albertine Sarrazin, que, como Genet, fue una huérfana precoz que se movía fluidamente entre la literatura y la delincuencia. Mi libro preferido se titula *La Cavale*, que se ha traducido como *La fuga*.

Sam tenía razón. Escribir la obra no fue nada difícil. Nos limitamos a contarnos historias. Los personajes éramos nosotros y juntos plasmamos nuestro amor, imaginación e indiscreciones en *Boca de cowboy*. Quizá no fuera tanto una pieza teatral como un ritual. Ritualizamos el final de nuestro idilio y abrimos una puerta para la fuga de Sam.

Cavale es la delincuente de la historia. Secuestra a Slim y lo esconde en su guarida. Ambos se aman y discuten, y crean un lenguaje propio, improvisando poesía. Cuando llegamos a la parte en que teníamos que improvisar una discusión en un lenguaje poético, me entró miedo.

—No puedo hacerlo —dije—. No sé qué decir.

—Di lo que sea —me propuso Sam—. No puedes hacerlo mal cuando improvisas.

—¿Y si meto la pata? ¿Y si fastidio el ritmo?

—No puedes —dijo él—. Es como tocar la batería. Si te saltas un compás, creas otro.

En aquella sencilla conversación Sam me enseñó el secreto de la improvisación, un secreto al que he recurrido desde entonces.

Boca de cowboy se estrenó a finales de abril en el teatro American Place de la calle Cuarenta y seis Oeste. En la obra, Cavale intenta cambiar a Slim para que encaje en su imagen de salvador del rock and roll. Slim, al principio embriagado con la idea y cautivado por Cavale, debe terminar diciéndole que no puede hacer realidad su sueño. Slim Shadow regresa a su mundo, vuelve con su familia, retoma sus responsabilidades y deja sola a Cavale, liberándola.

Sam estaba ilusionado porque la obra era buena, pero ponerse al descubierto en el escenario le producía mucha tensión. Dirigidos por Robert Glaudini, los ensayos fueron desiguales y animados, sin la limitación de un público. El primer preestreno tuvo lugar en una escuela local y fue liberador porque los alumnos se rieron, aplaudieron y nos animaron. Parecía que estuviéramos colaborando con ellos. Pero en el preestreno oficial fue como si Sam despertara y tuviera que exponer sus problemas reales delante de personas reales.

En la tercera función, desapareció. Cancelamos la obra. Y, al igual que Slim Shadow, Sam regresó a su mundo, volvió con su familia y retomó sus responsabilidades.

Experimentar con la obra también me enseñó cosas de mí. No tenía la menor idea de cómo la imagen de Cavale de un «Jesús del rock and roll con boca de cowboy» podía aplicarse a lo que estaba haciendo, pero, mientras cantábamos, discutíamos y nos obligábamos a quitarnos la coraza, descubrí que en el escenario me sentía como en casa. No era actriz; no trazaba ninguna línea entre la vida y el arte. Era la misma dentro y fuera de él.

Antes de abandonar Nueva York para irse a Nueva Escocia, Sam me dio un sobre con dinero. Era para que me cuidase.

Me miró, mi vaquero con costuras indias. «Sabes, los sueños que tenías para mí no eran mis sueños —dijo—. A lo mejor son los tuyos.»

Me encontraba en una encrucijada. No estaba segura de qué hacer. Robert no se recreó en la marcha de Sam. Y cuando Steve Paul se ofreció a llevarme a México con unos cuantos músicos más para componer canciones, me animó a ir. México representaba dos cosas que me encantaban: el café y Diego Rivera. Llegamos a Acapulco a mediados de junio y nos alojamos en un chalet inmenso con vistas al mar. No compuse muchas canciones, pero bebí mucho café.

Un peligroso huracán mandó a todo el mundo a casa, pero yo me quedé y, al final, regresé pasando por Los Ángeles. Fue allí donde vi una enorme valla publicitaria de *L. A. Woman*, el nuevo álbum de los Doors: la imagen de una mujer crucificada en un poste de telégrafos. Pasó un coche y oí los compases de su nuevo single sonando en la radio, «Riders on the Storm». Me remordió la conciencia por haber casi olvidado la influencia tan importante de Jim Morrison. Él me había dado la idea de fusionar poesía y rock and roll, y decidí comprar el álbum y hacerle una buena crítica.

Cuando regresé a Nueva York comenzaron a llegar de Europa noticias fragmentadas de su fallecimiento en París. Durante un día o dos nadie estuvo seguro de qué había sucedido. Jim había muerto misteriosamente en una bañera el 3 de julio, el mismo día que Brian Jones.

Al subir la escalera, supe que algo andaba mal. Oí a Robert gritando: «¡Te amo! ¡Te odio! ¡Te amo!». Abrí la puerta de su estudio. Estaba mirando un espejo ovalado, flanqueado por un látigo negro y una máscara de diablo que había pintado meses antes. Tenía un mal viaje, estaba debatiéndose entre el bien y el mal. El diablo era el ganador, transformándole las facciones, que tenía deformadas y rojas, como las de la máscara.

Yo carecía de experiencia en aquella clase de situaciones. Recordé cómo me había ayudado él cuando me drogaron en el Chelsea y le hablé con calma mientras quitaba la máscara y el látigo de su vista. Al principio me miró como si fuera una desconocida, pero pronto su respiración fatigosa se serenó. Agotado, me siguió hasta la cama, apoyó la cabeza en mi regazo y se quedó dormido.

Su dualidad de carácter me perturbaba, sobre todo porque temía que lo perturbara a él. Cuando nos conocimos, su obra reflejaba una creencia en Dios como amor universal. Sin saber cómo, se había descarriado. Su obsesión católica por el bien y el mal se había reafirmado, como si tuviera que escoger entre uno u otro. Había roto con la Iglesia y, ahora, la Iglesia se estaba rompiendo dentro de él. Su viaje exageraba su miedo a haberse aliado de forma irrevocable con las fuerzas oscuras, su pacto fáustico.

Se aficionó a decir que era malvado, en parte en broma o solo para sentirse distinto. Lo observé mientras se ceñía una bragueta de cuero. Sin duda, era más dionisíaco que satánico, más partidario de la libertad y de las experiencias extremas.

—Sabes que no necesitas ser malo para ser distinto —dije—. Eres distinto. Los artistas son una raza aparte.

Él me abrazó. Noté la presión de la bragueta.

—Robert —chillé—, no seas malo.

—Estabas avisada —dijo, guiñándome un ojo.

Robert se marchó y regresé a mi parte del loft. Lo vi fugazmente desde la ventana cuando pasó por delante de la Asociación de Jóvenes Cristianos. El artista y puto era también el buen hijo y el monaguillo. Estaba convencida de que volvería a abrazar la noción de que no hay mal puro, ni bien puro, sino solo pureza.

Como no tenía ingresos suficientes para dedicarse a una sola actividad, Robert continuaba trabajando en varias facetas artísticas a la vez. Hacía fotografía cuando podía permitírselo, diseñaba collares cuando disponía de los componentes y creaba obras con los materiales que encontraba. Pero no cabía duda de que se estaba decantando por la fotografía.

Yo fui su primera modelo y luego lo fue él. Comenzó haciéndome fotografías en las que incorporaba mis tesoros o sus objetos rituales y pasó a fotografiar desnudos y retratos. Con el tiempo, David, que era la musa ideal para Robert, me liberó de algunas de mis obligaciones. David era fotogénico y flexible y aceptaba de buen grado las insólitas propuestas de Robert, como posar tumbado sin más ropa que unos calcetines, desnudo y envuelto en redecilla negra o amordazado con una pajarita.

Robert continuaba utilizando la cámara Land 360 de Sandy Daley. La configuración y las opciones eran limitadas, pero, técnicamente, era sencilla y él no necesitaba fotómetro. Para conservar las instantáneas, extendía sobre ellas una sustancia cérea rosa. Si se le olvidaba, iban perdiendo color. Robert lo aprovechaba todo de la Polaroid, el cartucho para marcos, la lengüeta y, de vez en cuando, hasta los semifallos, manipulando la imagen con emulsión.

El precio de la película lo obligaba a no desaprovechar ninguna fotografía. No le gustaba cometer errores ni desperdiciar película y, por ese motivo, desarrolló decisión y un ojo rápido. Era preciso y prudente, primero por necesidad; luego, por costumbre. Observar sus veloces progresos era gratificante, porque me sentía parte de ellos. El credo que establecimos como artista y modelo era simple. Confío en ti, confío en mí.

✦

En la vida de Robert entró una importante presencia nueva. David le había presentado al director de fotografía del Museo Metropolitano de Arte. John McKendry estaba casado con Maxime de la Falaise, una figura desatacada de la alta sociedad neoyorquina. John y Maxime permitieron a Robert acceder a un mundo que era todo lo glamuroso que él podía haber deseado. Maxime era una excelente cocinera y organizaba cenas muy elaboradas donde servía platos poco conocidos basados en su amplio conocimiento de la historia de la gastronomía inglesa. Por cada plato sofisticado que presentaba, sus invitados servían conversaciones igualmente bien aderezadas. Comensales habituales eran Bianca

Jagger, Marisa y Berry Berenson, Tony Perkins, George Plimpton, Henry Geldzahler, Diane y el príncipe Egon de Fürstenberg.

Robert quería introducirme en aquel estrato de la sociedad: personas fascinantes y cultas que esperaba que pudieran ayudarnos y con las que creía que podía identificarme. Como de costumbre, aquello suscitó más de un conflicto entre ambos. Yo no iba bien vestida, estaba incómoda, si no aburrida, y pasaba más tiempo pululando por la cocina que charlando en la mesa. Maxime era paciente conmigo, pero John parecía entender realmente mi sensación de ser una extraña. A lo mejor también se sentía aislado. Yo lo apreciaba mucho y él hacía todo lo posible para que estuviera cómoda. Nos sentábamos juntos en su canapé estilo imperio y él me leía pasajes de *Iluminaciones* de Rimbaud en el francés original.

Debido a su cargo de excepción en el Museo Metropolitano, John tenía acceso a las cámaras que albergaban toda la colección de fotografía del museo, en su mayoría no expuesta nunca al público. Su especialidad era la fotografía victoriana, por la cual él sabía que yo también tenía debilidad. Nos invitó, a Robert y a mí, a ver la colección. Había archivadores horizontales del suelo al techo, estanterías metálicas y cajones que contenían fotografías antiguas de los primeros maestros de la fotografía: Fox Talbot, Alfred Stieglitz, Paul Strand y Thomas Eakins.

Tener la posibilidad de ver aquellas fotografías, de tocarlas y hacerse una idea del papel y la mano del artista tuvo un enorme impacto en Robert. Las estudió con atención: el papel, el revelado, la composición y la intensidad de los negros. «La luz lo es todo», dijo.

John reservó las imágenes más sobrecogedoras para el final. Una a una, nos enseñó fotografías prohibidas para el público, entre ellas los exquisitos desnudos de Georgia O'Keeffe realizados por Stieglitz. Tomados en el momento culminante de su relación, su intimidad ponía de manifiesto la inteligencia de ambos y la belleza masculina de O'Keeffe. Mientras Robert se concentraba en los aspectos técnicos, yo me fijaba en cómo Georgia O'Keeffe se relacionaba con Stieglitz, sin artificios. A Robert le interesaba cómo hacer la fotografía y a mí cómo ser la fotografía.

Aquella visita clandestina fue uno de los primeros pasos en la relación filantrópica pero compleja de John con Robert. Le compró una cámara Polaroid y le consiguió una subvención de Polaroid que le suministraba toda la película que necesitaba. Aquel gesto coincidía con el creciente interés de Robert por la fotografía. Lo único que se lo había impedido era el precio prohibitivo de la película.

John no solo amplió el círculo social de Robert en Estados Unidos, sino también a nivel internacional, pues no tardó en llevarlo a París en un viaje relacionado con el museo. Era la primera vez que Robert viajaba al extranjero. Su experiencia de París fue opulenta. Su amiga Loulou era la hijastra de John y tomaron champán con Yves Saint Laurent y su socio Pierre Bergé, según escribió desde el Café de Flore. En su postal, decía que estaba fotografiando estatuas, incorporaba por primera vez a la fotografía su pasión por la escultura.

John no solo sentía devoción por la obra de Robert, sino también por él. Robert aceptaba sus regalos y aprovechaba las oportunidades que le brindada, pero nunca estuvo interesado en él como compañero sentimental. John era sensible, voluble y físicamente frágil, cualidades que no atraían a Robert. Él admiraba a Maxime, que era fuerte y ambiciosa con un pedigrí impecable. Quizá fuera desdeñoso con los sentimientos de John, porque, conforme pasó el tiempo, se vio envuelto en una destructiva obsesión romántica.

Cuando Robert estaba de viaje, John venía a visitarme. A veces me traía regalos, como un diminuto anillo de oro hilado de París o una traducción especial de Verlaine o Mallarmé. Hablábamos de la fotografía de Lewis Carroll y Julia Margaret Cameron, pero, de hecho, de lo que él quería era hablar de Robert. A primera vista, el dolor de John podía atribuirse a un amor no correspondido, pero, cuanto más tiempo pasaba yo con él, me daba cuenta de que la causa parecía radicar en un inexplicable desprecio hacia sí mismo. John no podría haber sido más animado, curioso y tierno, de modo que me costaba entender por qué tenía tan mala opinión de sí mismo. Hacía todo lo posible por consolarlo, pero me resultaba imposible; Robert solo lo consideraba un amigo o mentor, nada más.

En *Peter Pan*, uno de los niños perdidos se llama John. A veces, él me parecía eso, un niño victoriano pálido y delicado que perseguía la sombra de Peter Pan.

No obstante, John McKendry no podría haber hecho mejor regalo a Robert que las herramientas que este necesitaba para dedicarse a la fotografía. Robert estaba fascinado con ella, obsesionado no solo por la técnica, sino también por su lugar en las artes. Tenía interminables discusiones con John, cuya indiferencia lo contrariaba. En su opinión, debería valerse de su cargo en el Museo Metropolitano para conseguir que la fotografía gozara del mismo respeto y atención que la pintura y la escultura. Pero John, que entonces estaba montando una importante exposición de Paul Strand, tenía un compromiso con la fotografía, no con la obligación de mejorar su estatus en la jerarquía de las artes.

Yo no había anticipado la absoluta entrega de Robert a los poderes de la fotografía. Lo había animado a hacer fotografías para que las integrara en sus collages e instalaciones, con la esperanza de que tomara el relevo a Duchamp. Pero Robert había cambiado su centro de atención. La fotografía no era un medio para alcanzar un fin, sino el fin mismo. Planeando sobre todo eso estaba Warhol, quien parecía estimularlo tanto como paralizarlo.

Robert se había propuesto hacer algo que Andy no hubiera hecho aún. Había pintarrajeado imágenes católicas de la Virgen y Jesús; había introducido fenómenos de feria e imágenes sadomasoquistas en sus collages. Pero, donde Andy se había considerado un observador pasivo, Robert terminaría adoptando una función activa. Documentaría y participaría en lo que hasta entonces solo había podido abordar a través de imágenes de revistas.

Calle Veintitrés, 1972

Comenzó a diversificarse y fotografió a personas que conocía gracias a su compleja vida social, tanto a las populares como a las impopulares, de Marianne Faithfull a un chapero tatuado. Pero siempre retornaba a su musa. Yo ya no me sentía una modelo apropiada para él, pero Robert restaba importancia a mis objeciones. Veía en mí más de lo que veía yo. Siempre que despegaba una imagen del negativo de la polaroid, decía: «Contigo, siempre acierto».

Me encantaban sus autorretratos y él se hacía muchos. Consideraba que la Polaroid era el fotomatón del artista y John le había proporcionado todo el dinero que necesitaba.

Nos invitaron a un baile de disfraces organizado por Fernando Sánchez, el gran diseñador español famoso por su provocativa lencería. Loulou y Maxime me enviaron un vestido de época diseñado por Schiaparelli. La parte de arriba era negra, con las mangas abombadas y un escote de pico; la falda, larga hasta los pies, era roja. Se parecía sospechosamente al vestido que llevaba Blancanieves cuando conoció a los siete enanitos. Robert estaba loco de alegría. «¿Te lo vas a poner?», me preguntó, ilusionado.

Por suerte para mí, me quedaba pequeño. Me vestí íntegramente de negro y rematé el conjunto con unas zapatillas de deporte blancas inmaculadas. David y Robert iban de esmoquin.

Aquella era una de las fiestas más glamurosas de la temporada y no faltaba ninguno de los grandes del arte y la moda. Yo me sentía como un personaje de Buster Keaton, sola, apoyada en una pared, cuando se acercó Fernando. Me miró con incredulidad.

—Querida, el conjunto es fabuloso —dijo. Me dio una palmadita en la mano mientras miraba la chaqueta negra, corbata negra, camisa negra de seda y anchos pantalones negros de satén que llevaba—, pero las zapatillas blancas no sé si te pegan.

—Son imprescindibles para el disfraz.

—¿El disfraz? ¿De qué vas disfrazada?

—De jugador de tenis de luto.

Fernando me miró de arriba abajo y comenzó a reírse.

—Perfecto —dijo, luciéndome ante los invitados. Me cogió de la mano y me arrastró a la pista de baile. Como era del sur de Nueva Jersey, me encontré en mi elemento. La pista de baile era mía.

Fernando se quedó tan fascinado con nuestra breve conversación que me hizo un hueco en el siguiente desfile de moda. Me invitaron a unirme a las modelos de lencería. Desfilé con los mismos pantalones negros de satén, una camiseta hecha jirones y las zapatillas de deporte blancas, luciendo su boa negro de plumas de casi dos metros y medio y cantando «Annie Had a Baby». Fue mi debut en la pasarela, el principio y el fin de mi carrera de modelo.

Más importante que eso fue el interés de Fernando por Robert y por mí como artistas. A menudo se pasaba por nuestro loft para admirar las nuevas obras, y nos proporcionó trabajo en un momento en que los dos necesitábamos dinero y ánimos.

Robert sacó la fotografía para mi primer poemario, un librito titulado *Kodak* que Middle Earth Books publicó en Filadelfia. Yo quería que se pareciera a la tapa de *Tarántula*, la novela de Bob Dylan, su versión de aquella versión. Compré película y una camisa blanca de vestir, que combiné con una chaqueta negra y unas Ray-Ban.

Robert no quería que llevara gafas de sol, pero me complació y me sacó la fotografía que se convertiría en la tapa. «Vamos —dijo—, quítate las gafas y la chaqueta», y me sacó más fotografías solo con la camisa blanca. Escogió cuatro y las puso en fila. Luego cogió el cartucho de la película Polaroid. Metió una de las fotografías en el marco metálico negro. No era exactamente lo que buscaba y la roció con pintura blanca. Robert era capaz de modificar materiales y utilizarlos de formas inesperadas. Cogió tres o cuatro de la basura y también las pintó con pulverizador.

Hurgó entre los restos del paquete Polaroid, cogió la etiqueta negra donde ponía «No tocar aquí» y la metió en uno de los cartuchos utilizados. Cuando estaba en racha, Robert era como David Hemmings en *Blow-Up*. Concentración obsesiva, imágenes clavadas en la pared, un detective que ronda su territorio como un gato. El rastro de sangre, su huella, su marca. Hasta las palabras de Hemmings en la película parecían tener un significado oculto, el mantra secreto de Robert: «Ojalá tuviera un montón de dinero. / Entonces sería libre. / ¿Libre para hacer qué? / Todo».

⊷ ⊱⊰ ⊶

Como dijo Rimbaud: «Paisaje nuevo, ruido nuevo». Todo se aceleró después de que Lenny Kaye y yo actuáramos en Saint Mark. Mis vínculos con la comunidad rock se fortalecieron. Muchos escritores destacados, como Dave Marsh, Tony Glover, Danny Goldberg y Sandy Pearlman, me habían visto actuar y recibí más ofertas para escribir artículos. Los poemas de *Creem* señalarían mi primera recopilación importante de poesía.

Sandy Pearlman, en especial, tenía una visión clara de lo que debería estar haciendo. Aunque no me sentía preparada para hacer realidad su particular versión de mi futuro, siempre me interesó su percepción de las cosas porque poseía un repertorio de referencias culturales que abarcaba desde las matemáticas pitagóricas hasta santa Cecilia, la patrona de la música. Sus opiniones estaban respaldadas por unos conocimientos considerables en cualquier tema imaginable. Central para su singular mentalidad era su fervor por Jim Morrison, a quien encumbraba tanto en su mitología, que lo imitaba con su camisa negra de cuero, pantalones de piel y un ancho cinturón indio plateado, el atuendo que definía al rey lagarto. Sandy tenía sentido del humor y hablaba muy deprisa, siempre llevaba gafas de sol para proteger sus pálidos ojos azules.

Él me veía al frente de una banda de rock and roll, algo que yo no me había planteado ni siquiera había creído posible. Pero, después de componer y cantar canciones con Sam en *Boca de cowboy* tenía ganas de explorar esa faceta artística.

Sam me había presentado a Lee Crabtree, un compositor y teclista que había trabajado con The Fugs y The Holy Modal Rounders. Tenía una habitación en el Chelsea con una cómoda llena de composiciones, altos montones de partituras musicales que nadie había escuchado. Siempre parecía un poco incómodo. Era pecoso, con el pelo pelirrojo tapado por una gorra de lana, gafas y una rala barba rojiza. Era imposible saber si era joven o viejo.

Comenzó con la canción que compuse para Janis, la canción que ella no cantaría jamás. Su versión consistía en tocar la música como si tocara el órgano. Yo estaba un poco cohibida, pero él lo estaba más aún; tuvimos paciencia el uno con el otro.

Cuando me tuvo confianza, me habló un poco de sí mismo. Había estado muy unido a su abuelo, quien, al morir, le había dejado una herencia modesta pero importante para él que comprendía la casa de Nueva Jersey donde habían vivido juntos. Me confesó que su madre se había opuesto al testamento, se había escudado en su frágil estado emocional para impugnarlo y había intentado encerrarlo en una institución psiquiátrica. Cuando me llevó a la casa, se sentó en el sillón de su abuelo y lloró.

Después de eso, las sesiones nos fueron bien. Trabajamos en tres canciones. Sandy aportó algunas ideas para las melodías de «Dylan's Dog» y «Fire of Unknown Origin» y terminamos con «Work Song», la canción que yo había compuesto para Janis. Me asombré de lo bien que sonaba, porque Lee había encontrado el tono en el que yo podía cantar.

Un día vino a verme a la calle Veintitrés. Diluviaba y él estaba desconsolado. Su madre había conseguido invalidar el testamento y no le dejaba entrar en la casa de su abuelo. Estaba empapado y le ofrecí una camiseta que me había regalado Sandy Pearlman, un prototipo para un nuevo grupo de rock and roll al que representaba.

Hice todo lo posible por consolarlo y quedamos para otro día. Pero, a la semana siguiente, no se presentó. Fui al Chelsea. Después de varios días, pregunté por él y Anne Waldman me dijo que, ante la pérdida de su herencia y la amenaza de que lo internaran, se había suicidado saltando desde la azotea del hotel.

Me quedé consternada. Repasé mis recuerdos en busca de señales. Me pregunté si podría haberle ayudado, pero solo estábamos aprendiendo a comunicarnos y a confiar el uno en el otro.

—¿Por qué no me lo ha dicho nadie? —pregunté.

—No queríamos disgustarte —respondió Anne—. Llevaba la camiseta que le regalaste.

Después de eso, se me hizo extraño cantar. Retomé la poesía, pero la música me encontró. Sandy Pearlman estaba convencido de que debía cantar y me presentó a Allen Lanier, el teclista del grupo al que representaba. Habían comenzado llamándose The Soft White Underbelly y habían grabado un álbum para Elektra, que nunca salió a la venta. Ahora se hacían llamar Stalk-Forrest Group, pero pronto se convertirían en Blue Öyster Cult.

Sandy tenía dos motivaciones para presentarnos. Creía que Allen podría ayudarme a estructurar las canciones que estaba componiendo y que yo podría componer letras para el grupo. Allen tenía una marcada ascendencia sureña en la que se incluía el poeta de la guerra de Secesión Sidney Lanier y el dramaturgo Tennessee Lanier Williams. Era dulce, optimista, y compartía mi afecto por los poemas de William Blake, que sabía recitar de memoria.

Aunque nuestra colaboración musical progresaba despacio, nuestra amistad se estrechó y pronto preferimos una relación sentimental a una laboral. A diferencia de Robert, a Allen le gustaba mantener esas facetas separadas.

Robert se llevaba bien con Allen. Los dos se tenían respeto y respetaban su relación conmigo. Allen encajaba conmigo como David lo hacía con Robert, y todos coexistíamos en armonía. Debido a sus obligaciones con el grupo, Allen viajaba con frecuencia, pero, cuando estaba en Nueva York, se quedaba conmigo cada vez más a menudo.

Allen contribuía a nuestros gastos mientras que Robert hacía todo lo posible por alcanzar la independencia económica. Llevaba su portafolios de galería en galería, pero, casi siempre, recibía la misma respuesta. La obra era buena, pero peligrosa. De vez en cuando, vendía un collage o personas como Leo Castelli le infundían ánimos, pero, por lo general, estaba en una situación similar a la del joven Jean Genet cuando enseñó su obra a Cocteau y Gide. Ellos sabían que era un genio, pero temían la intensidad de su talento y las facetas de sí mismos que podían poner de manifiesto su contenido.

Robert se fijaba en áreas de opinión sobre las que había poco consenso y las transformaba en arte. Trabajaba sin reparos, revistiendo lo homosexual de grandeza, masculinidad y una nobleza envidiable. Sin afectación, creó una presencia que era íntegramente masculina sin sacrificar la gracia femenina. No pretendía hacer ningún alegato político ni ninguna declaración de su ideología sexual en progreso. Estaba presentando algo nuevo, algo no visto ni explorado que él había comenzado a ver y explorar. Robert pretendía dignificar aspectos de la experiencia masculina, conferir misticismo a la homosexualidad. Como dijo Cocteau de un poema de Genet: «Su obscenidad nunca es obscena».

Robert jamás transigía, pero, curiosamente, era hipercrítico conmigo. Le preocupaba que mi beligerancia mermara mis oportunidades de éxito. Pero el éxito que él deseaba para mí era la menor de mis preocupaciones. Cuando Telegraph Books, una pequeña editorial revolucionaria dirigida por Andrew Wylie, se ofreció para publicar uno de mis poemarios, me concentré en poemas que giraban en torno al sexo, las tías y la blasfemia.

Las mujeres me interesaban: Marianne Faithfull, Anita Pallenberg, Amelia Earthart, María Magdalena. Asistía a fiestas con Robert solo para fijarme en las damas. Eran buen material y sabían vestirse. Colas de caballo y vestidos camiseros de seda. Algunas de ellas pasaron a formar parte de mi obra. La gente malinterpretaba mi interés. Suponía que era una lesbiana reprimida o que lo fingía, pero yo solo estaba ejerciendo mi dura vena irónica en la línea de Mickey Spillane.

Me parecía curioso que a Robert le preocupara tanto el contenido de mi obra. Temía que no tuviera éxito si era demasiado provocadora. Siempre quería que compusiera una canción que él pudiera bailar. Yo terminaba diciéndole que se parecía un poco a su padre con su insistencia para que tomara un camino que me diera dinero. Pero yo no tenía ningún interés, y me faltaba tacto. Eso le hacía pensar, pero seguía creyendo que él tenía razón.

Cuando se publicó *Seventh Heaven*, Robert organizó una fiesta para mí con John y Maxime. Fue un acto informal organizado en su elegante piso de Central Park West. Tuvieron la gentileza de invitar a muchos de sus amigos del mundo del arte, la moda y la industria editorial. Los entretuve con poemas y relatos, y luego vendí mis libros, que llevaba en una gran bolsa de la compra, a un dólar cada uno. Robert me regañó tiernamente por abordar clientes en el salón de los McKendry, pero George Plimpton, a quien le gustó sobre todo el poema sobre Edie Sedgwick, creyó que mi presentación del producto era encantadora.

Nuestras diferencias sociales, por muy exasperantes que fueran, estaban teñidas de amor y sentido del humor. De hecho, éramos bastante parecidos y gravitábamos uno hacia el otro, por muy grande que fuera la brecha. Lo afrontábamos todo, importante o nimio, con el mismo vigor. Para mí, Robert y yo estábamos unidos de forma irrevocable, como Paul y Elisabeth, los hermanos de *Los niños terribles* de Cocteau. Jugábamos a cosas parecidas, considerábamos tesoros los objetos más in-

Calle Veintitrés Oeste, escalera de incendios

Fotomatón, calle Cuarenta y dos, 1970

significantes y a menudo desconcertábamos a amigos y conocidos con nuestra indefinible devoción.

Habían regañado a Robert por negar su homosexualidad; nos habían acusado de no ser una pareja auténtica. Robert temía que, al declarar su homosexualidad, nuestra relación se destruyera.

Necesitábamos tiempo para considerar qué significaba todo aquello, cómo íbamos a asumir y redefinir nuestro amor. De él aprendí que, a menudo, la contradicción es el camino más diáfano para llegar a la verdad.

✳

Si Robert era el marinero, Sam Wagstaff era el barco que estaba esperando. La fotografía de un joven con una gorra de marinero, casi de perfil, insolente y atractivo, adornaba la repisa de la chimenea de David Croland.

Sam Wagstaff la cogió y la miró. «¿Quién es?», preguntó.

«Ya está», pensó David mientras respondía.

Samuel Jones Wagstaff era inteligente, guapo y rico. Era coleccionista y mecenas, y había sido director del Instituto de Arte de Detroit. Estaba en una encrucijada de su vida después de recibir una cuantiosa herencia y se hallaba en un punto muerto filosófico, equidistante entre lo espiritual y lo material. De pronto, le pareció que la mirada desafiante de Robert respondía la pregunta de si debía renunciar a todo para convertirse al sufismo o invertir en una faceta del arte que aún no había experimentado.

La obra de Robert estaba diseminada por el piso de David. Sam vio todo lo que necesitaba.

De un modo completamente inconsciente, David había decidido qué dirección tomaría la vida de Robert. Desde mi punto de vista, era como un titiritero que traía nuevos personajes al teatro de nuestras vidas: cambió la trayectoria de Robert y la historia resultante. Le presentó a Robert John McKendry, que le abrió los archivos secretos de la fotografía. Y estaba a punto de mandarlo a Sam Wagstaff, que le aportaría amor, riqueza, compañía y alguna que otra pena.

Unos días después, Robert recibió una llamada telefónica. «¿Eres el pornógrafo tímido?», fueron las primeras palabras de Sam.

Robert tenía mucho éxito con hombres y mujeres. A menudo, venían a verme conocidos para preguntarme si era presa fácil y pedirme consejo para conquistarlo. «Ama su obra», decía yo. Pero pocos me hacían caso.

Ruth Kligman me preguntó si me importaba que escribiera una obra de teatro para Robert. Ruth, que había escrito el libro titulado *Love Affair: A Memoir of Jackson Pollock* y era la única superviviente del accidente de tráfico que lo mató, tenía un atractivo que recordaba a Elizabeth Taylor. Vestía de maravilla y yo olí su perfume mientras subía las escaleras. Llamó a mi puerta (se había citado con Robert) y me guiñó el ojo. «Deséame suerte», dijo.

Unas horas después, estaba de vuelta. Mientras se quitaba los zapatos de tacón y se frotaba los tobillos, dijo: «Madre mía, cuando dice "Sube a ver mis aguafuertes", lo dice literalmente».*

Amando su obra. Así se conquistaba a Robert. Pero el único que lo comprendió realmente, que tuvo capacidad para amar su obra por completo, fue el hombre que habría de convertirse en su amante, su mecenas y su eterno amigo.

Yo no estaba la primera vez que Sam fue a visitarlo, pero, a decir de Robert, se pasaron la tarde estudiando su obra. Las reacciones de Sam, intuitivas y estimulantes, estuvieron teñidas de pícaras insinuaciones.

---

* La frase «Come up and see my etchings» que literalmente se traduce como en el texto, se utiliza cuando una persona tiene un interés sexual en otra y quiere que suba a su casa. *(N. de la T.)*

Prometió que regresaría. Robert parecía una muchacha adolescente, esperando la llamada de Sam.

Él entró en nuestra vida con una rapidez que cortaba la respiración. Sam Wagstaff tenía un aspecto escultural, como si estuviera esculpido en granito, una versión alta y curtida de Gary Cooper con la voz de Gregory Peck. Era cariñoso y espontáneo. Robert no solo se sentía atraído por su físico. Sam tenía un carácter positivo y curioso y, a diferencia de otras personas que Robert había conocido en el mundo del arte, no parecía atormentado por la complejidad de ser homosexual. Como era corriente en su generación, no mostraba su orientación sexual tan abiertamente como Robert, pero no estaba avergonzado ni dividido, y parecía encantado de sumarse a Robert en su deseo de salir por completo del armario.

Sam era viril, saludable y lúcido en una época en que el uso galopante de las drogas hacía difícil tener una comunicación seria sobre el arte o la creatividad. Era rico, pero la riqueza no le impresionaba. Culto y muy abierto a conceptos provocadores, era el intercesor y benefactor ideal para Robert y su obra.

Sam nos atraía a los dos: a mí, por su inconformismo; a Robert, por su situación privilegiada. Estudiaba sufismo y se vestía con sencilla ropa blanca de lino y sandalias. Era humilde y no parecía nada consciente del efecto que producía en los demás. Había estudiado en Yale, había sido alférez de la Marina en el desembarco de Normandía y había trabajado como conservador en el Wadsworth Atheneum. Podía hablar de todo con erudición y gracia, ya fuera de la economía de libre mercado o de la vida amorosa de Peggy Guggenheim.

El hecho de que Robert y Sam hubieran nacido el mismo día, con veinticinco años de diferencia, sellaba aquella unión que parecía estar predestinada. El 4 de noviembre celebramos sus cumpleaños en el Pink Tea Cup, un restaurante de cocina tradicional afroamericana situado en Christopher Street. A Sam, con todo su dinero, le gustaban los mismos sitios que a nosotros. Esa noche Robert le regaló una fotografía y él regaló a Robert una cámara Hasselblad. Aquel primer intercambio simbolizó sus papeles de artista y mecenas.

La Hasselblad era una cámara de formato medio adaptada a la Polaroid. Su complejidad exigía utilizar fotómetro y la posibilidad de cambiar el objetivo procuraba a Robert mayor profundidad de campo. Le permitía más posibilidades y flexibilidad, más control sobre el uso de la luz. Robert ya había definido su vocabulario visual. La nueva cámara no le enseñó nada, solo le permitió conseguir exactamente lo que buscaba. Robert y Sam no podrían haber elegido un regalo más significativo el uno para el otro.

⁕

A finales de verano, podían verse dos Cadillacs con techo de doble burbuja aparcados a todas horas frente al Chelsea. Uno era rosa, el otro amarillo, y los proxenetas llevaban trajes y sombreros de ala ancha a juego con los coches. Los vestidos de sus mujeres combinaban con sus trajes. El Chelsea estaba cambiando y el ambiente de la calle Veintitrés era delirante, como si algo hubiera salido mal. La lógica brillaba por su ausencia, incluso en aquel verano en que todo el país tenía la atención puesta en una partida de ajedrez en la que Bobby Fischer, un joven estadounidense, estaba a punto de vencer al gran oso ruso. Uno de los proxenetas fue asesinado; mujeres vagabundas deambulaban por delante de nuestra puerta, gritando obscenidades y fisgoneando nuestra correspondencia. Las rituales discusiones entre Bard y nuestros amigos habían llegado a un punto crítico y estaban echando a muchos.

Robert a menudo se iba de viaje con Sam, y Allen estaba de gira con su banda. A ninguno de los dos le gustaba dejarme sola.

Cuando los ladrones entraron en nuestro loft, se llevaron la Hasselblad y la chaqueta de motorista de Robert. Era la primera vez que nos robaban y Robert no solo se disgustó por perder una cámara tan cara, sino

sleepless 66

thunderstruck. nightmare at 4 o clock.saying look im gonna
die. gonna be dead. gonna go off the earth. world gonna go
without me. someone gonna fill the space I filled. someone
is gonna dance on the floor i used to rock n roll to. rock
n roll slow to. someone will fill my slot. put the i under
my dot. get off on my rocks. gotta take a leak gotta take
a shit. no i cant get up i got a cramp and god its hot after
a rainstorm when you wake alone at 4 am then its 4:10. you
know when. pacing linoleum. when the tiles on the floor fill
you with anxiety. gotta pee pee. gotta pretend Im speeding
like highway 61. motorcycle sunglass. mexican whorelass.
correo aereo my darling. coldeye cleat boot. now look how
well im hung dung. watch me snort a crystal ball. ooga mooga
mirror iceskate. me surrealist beatnik:

I sport my shades/ i dig bob dylan/ I like food/ thats not
to filling/ the bible/ is too heavy for me.

end of theme song im heading for a fall. im a fall guy im
a fall gown. im a fallen arm im a fallen elm. timber ta yoga.
little brown boys chant chant: baby your so beautiful but
you got to die someday. oh no is it really possible rainstorm?
am i really gonna die. everything fades/ evaporates like genii.
already the first word thunderstruck is gone. dead. how can
I keep WORDS moving insect? Quick! ill record everything. its
dark no im wrong its dawn i have my shades on. its cool its
ok theyre prescription. keep the light dart lame arrow out.
so i can get the moment get the movement. spread it all out
full house mayonaise. record player on. dylan sings queen jane.
the words a bandana and complain. oops record skips. good i
heard that song enough keep moving. was that a throw of the
dice? no baby its sugar teeth crumbling. spit them out everyone
of them. got a controll headache just keep on pushing ecedrin.
jumpy bean queen see me slug another quart of coffee. blood
count maybe 2/3. me go to lab get coffee count. nurse says ummm
your xx right java head. open my lips to kiss the flavor bursts
like chicary. oh dont turn away honey. a bud is not a false
flower. ya gotta give it time time. gotta beat time. gotta
kiss cowardice. oh correction: howard ice. hes the real cream
bomb in my life. ice is nice and hes cold exposed crystal
pill pill. beter to slip that speed in better to keep time
within. better to record the speech of phantoms.

jim morrison. our leather lamb. how we betrayed him. turned
our back on him. this is the end our beautiful friend. no wait
I had a dream Mr. King. jim morrison is alive and racing with
time. he who hesitates is fates. he sits erect. typing tran ;
lating his final stolen sensations into language. into the
~~yard chi gotgo ada when lao chappero napping gills gimbe~~

«Sleepless 66», invierno de 1971

por lo que aquello indicaba: una falta de seguridad y una invasión de la intimidad. Sentí que se hubieran llevado la chaqueta porque la habíamos utilizado en algunas instalaciones. Más tarde, la encontramos colgada de la escalera de incendios. Al ladrón se le había caído mientras huía, pero había conservado la cámara. Mi desorden debió de desalentarlo, pero, pese a ello, robó el conjunto que me había puesto para ir a Coney Island a celebrar nuestro aniversario en 1969. Era mi conjunto preferido, el que lucía en la fotografía. Estaba colgado de una percha detrás de la puerta, recién traído de la tintorería. Jamás sabré por qué se lo llevó.

Era hora de irse. Los tres hombres de mi vida —Robert, Allen y Sam— lo decidieron. Sam dio a Robert dinero para comprarse un loft en Bond Street, a una manzana de su piso. Allen encontró un primero en la calle Diez Este, a poca distancia de Robert y Sam, y aseguró a Robert que estaba ganando suficiente dinero con la banda para cuidar de mí.

Decidimos marcharnos el 20 de octubre de 1972. Era el cumpleaños de Arthur Rimbaud. En lo que atañía a Robert y a mí, habíamos cumplido nuestra promesa.

Todo cambiaría, pensé mientras recogía mis cosas, la locura de mi desorden. Até un cordel alrededor de una caja de cartón en la que había guardado un paquete de folios. Ahora estaba llena de hojas mecanografiadas con manchas de café rescatadas por Robert, recogidas del suelo y alisadas por sus manos de Miguel Ángel.

Robert y yo contemplamos juntos mi parte del loft. Yo dejaba unas cuantas cosas: el cordero de juguete, una vieja chaqueta blanca hecha de seda para paracaídas, «PATTI SMITH 1946» estampado en la pared del fondo, en homenaje a la habitación como uno deja un poco de vino para los dioses. Sé que estábamos pensando en lo mismo, en lo mucho por lo que habíamos pasado, bueno y malo, pero también sentíamos alivio. Robert me apretó la mano.

—¿Estás triste? —preguntó.

—Estoy preparada —respondí.

Íbamos a abandonar la vorágine de nuestra existencia posterior a Brooklyn, que había estado dominada por la vibrante comunidad del hotel Chelsea.

El tiovivo giraba más despacio. Mientras hacía la maleta, todas las cosas que había acumulado en aquellos años, incluso las más insignificantes, iban acompañadas de una secuencia de rostros, algunos de los cuales ya no volvería a ver.

Había un *Hamlet* de Gerome Ragni, quien me imaginó interpretando al triste y arrogante príncipe danés. Mi camino y el de Ragni, coautor de *Hair* y uno de sus actores, ya no volverían a cruzarse, pero su fe en mí me ayudó a ganar en seguridad. Enérgico y musculoso, con la sonrisa ancha y una rizada pelambrera, podía entusiasmarse tanto con alguna posibilidad disparatada, que se subía a una silla y levantaba los brazos como si quisiera explicar su idea al techo o, mejor aún, al universo.

La funda azul de satén con estrellas doradas que Janet Hamill me había hecho para guardar la baraja de tarot y las cartas mismas, que trajeron la buenaventura a Annie, Sandy Daley, Harry y Peggy.

Una muñeca de trapo con el pelo de blonda que me regaló Elsa Peretti. El soporte de armónica de Matthew. Notas de Rene Ricard en las que me reprendía por no seguir dibujando. El cinturón negro de cuero de David, remachado con piedras de fantasía. La camisa de cuello de barca de John McKendry. El jersey de angora de Jackie Curtis.

Mientras lo doblaba, me la imaginé bajo la vaporosa luz roja de la sala vip de Max's. Allí, el ambiente estaba cambiando con la misma celeridad que en el Chelsea y los aspirantes a actores que lo habían frecuentado descubrirían que la nueva guardia los dejaba atrás.

Muchos no sobrevivirían. Candy Darling murió de cáncer. Tinkerbelle y Andrea Whips se quitaron la vida. Otros sucumbieron a las drogas y a los infortunios. Derribados, a un paso del estrellato que tanto deseaban, estrellas deslustradas caídas del cielo.

No siento ninguna necesidad de justificarme por ser una de las pocas supervivientes. Habría preferido verlos triunfar a todos, que alcanzaran el éxito. Al final, fui yo quien tenía uno de los caballos ganadores.

Cada uno por su lado,
juntos

Nos habíamos separado, pero podíamos ir andando a nuestras respectivas casas. El loft que Sam había comprado a Robert era un piso sin amueblar situado en el número 24 de Bond Street, una callejuela adoquinada con garajes, edificios de la época posterior a la guerra de Secesión y pequeños almacenes que estaba comenzando a cobrar vida, como harán otras calles industriales cuando artistas pioneros rasquen la suciedad que los años han acumulado en los grandes ventanales y permitan la entrada a la luz.

John Lennon y Yoko Ono tenían un piso enfrente; Brice Marden trabajaba al lado, en un estudio impoluto con relucientes cubas de pigmento y austeras fotografías que plasmó en lienzos de humo y luz. El loft de Robert necesitaba muchas reformas. Las cañerías despedían vapor y la fontanería era deficiente. Gran parte del ladrillo original estaba tapado por mohosas placas de yeso laminado, que él quitó. Limpió y cubrió el ladrillo con varias capas de pintura blanca y puso la casa, parte estudio, parte instalación, enteramente a su gusto.

Parecía que Allen estuviera constantemente de gira con Blue Öyster Cult y yo pasaba mucho tiempo sola. Nuestro piso de la calle Diez Este solo estaba a una manzana de la iglesia de Saint Mark. Era pequeño y bonito, con puertas acristaladas que daban a un jardín. Y, desde nuestros nuevos hogares, Robert y yo reanudamos nuestra vida como antes, comiendo juntos, buscando componentes para instalaciones, haciendo fotografías y supervisando nuestros respectivos progresos artísticos.

Aunque Robert ya tenía su espacio, aún se mostraba tenso y preocupado por el dinero. No quería depender íntegramente de Sam y estaba más decidido que nunca a ser autosuficiente. Mi situación era incierta cuando me marché de la calle Veintitrés. Mi hermana Linda me consiguió un trabajo a tiempo parcial en la librería Strand. Compraba montones de libros, pero no los leía. Clavaba láminas en la pared, pero no dibujaba. Metí mi guitarra debajo de la cama. Por la noche, sola, me sentaba a esperar. Una vez más, me descubrí pensando cómo podía hacer algo de valor. Todo lo que me planteaba parecía irreverente o irrelevante.

El día de Año Nuevo encendí una vela por Roberto Clemente, el jugador de béisbol favorito de mi hermano. Había muerto mientras estaba en una misión humanitaria, ayudando a Nicaragua después de un terrible seísmo. Me regañé por mi inactividad y mi falta de disciplina, y decidí volver a concentrarme en mi obra.

Esa misma tarde asistí al maratón anual de poesía que se celebraba en Saint Mark. Era en beneficio de la iglesia y terminó después de la medianoche. Todos querían contribuir a la perpetuación de The Poetry Project. Yo estaba con ellos, observando a los poetas. Quería ser poeta, pero sabía que nunca encajaría en su incestuosa comunidad. Lo último que deseaba era tener que ceñirme a las normas sociales de otro ambiente. Recordé a mi madre cuando decía que lo que haces el día de Año Nuevo es lo que harás el resto del año. Inspirada por san Gregorio, decidí que 1973 sería mi año de la poesía.

A veces la providencia es amable, porque Andy Brown se ofreció a publicarme un poemario. La idea de que me publicara Gotham Book Mart me inspiró. Desde hacía tiempo, Andy Brown toleraba mi presencia en aquella histórica librería de Diamond Row y me permitía dejar mis folletos en el mostrador. Ahora, ante la perspectiva de ser una autora de Gotham, me enorgullecía internamente cuando veía el lema de la librería: «Los sabios pescan aquí».

Saqué la Hermes 2000 de debajo de la cama. (La Remington había mordido el polvo.) Sandy Pearlman me había dicho que Hermes era el mensajero alado, el protector de pastores y ladrones, de modo que confiaba en que los dioses me inspiraran. Disponía de mucho tiempo. Era la primera vez en casi siete años que no tenía un empleo fijo. Allen pagaba el alquiler y yo ganaba dinero suficiente en Strand para mis gastos. Sam y Robert me invitaban a comer todos los días, y por la noche hacía cuscús en mi preciosa cocinita, de modo que no me faltaba nada.

Robert había estado preparando su primera exposición individual de polaroids. La invitación llegó en un sobre crema de Tiffany: un autorretrato, el tronco desnudo reflejado en un espejo, su Land 360 por encima de la entrepierna. Las marcadas venas de su antebrazo eran inconfundibles. Se había tapado el pene con un gran punto blanco de papel y había estampado su nombre en la esquina inferior derecha. Robert creía que una exposición empezaba con las invitaciones y cada una de ellas estaba concebida para ser un tentador regalo.

La inauguración en la Light Gallery fue el 6 de enero, el día del cumpleaños de Juana de Arco. Robert me regaló una medalla de plata con su retrato coronado por la flor de lis francesa. Hubo buen ambiente, una perfecta mezcla neoyorquina de gays, reinonas, famosillos, rockeros y coleccionistas de arte. Fue una reunión optimista, quizá con un trasfondo de envidia. Su exposición, atrevida y elegante, mezclaba motivos clásicos con sexo, flores y retratos, todos equivalentes en el modo en que eran presentados: crudas imágenes de aros para el pene junto a un centro de flores. Para él lo uno era lo otro.

◦─◦◦═◦╪◦═◦◦─◦

Trouble Man de Marvin Gaye sonaba una y otra vez mientras yo intentaba escribir sobre Arthur Rimbaud. Clavé una fotografía de él con su cara desafiante de Dylan encima del escritorio que apenas utilizaba. Me tumbaba en el suelo, y solo escribí fragmentos, poemas y el principio de una obra de teatro, un diálogo imaginario entre el poeta Paul Verlaine y yo en el que nos disputábamos el inalcanzable amor de Arthur.

Una tarde me quedé dormida en el suelo entre montones de libros y papeles y volví a adentrarme en el conocido terreno de un sueño apocalíptico recurrente. Había tanques cubiertos de lentejuelas y cencerros de camello. Ángeles musulmanes y cristianos se estaban sacando los ojos y sus plumas sembraban la cambiante superficie de las dunas. Me abría camino entre la revolución y la desesperanza, y, enterrado entre las traicioneras raíces de árboles marchitos, encontraba un cartapacio de piel enrollado. Y dentro de aquel estropeado cartapacio, de su puño y letra, la gran obra perdida de Arthur Rimbaud.

Lo imaginé paseando por las plantaciones de bananos, cavilando en el lenguaje de la ciencia. En el infierno de Harar, explotaba los cafetales y subía a caballo la escarpada meseta abisinia. Por la noche yacía bajo una luna con una aureola perfecta, como un ojo majestuoso que lo veía y presidía su sueño.

Me desperté con una inesperada revelación. Iría a Etiopía y encontraría aquel cartapacio que parecía una señal más que un sueño. Regresaría con su contenido conservado en polvo abisinio y lo regalaría al mundo. Expuse mi sueño a editoriales, revistas de viajes y fundaciones literarias. Pero descubrí que la supuesta obra perdida de Rimbaud no era una causa popular en 1973. Lejos de descartar la idea, mi entusiasmo había llegado al punto de creerme realmente destinada a encontrarla. Cuando soñé con un olíbano en un collado donde no había sombras,* creí que el cartapacio estaba enterrado allí.

---

* Referencia al versículo 4,6 del Cantar de los cantares: «Hasta que apunte el día y huyan las sombras, / iré al monte de la mirra, / y al collado del incienso». El olíbano es el árbol de donde se obtiene el incienso. *(N. de la T.)*

Decidí pedir a Sam que sufragara mi viaje a Etiopía. Era aventurero y empático, y mi propuesta le interesó. A Robert, la idea le horrorizó. Consiguió convencer a Sam de que me extraviaría, me secuestrarían o sería devorada por hienas salvajes. Estábamos sentados en un café de Christopher Street y, mientras nuestras risas se mezclaban con el vapor de muchos expresos, me despedí de los cafetales de Harar, resignada a que la última morada del tesoro no fuera a ser perturbada en aquel siglo.

Deseaba dejar la librería. Detestaba pasar las horas en el sótano, abriendo embalajes. Tony Ingrassia, que me había dirigido en *Island*, me pidió que actuara en una obra de un solo acto titulada *Identity*. Leí el guión y no lo entendí. Era un diálogo entre otra muchacha y yo. Después de unos cuantos ensayos mediocres, Tony me pidió que fuera más tierna con la muchacha. «Estás demasiado rígida, demasiado distante», dijo, exasperado. Yo era muy afectuosa con mi hermana Linda y me apoyé en ello para interpretar la ternura. «Estas chicas se quieren. Tienes que transmitir ese afecto.» Se llevó las manos a la cabeza. Me quedé desconcertada. En el guión no había nada que lo insinuara. «Finge que es una de tus novias.» Tony yo tuvimos una acalorada conversación que terminó cuando él se echó a reír con incredulidad. «No te chutas y no eres lesbiana. ¿Se puede saber qué es lo que haces?»

Hice todo lo posible por magrear a la otra chica, pero decidí que aquella sería mi última obra de teatro. No tenía madera de actriz.

Robert consiguió que Sam me sacara de la librería y me contratara para catalogar su extensa colección de libros y muñecas kachina, que iba a donar a una universidad. Sin darme cuenta, había dicho adiós a los empleos tradicionales. No volví a fichar nunca más. El tiempo y el dinero me los organizaría yo.

Tras fracasar como lesbiana creíble en *Identity*, decidí que, si volvía a subirme a un escenario, sería interpretándome a mí misma. Auné fuerzas con Jane Friedman, quien me consiguió algún que otro recital en bares. Jane dirigía una próspera empresa de publicidad y tenía fama de apoyar a los artistas marginales. En aquellos recitales, pese a que no era recibida con entusiasmo, mejoré mi habilidad para lidiar con un público hostil con cierta dosis de humor. Jane me consiguió una serie de actuaciones como telonera de grupos tales como The New York Dolls en el Mercer Arts Center, ubicado en el ruinoso hotel Broadway Central: un edificio decimonónico venido a menos donde habían cenado Diamond Jim Brady y Lillian Russell, donde Jubilee Jim Fisk fue abatido a tiros en la escalinata de mármol. Aunque quedaban pocos vestigios de su anterior esplendor, ahora albergaba una comunidad culturalmente rica que incluía teatro, poesía y rock and roll.

Recitar poesía noche tras noche para un público alborotado y poco receptivo que estaba allí para ver a The New York Dolls resultó ser muy educativo. Yo carecía de músicos y equipo, pero contaba con el alma de mi ejército de hermanos, Linda, en el papel de asistente, réplica y ángel guardián. Linda poseía una sencillez natural, pero podía ser audaz. Fue ella quien asumió la nada envidiable tarea de pasar la gorra cuando nuestro grupo cantó y tocó en las calles de París. En el Mercer, Linda se encargaba de manejar mis recursos escénicos, que comprendían un pequeño magnetófono, un megáfono y un piano de juguete. Yo recitaba mis poemas, sorteaba insultos y a veces cantaba acompañada por la música del magnetófono.

Al final de cada actuación, Jane se sacaba un billete de cinco dólares del bolsillo y decía que formaba parte de los ingresos. Tardé un tiempo en comprender que no me tenían en nómina y me estaba pagando ella de su bolsillo. Era una carrera de fondo y ese verano había empezado a coger el ritmo: el público me pedía poemas y parecía estar de mi parte. Me aficioné a concluir las actuaciones con «Piss Factory», un poema en prosa que había improvisado donde describía cómo había dejado la cadena de montaje de una fábrica no sindicada para hallar la libertad en Nueva York. Tenía la sensación de que me hermanaba con el público.

El viernes 13 de julio di un recital en memoria de Jim Morrison en la azotea del loft del cineasta vanguardista Jack Smith, situado en la esquina de las calles Greene y Canal. Pagaba yo, y todos los asistentes habían venido para honrar a Jim Morrison conmigo. Entre ellos estaba Lenny Kaye y, aunque esa noche no actuamos juntos, no faltaba mucho para que yo dejara de hacerlo sin él.

La numerosa concurrencia a aquel recital de poesía autofinanciado estimuló a Jane. En su opinión, Lenny y yo podíamos hallar una forma de llevar mi poesía a un público más amplio. Incluso hablamos de añadir un piano auténtico, lo cual, dijo Linda en broma, la dejaría sin trabajo. En eso no se equivocaba. Jane no desfalleció. Su familia llevaba generaciones relacionándose con Broadway; su padre, Sam Friedman, era un legendario agente de publicidad que trabajaba con Gypsy Rose Lee, Lotte Lenya y Josephine Baker, entre otras figuras. Sam había presenciado todas las inauguraciones y cierres que Broadway tenía que ofrecer. Jane poseía su visión y su obstinada determinación; hallaría otra forma de conseguir que nos abriéramos camino.

Volví a sentarme ante la máquina de escribir.

«¡Patti, no! —gritó Robert, sorprendido—. Estás fumando hierba.» Lo miré, avergonzada. Me había pillado.

Había visto *Caiga quien caiga* y la música me había conmovido. Cuando empecé a escuchar la banda sonora y la relacioné con los pinchadiscos jamaicanos Big Youth, U-Roy e I-Roy, la música me llevó de vuelta a Etiopía. Encontré irresistible la conexión de los rastafaris con Salomón, Saba y la Abisinia de Rimbaud, y, en algún momento, decidí probar su hierba sagrada.

Aquel fue mi placer secreto hasta que Robert me pilló intentando meter un poco de hierba en un Kool que había vaciado. No tenía ni idea de cómo liarme un canuto. Estaba un poco avergonzada, pero Robert se sentó en el suelo, quitó las semillas a mi pequeño alijo de marihuana mexicana y me lió un par de escuálidos canutos. Me miró, sonriéndome, y nos colocamos, la primera vez que lo hacíamos juntos.

Con Robert, no me transporté a la llanura abisinia, sino al valle de las risas incontrolables. Le dije que la hierba debía servir para componer poesía, no para hacer el tonto. Pero lo único que hicimos fue reírnos. «Anda —dijo él—. Vamos al B&H.» Era mi primera salida al mundo exterior yendo fumada. Tardé muchísimo en atarme las botas, encontrar los guantes, la gorra. Robert sonreía, viendo cómo me movía en círculos. Ahora comprendía por qué él y Harry tardaban tanto en prepararse para ir a Horn & Hardart.

Después de aquel día, solo fumé hierba a solas, mientras escuchaba *Screaming Target* y componía una prosa imposible. Nunca concebí la marihuana como una droga social. Me gustaba utilizarla para trabajar, para pensar y, más adelante, para improvisar con Lenny Kaye y Richard Sohl cuando nos reuníamos bajo un olíbano y soñábamos con Haile Selassie.

Sam Wagstaff vivía en la quinta planta de un imponente edificio clásico de color blanco en la esquina de las calles Bowery y Bond. Cuando subía las escaleras, yo sabía que siempre habría algo nuevo y hermoso que mirar, tocar o catalogar: negativos en placas de cristal, calotipos de poetas olvidados, fotograbados de los tipis de los indios hopi. Alentado por Robert, Sam había comenzado a coleccionar fotografías, primero despacio, por curiosidad y diversión, y luego de forma obsesiva, como un lepidopterólogo en una selva tropical. Sam compraba lo que quería y, en ocasiones, parecía que lo quería todo.

La primera fotografía que Sam compró fue un exquisito daguerrotipo con un estuche rojo de terciopelo que tenía un delicado cierre de oro. Se hallaba en un estado impecable; los daguerrotipos que Robert poseía y que había encontrado en tiendas de viejo, enterrados entre montones de antiguas fotografías de familia, palidecían en comparación con aquel. A veces, eso molestaba a Robert, que había sido el primero en comenzar a coleccionar fotografías. «No puedo competir con él —decía, con cierta melancolía—. He creado un monstruo.»

Los tres registrábamos las polvorientas librerías de viejo que antaño flanqueaban la Cuarta Avenida. Robert revisaba a fondo cajas de postales antiguas, postales estereoscópicas y ferrotipos para encontrar una gema. Sam, impaciente y sin límite de presupuesto, compraba la caja entera. Yo me quedaba al margen y los oía discutir. Me resultaba muy familiar.

Husmear en las librerías era una de mis especialidades. En raras ocasiones encontraba una hermosa tarjeta victoriana o una importante colección fotográfica de catedrales de finales de siglo, y, en una expedición afortunada, alguna fotografía de Cameron. Era el mejor momento para coleccionar fotografía, la última oportunidad para dar con una ganga. Aún se podían encontrar fotograbados de fotografías en gran formato hechas por Edward Curtis. Sam estaba fascinado con la belleza y el valor histórico de aquellas imágenes de los indios norteamericanos y adquirió varios volúmenes. Más tarde, mientras las estábamos mirando, sentados en el suelo de su piso grande y austero inundado de luz natural, no solo nos impresionaron las imágenes sino también el proceso. Sam palpaba el borde de una fotografía entre los dedos índice y pulgar. «El papel tiene algo especial», decía.

Consumido por su nueva pasión, frecuentaba las casas de subastas y a menudo cruzaba el charco para adquirir una determinada fotografía. Robert lo acompañaba en aquellas expediciones y a veces influía en sus decisiones. De ese modo, podía examinar personalmente las fotografías de artistas que admiraba, de Nadar a Irving Penn.

Como había hecho con John McKendry, Robert instaba a Sam a valerse de su posición para aumentar la categoría de la fotografía en el mundo del arte. A su vez, ellos animaban a Robert a adoptar la fotografía como su principal forma de expresión. Sam, al principio curioso, si no escéptico, se había convencido por completo y estaba gastándose una pequeña fortuna en construir la que sería una de las colecciones fotográficas más importante de Estados Unidos.

La sencilla Polaroid Land 360 de Robert no necesitaba fotómetro y las posibilidades eran muy rudimentarias: más oscuro, más claro. La distancia estaba indicada por pequeños iconos: primer plano, cerca, lejos. Empezar con aquella cámara tan fácil de usar había sido ideal para su carácter impaciente. La había sustituido por una Hasselblad de formato más grande, que nos habían robado de nuestro loft de la calle Veintitrés. En Bond Street, se compró una cámara Graphic con Polaroid. El formato 4 × 5 era apropiado para él. En aquella época, Polaroid estaba fabricando película positiva/negativa, lo cual permitía crear copias de primera generación. Con el apoyo de Sam, Robert disponía por fin de los recursos para hacer realidad lo que imaginaba en cada fotografía y encargó a un carpintero, Robert Fosdick, la construcción de marcos muy elaborados. De modo que hacía mucho más que limitarse a incorporar sus fotografías a collages. Fosdick comprendía su sensibilidad y convertía sus bocetos en marcos esculturales, una síntesis de dibujos geométricos, planos e imágenes para la presentación de sus fotografías.

Los marcos se parecían mucho a los dibujos que Robert había hecho en el cuaderno que me regaló en 1968. Como entonces, veía la obra terminada casi de inmediato. Por primera vez, podía llevar íntegramente a cabo aquellas visiones. Eso se debía sobre todo a Sam, que había heredado todavía más dinero con la muerte de su querida madre. Robert vendió algunas obras, pero, por encima de todo, seguía queriendo arreglárselas solo.

Robert y yo hicimos muchas fotografías en Bond Street. Me gustaba el ambiente del loft y me parecía que las imágenes tenían mucha calidad. Era fácil sacarlas con las paredes encaladas como telón de fondo y estaban bañadas de una hermosa luz neoyorquina. Una de las razones de que hiciéramos tan buenas fotografías allí residía en que yo estaba fuera de mi elemento. No había ninguna de mis cosas para saturar las imágenes, identificarme con ellas o utilizarlas como parapeto. Pese a habernos separado como pareja, nuestras fotografías se tornaron más íntimas porque no hablaban de nada más que de nuestra mutua confianza.

A veces, me sentaba a observarlo cuando se fotografiaba con su albornoz de rayas, mientras se lo quitaba poco a poco y ya quedaba desnudo, bañado de luz.

Cuando hicimos las fotografías para la tapa de *Witt*, mi nuevo poemario, yo quería que tuviera un aire religioso, como una estampilla. Aunque no le gustaba la idea, Robert estaba seguro de que podría satisfacernos a los dos. Fui a su loft y me duché. Me peiné retirándome el pelo de la cara y me envolví en una vieja túnica tibetana marrón de lino. Robert hizo un puñado de fotografías y dijo que tenía la que necesitaba para la tapa, pero estaba tan satisfecho con las imágenes que siguió haciendo más.

El 17 de septiembre, Andy Brown organizó una fiesta para celebrar la publicación de mi libro y la primera exposición de mis dibujos. Robert los había revisado y había seleccionado los que integrarían la exposición. Sam pagó los marcos y Dennis Florio, amigo de Jane Friedman, los enmarcó en su galería. Todo el mundo colaboró para conseguir que fuera una buena exposición. Yo tenía la sensación de haber encontrado mi sitio, pues mis dibujos y poemas eran valorados. Significó mucho para mí ver mi obra expuesta en la misma librería que en 1967 no había tenido vacantes para contratarme.

Witt era muy distinto a *Seventh Heaven*. Mientras que los poemas de *Seventh Heaven* eran ligeros, rítmicos y orales, *Witt* recurría a la prosa poética, y reflejaba la influencia del simbolismo francés. Andy estaba impresionado con mi evolución y me prometió que, si escribía una monografía sobre Rimbaud, la publicaría.

Tenía un nuevo proyecto corriéndome por las venas, que expuse a Robert y a Sam. Puesto que mi excursión a Etiopía había quedado des-

Witt, Bond Street, 1973

cartada, pensé que podría al menos peregrinar a Charleville, donde nació y fue sepultado Rimbaud. Incapaz de resistirse a mi entusiasmo, Sam accedió a financiar el viaje. Robert no puso ninguna objeción, dado que en Francia no había hienas. Decidí ir en octubre, el mes en que nació Rimbaud. Robert me acompañó a comprar un sombrero apropiado y escogimos uno de suave fieltro marrón con una cinta de cordellate. Sam me mandó a un optometrista, de donde salí con unas baratas gafas redondas, en honor a John Lennon. Sam me dio suficiente dinero para que me comprara dos, teniendo en cuenta mi tendencia a olvidarme de las cosas, pero no le hice caso y elegí unas gafas de sol italianas nada prácticas que solo le podían quedar bien a Ava Gardner. Tenían la montura blanca e iban en un estuche gris de tweed donde se leía «Milan».

En las tiendas de ropa usada del Bowery encontré una gabardina verde de seda engomada, una blusa gris de Dior con un dibujo de pata de gallo, unos pantalones marrones y una rebeca amarilla: un vestuario completo por treinta dólares que solo necesitaba pasar por la lavadora y unos cuantos remiendos. En mi maleta de cuadros, metí el pañuelo que me anudaba como Baudelaire y mi cuaderno; Robert añadió una postal de la estatua de Juana de Arco. Sam me regaló una cruz copta de plata procedente de Etiopía y Judy Linn cargó su pequeña cámara de medio formato y me enseñó a utilizarla. Janet Hamill, que había regresado de su viaje a África, donde había pasado por la región de mis sueños, me había traído de recuerdo un puñado de cuentas azules de vidrio, cuentas rayadas procedentes de Harar, las mismas con las que había comerciado Rimbaud. Me las metí en el bolsillo como amuleto de la suerte.

Así provista, estaba lista para el viaje.

⊷ ☰⏐☰ ⊶

En París, mi fina gabardina apenas me protegió de la fría llovizna otoñal. Volví a visitar algunos de los lugares donde habíamos estado mi hermana y yo en 1969, aunque sin su alegre presencia el Quai Victor Hugo, La Coupole y las hechizantes calles y los cafés me parecieron muy solitarios. Paseé, como habíamos hecho nosotras, por el boulevard Raspail. Localicé la rue Campagne-Première, la calle donde habíamos residido, en el número 9. Me quedé allí bajo la lluvia durante un rato. Aquella calle me había atraído en 1969 porque en ella habían vivido muchos artistas. Verlaine y Rimbaud. Duchamp y Man Ray. Fue allí, en aquella calle, donde Yves Klein creó su famoso color azul y Jean-Luc Godard rodó valiosas escenas de *Al final de la escapada.* Caminé otra manzana hasta el cementerio de Montparnasse y presenté mis respetos a Brancusi y a Baudelaire.

Guiada por Enid Starkie, la biógrafa de Rimbaud, encontré el Hôtel des Étrangers en la rue Racine. Allí, según su texto, Arthur durmió en la habitación del compositor Cabaner. También lo encontraron dormido en el vestíbulo, con un abrigo que le iba grande y un aplastado sombrero de fieltro, imbuido aún en los vestigios de un sueño inspirado por el hachís. El recepcionista me trató con amabilidad. Le expliqué, en mi terrible francés, la índole de mi misión y por qué anhelaba pasar la noche en aquel hotel. Él se mostró comprensivo, pero todas las habitaciones estaban ocupadas. Me senté en el mohoso sofá del vestíbulo, incapaz de volver a afrontar la lluvia. Entonces los ángeles me miraron con buenos ojos y él me hizo una seña para que lo siguiera. Me condujo a una puerta de la primera planta por la que se accedía a una estrecha escalera de caracol. Rebuscó entre las llaves y, tras varios intentos fallidos, abrió con aire triunfal una habitación del desván. En ella solo había una cómoda de madera tallada con hojas de arce y un colchón de crin vegetal. Rayos de sucia luz se filtraban por el tragaluz del techo abuhardillado.

—*Ici?*

—*Oui.*

Me dio la habitación por un precio muy módico y, por unos cuantos francos más, me trajo sábanas y una vela. Puse las sábanas en el deformado colchón que parecía contener la huella de un cuerpo largo y anguloso. Me instalé enseguida. Estaba anocheciendo y distribuí mis cosas alrededor de la vela: la postal de Juana de Arco, los *Pequeños poemas en prosa*, la pluma y el tintero. Pero no pude escribir. Solo pude yacer en el colchón de crin y acoplarme a la vieja huella de un cuerpo dormido. La vela era un charco en un plato. Me fui sumiendo en la inconsciencia. Ni tan siquiera soñé.

Al amanecer, el caballero me trajo una taza de chocolate caliente y un brioche. Me los tomé agradecida. Recogí mis escasos efectos personales, me vestí y puse rumbo a la Gare de l'Est. En el tren, ocupé un asiento de piel enfrente de una institutriz y un niño que dormía. No tenía la menor idea de qué iba a encontrar ni de dónde me alojaría, pero confiaba en mi destino. Llegué a Charleville cuando estaba anocheciendo y busqué un hotel. Me inquietó un poco caminar con mi maletita por las calles desiertas, pero encontré uno. Dos mujeres estaban doblando ropa blanca. Parecían sorprendidas, recelosas de mi presencia, y no hablaban inglés. Tras unos incómodos momentos, me condujeron a una bonita habitación de la primera planta. Todo, incluso la cama con dosel, estaba cubierto de cretona estampada con flores. Tenía mucha hambre y me dieron una sustanciosa sopa con pan de pueblo.

Pero, una vez más, en el silencio de mi habitación, descubrí que no podía escribir. Me quedé dormida enseguida y me desperté temprano. Más resuelta que nunca, me puse la gabardina y salí a la calle. Para mi consternación, el Museo Rimbaud estaba cerrado, de modo que anduve por calles desconocidas en un ambiente de silencio y encontré el camino del cementerio. Detrás de un huerto de coles inmensas estaba la última morada de Rimbaud. Me quedé mucho tiempo mirando la lápida, con las palabras *Priez pour lui*, «Rezad por él», grabadas encima de su nombre. Su tumba estaba descuidada y aparté la hojarasca y la suciedad. Recé una breve oración mientras enterraba las cuentas azules de

Museo Rimbaud, Charleville, 1973

Harar en una urna de piedra delante de su lápida. Como Rimbaud no había podido regresar a Harar, me sentía en la obligación de llevarle un pedazo de aquella región. Hice una fotografía y me despedí.

Regresé al museo y me senté en las escaleras. Rimbaud había estado en aquel mismo sitio, mirando con menosprecio todo lo que veía, el molino de piedra, el río que fluía bajo el puente de piedra caliza, que yo veneraba ahora tanto como lo había despreciado él. El museo seguía cerrado. Estaba comenzando a desesperar cuando un anciano, un vigilante quizá, se apiadó de mí y abrió la pesada puerta. Mientras realizaba sus tareas, me permitió pasar un rato con los humildes efectos personales de mi Rimbaud: su libro de geografía, su maleta, su tazón metálico, su cuchara y su kilim. Entre los pliegues de su bufanda rayada de seda vi los sitios donde había tenido que zurcirla. Había un trocito de papel con el dibujo de la hamaca en la que fue transportado por la accidentada costa hasta la orilla del mar, donde un barco lo llevó moribundo a Marsella.

Esa noche tomé una sencilla cena a base de guisado, vino y pan. Regresé a mi habitación, pero no soportaba la soledad. Me lavé, me cambié de ropa, me puse la gabardina y me aventuré a salir a la calle de noche. Estaba bastante oscuro y caminé por el ancho y vacío Quai Rimbaud. Me entró algo de miedo, pero entonces, a lo lejos, vi una luz minúscula, un cartel de neón, el Rimbaud Bar. Me detuve y respiré, incrédula ante mi buena suerte. Caminé despacio, temiendo que pudiera desaparecer como un espejismo en el desierto. Era un bar de estuco blanco con una sola ventanita. Fuera no había nadie. Entré con cautela. Había poca luz y los clientes eran sobre todo muchachos, tipos con cara de pocos amigos apoyados en la máquina de discos. Había unas cuantas fotografías descoloridas clavadas en las paredes. Pedí un Pernod con agua porque me pareció lo más parecido a la absenta. En la máquina de discos sonaba una disparatada mezcla de Charles Aznavour, melodías folclóricas y Cat Stevens.

Al cabo de un rato, me marché y regresé a mi acogedora habitación de hotel adornada con flores. «Flores diminutas salpicando las paredes, igual que el cielo había estado salpicado de estrellas nacientes.» Aquello fue lo único que escribí en mi cuaderno. Había imaginado que escribiría palabras que destrozarían nervios, que honrarían a Rimbaud y confirmarían la fe que todos habían depositado en mí, pero no lo hice.

A la mañana siguiente, pagué y dejé mi maleta en el vestíbulo. Era domingo y sonaban las campanas. Llevaba mi camisa blanca y la cinta negra anudada como los lazos de Baudelaire. La camisa estaba un poco arrugada, pero también lo estaba yo. Regresé al museo, que por suerte estaba abierto, y compré la entrada. Me senté en el suelo e hice un dibujito a lápiz: *San Rimbaud, Charleville, octubre de 1973*.

Quería un recuerdo y encontré un pequeño mercadillo en la place Ducale. Vi un sencillo anillo de oro hilado pero no entraba en mi presupuesto. John McKendry me había regalado uno parecido a su regreso de París. Lo recordé tendido en su elegante canapé y yo sentada a sus pies, leyéndome pasajes de *Una temporada en el infierno*. Imaginé que Robert estaba a mi lado. Él me habría comprado el anillo y me lo habría puesto en el dedo.

El trayecto en tren a París fue tranquilo. En un determinado momento, advertí que estaba llorando. Una vez en París, cogí el metro y me bajé en la estación Père-Lachaise porque aún me quedaba algo que hacer antes de regresar a Nueva York. Volvía a llover. Entré en una floristería situada junto al muro del cementerio, compré un ramillete de jacintos y me puse a buscar la tumba de Jim Morrison. En aquella época no había ningún indicador y no era fácil encontrarla, pero seguí mensajes escritos por admiradores en las lápidas colindantes. El susurro de las hojas otoñales y la lluvia, que estaba arreciando, era el único sonido que quebraba el silencio. En una tumba sin nombre, había obsequios de peregrinos anteriores a mí: flores de plástico, colillas, bote-

llas de whisky medio vacías, rosarios rotos y extraños amuletos. Las pintadas que rodeaban a Jim eran palabras en francés de sus canciones: *C'est la fin, mon merveilleux ami*, «Este es el fin, bello amigo».

Me embargó una insólita alegría que borró mi tristeza. Sentí que Jim podía surgir de la niebla en cualquier momento y tocarme el hombro. Parecía apropiado que estuviera enterrado en París. Comenzó a diluviar. Quería marcharme porque estaba empapada, pero me sentía enraizada al suelo. Tuve la incómoda sensación de que, si no escapaba, me convertiría en piedra, una estatua armada con jacintos.

A lo lejos vi una anciana envuelta en un recio abrigo que llevaba un bastón largo y puntiagudo y arrastraba una gran bolsa de piel. Estaba limpiando el cementerio. Cuando me vio, se puso a gritarme en francés. Me disculpé por no hablar su idioma, pero sabía qué debía de estar pensando. Miró la tumba y me miró a mí, indignada. Para ella, los patéticos tesoros y las pintadas circundantes no eran más que una profanación. Negó con la cabeza, murmurando. Me asombró su indiferencia por la lluvia torrencial. De pronto, se volvió y gritó bruscamente en inglés: «¡Americanos! ¿Por qué no honráis a vuestros poetas?».

Yo estaba muy cansada. Tenía veintiséis años. A mi alrededor, los mensajes escritos con tiza se estaba disolviendo como lágrimas bajo la lluvia. Se formaron arroyos bajo los amuletos, cigarrillos, púas de guitarra. Los pétalos dejados en la tierra que cubría a Jim Morrison flotaban como flores del ramo de Ofelia.

—*¡Ehh!* —volvió a gritar—. ¡Contéstame, *Américaine*! ¿Por qué no honráis los jóvenes a vuestros poetas?

—*Je ne sais pas, madame* —respondí, bajando la cabeza—. No lo sé.

⁂

En el aniversario de la muerte de Rimbaud, hice la primera de mis actuaciones tituladas «El rock y Rimbaud», que me reunió con Lenny Kaye. Se celebró en la azotea de Le Jardin, en el hotel Diplomat próximo a Times Square. La velada comenzó con el clásico de Kurt Weill «Speak Low», en honor a Ava Gardner y su representación de la diosa del amor en *Venus era mujer*, acompañado por el pianista Bill Elliott. El resto del programa consistió en poemas y canciones que giraban en torno a mi pasión por Rimbaud. Lenny y yo repetimos las piezas que habíamos interpretado en Saint Mark y añadimos la canción de Hank Ballard «Annie Had a Baby». Miramos el público y nos asombró ver, entre otros, a Steve Paul y Susan Sontag. Por primera vez, pensé que en lugar de una actuación única, aquello tenía potencial para que lo siguiéramos desarrollando.

No estábamos muy seguros de dónde podríamos actuar, porque el Broadway Central se había desmoronado. Nuestro espectáculo era muy indefinido y no parecía haber locales apropiados. Pero la gente estaba allí y yo creía que teníamos algo que darle, y quería que Lenny formara parte de ello.

Jane hizo todo lo posible para encontrarnos locales donde actuar, lo que no era tarea fácil. Di algún que otro recital en bares, pero me pasaba casi todo el tiempo discutiendo amistosamente con clientes borrachos. Aquellas experiencias fueron muy útiles para mejorar mi vena cómica en la línea de Johnny Carson, pero me sirvieron de bien poco para avanzar en mi forma de comunicar la poesía. Lenny me acompañó la primera vez que actué en el West End Bar, donde Jack Kerouac y sus amigos habían escrito y bebido, aunque no forzosamente en ese orden. No ganamos dinero, pero, cuando terminamos, Jane nos recompensó con una noticia estupenda. Nos habían pedido que fuéramos los teloneros de Phil Ochs en Max's Kansas City los últimos días del año. Lenny Kaye y yo pasaríamos nuestros cumpleaños de diciembre y la Nochevieja fusionando poesía y rock and roll.

Fue nuestro primer trabajo largo: seis días con dos bolos por noche y tres los fines de semana. Pese a las cuerdas rotas y un público a veces hostil, triunfamos con el apoyo de un variopinto reparto de amigos: Allen Ginsberg, Robert y Sam, Todd Rundgren y Bebe Buell, Danny Fields y Steve Paul. En Nochevieja, estábamos preparados para cualquier cosa.

Varios minutos después de medianoche, seguíamos tocando en el escenario de Max's. La gente estaba enardecida, dividida, la electricidad se palpaba en el ambiente. El nuevo año acababa de comenzar y, al mirar el público, volví a recordar lo que mi madre siempre decía. Miré a Lenny: «Como hoy, el resto del año».

Cogí el micrófono. Él rasgueó su guitarra.

Poco después, me fui a vivir con Allen a MacDougal Street, enfrente del Kettle of Fish en el mismo centro del Village. Allen se marchó otra vez de gira y nos vimos poco, pero me encantaba vivir allí y me imbuí en el estudio de una nueva materia. Me sentía atraída por Oriente Próximo: las mezquitas, las alfombras para la oración y el Corán de Mahoma. Leí *Las mujeres de El Cairo*, de Nerval, y los relatos de

Bowles, Mrabet, Albert Cossery e Isabelle Eberhardt. Como el hachís impregnaba el ambiente de aquellos relatos, me propuse fumarlo. Bajo su influencia, escuché *The Pipes of Pan at Joujouka;* Brian Jones produjo el álbum en 1968. Me encantaba escribir mientras escuchaba la música que él amaba. Con sus perros aulladores y jubilosos cuernos, fue, durante un tiempo, la banda sonora de mis noches.

⚮

Sam amaba la obra de Robert, la amaba como nadie.

Yo estaba con él, mirando la imagen de unos tulipanes blancos que Robert había fotografiado sobre un fondo negro.

—¿Cuál es la cosa más negra que has visto en tu vida? —me preguntó.

—¿Un eclipse? —respondí, como si fuera la respuesta a una adivinanza.

—No. —Señaló la fotografía—. Esto. Un negro en el que puedes perderte.

Más adelante, Robert dedicó la fotografía a Sam. «Él es el único que realmente me entiende», dijo.

Robert y Sam estaban tan cerca de la consanguinidad como dos hombres podían estarlo. El padre buscaba al heredero, el hijo al padre. Sam, el mecenas ideal, tenía los recursos, la visión de futuro y el deseo de glorificar al artista. Robert era el artista que buscaba.

El afecto imperecedero entre Robert y Sam ha sido criticado, distorsionado y contado en una versión tergiversada, interesante quizá en una novela, pero su relación no se puede juzgar sin entender su código consensuado.

A Robert le gustaba el dinero de Sam y a Sam le gustaba que a Robert le gustara su dinero. De haber sido aquello todo lo que los motivaba, podrían haberlo encontrado fácilmente en alguna otra parte. En cambio, ambos poseían algo que el otro quería y, de ese modo, se complementaban. En su fuero interno, Sam ansiaba ser artista, pero no lo era. Robert quería ser rico y poderoso, pero no lo era. Por asociación, ambos saboreaban sus respectivos atributos. Eran un paquete, por así decirlo. Se necesitaban. El mecenas para verse glorificado por la creación. El artista para crear.

Yo los consideraba dos hombres con un vínculo irrompible. Se afirmaban uno a otro y eso los fortalecía. Ambos tenían un carácter estoico, pero juntos podían mostrar sus vulnerabilidades sin avergonzarse y confiarse ese conocimiento. Con Sam, Robert podía ser él mismo y Sam no lo juzgaba. Sam nunca intentó conseguir que moderara su obra, se vistiera de otro modo o transigiera con las instituciones. Quitando todo lo demás, lo que yo percibía entre ellos era una ternura recíproca.

Robert no era un mirón. Siempre decía que tenía que participar de una forma auténtica en las obras que surgían de su interés por el sadomasoquismo, que no hacía fotografías por sensacionalismo ni se atribuía la misión de contribuir a la aceptación social del sadomasoquismo. No creía que debiera aceptarse y nunca pensó que su mundo clandestino fuera para todos.

No cabía duda de que disfrutaba de sus alicientes e incluso los necesitaba. «Es embriagador —decía—. El poder que puedes tener. Hay una cola entera de tíos que te desean y, por muy repulsivos que sean, percibir ese deseo colectivo por ti es algo muy intenso.»

A veces, sus incursiones en el mundo del sadomasoquismo me desconcertaban y me asustaban. Robert no podía hablarme de ellas porque eran completamente ajenas a nosotros. Quizá lo hubiera hecho, si se lo hubiera pedido, pero, en realidad, yo no quería saber nada. No era tanto negación como aprensión. Sus actividades eran demasiado fuertes para mí y Robert a menudo creaba obras que me sorprendían: la invitación con un látigo metido en el culo, una serie de fotografías de genitales atados con cuerdas. Ya no utilizaba fotografías de revistas, solo modelos y a sí mismo para crear imágenes de dolor autoinfligido. Yo lo admiraba, pero no podía comprender la brutalidad. Me costaba compaginarla con el muchacho que había conocido.

Y, no obstante, cuando miro la obra de Robert, sus modelos no dicen «Lo siento, estoy enseñando el pene». Él no lo siente ni quiere que nadie lo haga. Quería que sus modelos estuvieran satisfechos con sus fotografías, se tratara de un sadomasoquista que se metía clavos en el pene o de un glamuroso famosillo. Quería que todos sus modelos estuvieran seguros de su relación con él.

No creía que su obra fuera apta para todos los públicos. La primera vez que expuso sus fotografías más fuertes, estas estaban en una carpeta señalada con la letra «X», dentro de una vitrina, para mayores de dieciocho años. No le parecía importante poner aquellas fotografías en las narices de la gente, a excepción de las mías, decía tomándome el pelo.

Cuando le pregunté qué lo impulsaba a crear aquellas imágenes respondió que alguien tenía que hacerlo y que por qué no él. Tenía una posición privilegiada para ver actos de sexo extremo consensuado y sus modelos confiaban en él. Su misión no era poner nada de manifiesto, sino documentar un aspecto de la sexualidad como arte, dado que no se había hecho hasta entonces. Lo que más le estimulaba como artista era crear algo que nadie más había hecho.

Aquello no cambió su forma de ser conmigo. Pero yo me preocupaba por él, porque a veces me parecía que estaba adentrándose en un terreno más siniestro y peligroso. En sus mejores momentos, nuestra amistad era un refugio de todo, donde él podía esconderse o enroscarse como una cría de serpiente exhausta.

«Tendrías que cantar más», decía Robert cuando le cantaba Piaf o una de las viejas melodías que nos gustaba a los dos. Lenny y yo teníamos unos cuantos temas y estábamos desarrollando un repertorio, pero nos sentíamos limitados. Preveíamos utilizar los poemas para dar continuidad a patrones rítmicos sobre los que pudiéramos tocar nuestros

Ferrocarril de Long Island, 1974

riffs. Aunque nos faltaba encontrar a la persona apropiada, creíamos que un piano combinaría bien con nuestro estilo, al ser un instrumento tanto melódico como de percusión.

Jane Friedman nos dejó uno de los cuartos de la planta que tenía alquilada encima del teatro Victoria entre las calles Cuarenta y cinco y Broadway. Allí había un viejo piano vertical y, el día de San José, invitamos a unos cuantos teclistas para ver si podíamos encontrar al tercer hombre. Todos tenían talento, pero no eran lo que buscábamos. Como dice la Sagrada Escritura, Él reservó lo mejor para el final. Richard Sohl, enviado por Danny Fields, entró en el cuarto con una camiseta rayada de cuello de barca, unos arrugados pantalones de lino y la cara medio tapada por su rizada pelambrera rubia. Su belleza y laconismo no revelaban el hecho de que fuera un pianista con talento. Mientras se preparaba, Lenny y yo nos miramos pensando lo mismo. Su aspecto recordaba el del personaje de Tadzio de *Muerte en Venecia*.

«¿Qué queréis?», preguntó con desenvoltura, y pasó a tocar una mezcla que abarcó a Mendelssohn, Marvin Gaye y «MacArthur Park». Richard Sohl tenía diecinueve años y una formación clásica, pero poseía la sencillez de un músico que confiaba en sí mismo y no necesitaba presumir de lo que sabía. Era tan feliz tocando una secuencia repetitiva de tres acordes como una sonata de Beethoven. Con Richard, podíamos movernos fluidamente entre improvisación y canción. Era intuitivo e imaginativo, capaz de proporcionarnos una base sobre la que Lenny y yo teníamos libertad para explorar en un lenguaje propio. Lo llamábamos «tres acordes fusionados con el poder de la palabra».

El primer día de primavera ensayamos con Richard nuestro estreno como trío. Reno Sweeney's tenía un ambiente animado y seudoelegante que no encajaba con nuestras actuaciones rebeldes e impías, pero era un sitio donde tocar: no estábamos definidos ni nadie nos podía definir. Pero siempre que tocábamos descubríamos que la gente venía, y ver que cada vez había más público que nos animaba a seguir adelante.

Aunque exasperábamos al representante, él tuvo la bondad de conseguirnos cinco noches con Holly Woodlawn y Peter Allen.

Ese domingo, que era Domingo de Ramos, Lenny y yo nos habíamos convertido en tres, y Richard Sohn se había convertido en DNV. *Death in Venice*, nuestro ricitos de oro.

Las estrellas hacían cola a las puertas del teatro Ziegfeld el día del rutilante estreno de la película *Damas y caballeros... The Rolling Stones*. A mí me ilusionaba estar allí. Recuerdo que era Semana Santa y llevaba un vestido victoriano negro de terciopelo con un cuello blanco de encaje. Después Lenny y yo fuimos a Manhattan, nuestra carroza una calabaza, nuestras galas hechas jirones. Aparcamos delante de un pequeño bar del Bowery que se llamaba CBGB. Habíamos prometido al poeta Richard Hell que iríamos a ver la banda donde él tocaba el bajo, Television. No teníamos la menor idea de qué podíamos esperar, pero a mí me intrigaba el modo en que otro poeta podía interpretar el rock and roll.

Había ido a aquella zona del Bowery con frecuencia para visitar a William Burroughs, que vivía a unas cuantas manzanas al sur del club, en un lugar que llamaban el Búnker. Era la calle de los borrachos, que a menudo encendían fogatas en grandes cubos de basura cilíndricos para calentarse, cocinar o encender los cigarrillos. Podías mirar calle abajo y ver aquellas fogatas brillando hasta la misma puerta de William, justo como hicimos aquella noche de Semana Santa fría pero hermosa.

CBGB era un local alargado y angosto con una barra en el lado derecho, iluminado por los carteles luminosos de la calle que anunciaban diversas marcas de cerveza. El escenario era bajo y estaba a la izquierda, flanqueado por murales fotográficos de bañistas de finales de siglo. Pasado el escenario había una mesa de billar y, al fondo, una grasienta cocina y una habitación donde el propietario, Hilly Krystal, trabajaba y dormía con Jonathan, su perro real de Egipto.

La banda tenía un toque de locura y su música era imprevisible, angulosa e intensa. Me gustó todo de ellos, sus movimientos espasmódicos, las florituras jazzísticas del batería, sus estructuras musicales desencajadas y orgásmicas. Me sentí afín al extraño guitarrista de la derecha. Era alto, con el pelo pajizo, y sus dedos largos y hábiles agarraban el mástil de la guitarra como si quisieran estrangularlo. Definitivamente, Tom Verlaine había leído *Una temporada en el infierno*.

En el descanso, Tom y yo no hablamos de poesía sino de los bosques de Nueva Jersey, las playas desiertas de Delaware y los platillos volantes que surcaban los cielos del oeste. Resultó que habíamos crecido a veinte minutos de distancia, escuchado los mismos discos, visto los mismos dibujos animados, y los dos adorábamos *Las mil y una noches*. Terminado el descanso, Television volvió al escenario. Richard Lloyd cogió su guitarra y rasgueó los primeros acordes de «Marquee Moon».

Aquello era completamente distinto del Ziegfeld. Su falta de glamour le daba un aire mucho más familiar y lo convertía en un lugar donde podríamos sentirnos como en casa. Mientras la banda tocaba se oían los chasquidos de los tacos de billar al golpear las bolas, los ladridos del perro, el tintineo de las botellas, los sonidos de un local que estaba creando un ambiente propio. Aunque nadie lo sabía, las estrellas se estaban alineando, los ángeles nos eran favorables.

El secuestro de Patty Hearst fue la noticia bomba de aquella primavera. Una guerrilla urbana denominada Ejército Simbiótico de Liberación (SLA) la había secuestrado en su piso de Berkeley y la tenía como rehén. Me descubrí atraída por aquella historia debido, en parte, a la obsesión de mi madre con el secuestro del bebé de Charles Lindbergh y su consecuente temor a que le arrebataran a sus hijos. Las imágenes del desconsolado aviador y el pijama ensangrentado de su hijo de dorados cabellos obsesionaron a mi madre durante toda su vida.

El 15 de abril, una cámara de seguridad grabó a Patty Hearst empuñando un arma, colaborando con sus secuestradores en el atraco a

un banco de San Francisco. Más adelante, se hizo pública una grabación donde anunciaba su lealtad al ESL y hacía una declaración: «De-
cid a todos que me siento libre y fuerte, y mando mis saludos y amor a
todos mis hermanos». Aquellas palabras, sumadas a nuestro nombre de
pila compartido, me solidarizaron con su difícil situación. Lenny, Richard y yo fusionamos mi meditación sobre sus circunstancias con la
versión de Jimi Hendrix de «Hey Joe». La conexión entre Patty Hearst
y «Hey Joe» residía en la letra, un fugitivo que grita «Me siento libre».

Habíamos pensado en grabar un single, para comprobar si el efecto que estaba surtiendo en nuestras actuaciones en directo se podía
trasladar a un disco. Lenny sabía mucho de cómo producir y grabar un
single y, cuando Robert se ofreció a poner el dinero, reservamos una
sala en el estudio de Jimi Hendrix, Electric Lady. En homenaje a Jimi,
decidimos grabar «Hey, Joe».

Queríamos añadir una línea de guitarra que pudiera representar el
ansia desesperada de libertad y para ello escogimos a Tom Verlaine. Intenté adivinar sus gustos y me vestí como creía que comprendería un
muchacho de Delaware: zapatillas de ballet negras, pantalones piratas
rosas, mi gabardina verde de seda y una sombrilla violeta, y entré en
Cinemabilia, donde Tom trabajaba a tiempo parcial. La tienda estaba
especializada en fotogramas antiguos, guiones y biografías de personas
tan distintas como Fatty Arbuckle, Hedy Lamarr o Jean Vigo. Jamás sabré si mi atuendo lo impresionó, pero Tom accedió con entusiasmo a
grabar con nosotros.

Grabamos en el estudio B con una pequeña mesa de sonido de
ocho pistas en la parte trasera de Electric Lady. Antes de empezar, susurré «Hola, Jimi» al micrófono. Después de uno o dos comienzos fallidos, Richard, Lenny y yo, tocando juntos, grabamos nuestra toma y
Tom superpuso dos pistas con solos de guitarra. Lenny las mezcló en
un solo y luego añadió un bombo. Fue la primera vez que utilizamos
percusión.

Robert, nuestro productor ejecutivo, pasó por el estudio y nos observó nerviosamente desde la sala de control. Regaló a Lenny una calavera de plata para conmemorar la ocasión.

Cuando terminamos de grabar «Hey Joe», nos quedaban quince minutos. Decidí intentarlo con «Piss Factory». Aún tenía los textos mecanografiados originales del poema que Robert había rescatado del suelo de la calle Veintitrés. En su momento, había sido un himno personal sobre cómo me libré del tedio de la vida obrera escapando a Nueva York. Lenny improvisó sobre la pista de sonido de Richard y yo recité el poema. Terminamos de grabar justo a medianoche.

Robert y yo nos detuvimos delante de los murales de extraterrestres que adornaban las paredes del pasillo de Electric Lady. Parecía más que satisfecho, pero no pudo resistirse a hacer una pequeña objeción: «Patti —dijo—, no has hecho nada que sea bailable».

Dije que eso se lo dejaba a The Marvelettes.

Lenny y yo diseñamos el disco. Llamamos Mer a nuestro sello. Estampamos 1.500 discos en una pequeña fábrica de Filadelfia situada en Ridge Avenue y los distribuimos en librerías y tiendas de discos, donde se vendían a dos dólares. Jane Friedman se apostaba a la entrada del local donde actuábamos con una bolsa de la compra llena de nuestros singles y los vendía al terminar. Nuestro mayor motivo de orgullo fue oírlo en la máquina de discos de Max's. Nos sorprendió descubrir que nuestra cara B, «Piss Factory», tenía más éxito que «Hey Joe», lo cual nos animó a centrarnos más en nuestro trabajo.

La poesía continuaría siendo mi principio rector, pero un día tenía intención de conceder a Robert su deseo.

Ahora que había probado el hachís, Robert, siempre tan protector, no vio ningún problema en que tomara LSD con él. Era la primera vez y, mientras esperábamos a que nos hiciera efecto, estuvimos sentados en la escalera de incendios de mi casa, que daba a MacDougal Street.

«¿Quieres que nos acostemos?», me preguntó. Me sorprendió y me complació que aún me deseara. Antes de que le respondiera, me cogió la mano y dijo: «Perdona».

Esa noche caminamos por Christopher Street hacia el río. Eran las dos de la madrugada, había huelga de basureros y vimos ratas escabulléndose a la luz de las farolas. Cuando estuvimos cerca del agua, vino a nuestro encuentro un delirante ejército de reinonas, falsas novias de gays en tutú, santos y ángeles vestidos de cuero. Me sentí como el predicador viajero de *La noche del cazador*. Todo adquirió un aire siniestro, un olor a aceite de pachuli, popper y amoníaco. Me fui notando cada vez más agitada.

Robert parecía divertido. «Patti, se supone que tienes que sentir amor por todo el mundo.» Pero yo no me podía relajar. Todo parecía fuera de control, circundado por auras naranjas, rosas y verdes. Era una noche húmeda y calurosa. No había luna ni estrellas, reales o imaginarias.

Robert me rodeó con el brazo y me condujo a casa. Estaba a punto de amanecer. Tardé un tiempo en comprender la naturaleza de aquel viaje, aquella visión demoníaca de Nueva York. Promiscuidad. Purpurina desprendiéndose de brazos musculosos. Medallas católicas arrancadas de cuellos afeitados. La fiesta dionisíaca a la que yo no podía sumarme. No creé aquella noche, pero las imágenes de reinonas psicodélicas y chicos descontrolados pronto se transmutarían en la visión de un muchacho en un pasillo, tomándose un vaso de té.

William Burroughs era joven y viejo al mismo tiempo. En parte sheriff, en parte detective. Todo él escritor. Tenía un botiquín que mantenía cerrado con llave, pero, si te dolía algo, lo abría. No le gustaba ver sufrir a sus seres queridos. Si estabas débil, te alimentaba. Aparecía en tu puerta con un pescado envuelto en papel de periódico y lo freía. Era inaccesible para una chica, pero, de todas formas, yo lo amaba.

Recaló en el Búnker con su máquina de escribir, su escopeta y su abrigo. De vez en cuando, se lo ponía, venía a vernos y se sentaba a la mesa que le reservábamos delante del escenario. Robert, con su chaqueta de cuero, a menudo lo acompañaba. Johnny y el caballo.*

Estábamos a mitad de una serie de actuaciones en CBGB que habían comenzado en febrero y se prolongaron hasta la primavera. Compartíamos escenario con Television, como habíamos hecho el verano anterior, alternándonos de jueves a domingo. Era la primera vez que tocábamos regularmente como banda y eso nos ayudó a definir la narrativa interna que conectaba las diversas facetas de nuestro trabajo.

En noviembre habíamos viajado a Los Ángeles con Jane Friedman para actuar por primera vez en el Whisky a Go Go, donde habían tocado los Doors, y luego a San Francisco. Tocamos en la sala de arriba de Rather Ripped Records en Berkeley y en una audición en el Fillmore West, con Jonathan Richman a la batería. Era mi primera visita a San Francisco y fuimos en peregrinación a la librería City Lights, cuyo escaparate estaba repleto de los libros de nuestros amigos. Durante aquella primera salida de Nueva York decidimos que necesitábamos otro guitarrista para amplificar nuestro sonido. Oíamos música en nuestra cabeza que como trío no podíamos ejecutar.

Cuando regresamos a Nueva York pusimos un anuncio en el *Village Voice* para conseguir otro guitarrista. La mayoría de los que se presentaron parecían saber qué querían hacer y cómo querían que sonara y a casi ninguno le entusiasmó que la banda estuviera liderada por una chica. Encontré a mi tercer hombre en un atractivo checoslovaco. Por su imagen y estilo musical, Ivan Kral encarnaba la tradición y la promesa del rock igual que los Rolling Stones personificaban el blues. Había sido una estrella del pop emergente en Praga, pero sus sueños se habían truncado cuando Rusia invadió su patria en 1968. Había huido con su familia y tuvo que empezar de nuevo. Era enérgico, flexible, y

---

* Alusión a la canción «Land» compuesta por Patti Smith. *(N. de la T.)*

estaba listo para amplificar nuestro concepto de lo que podía ser el rock and roll, que estaba evolucionando con mucha rapidez.

Nos veíamos como los hijos de la libertad con la misión de conservar, proteger y difundir el espíritu revolucionario del rock and roll. Temíamos que la música que nos había dado sustento estuviera en peligro de desnutrirse espiritualmente. Temíamos que perdiera su razón de ser, que cayera en manos sobrealimentadas, que se revolcara en un lodazal de aparatosidad, consumo y vacua complejidad técnica. Tendríamos presente la imagen de Paul Revere recorriendo los caminos a caballo exhortando a la gente a despertar, a tomar las armas. También nosotros tomaríamos las armas, las armas de nuestra generación, la guitarra eléctrica y el micrófono.

CBGB era el lugar ideal para hacer nuestra proclama. Era un club situado en la calle de los oprimidos y frecuentado por una extraña raza que acogía a los artistas no reconocidos con los brazos abiertos. Lo único que Hilly Krystal exigía a quienes tocaban en su local era que fueran nuevos.

De mediados de invierno a finales de primavera, batallamos y perseveramos hasta que empezamos a coger el ritmo. Conforme tocábamos, las canciones adquirían vida propia y a menudo reflejaban la energía del público, el ambiente, nuestra creciente confianza y los acontecimientos que sucedían en nuestro territorio inmediato.

Hay muchas cosas que recuerdo de aquella época. El olor a orina y a cerveza. Los acordes de guitarra entrelazados de Richard Lloyd y Tom Verlaine cuando tocaban «Kingdom Come». Interpretar una versión de «Land» que Lenny llamaba «estela de fuego», en la que Johnny se abría camino hacia mí desde mi noche psicodélica gobernada por muchachos descontrolados, del vestuario al mar de posibilidades,* como si estuvieran dirigidos por las mentes de Robert y William, sentados delante de

* El párrafo alude a la letra de la canción «Land». *(N. de la T.)*

nosotros. La presencia de Lou Reed, cuya exploración de la poesía y el rock and roll nos había servido a todos. La tenue línea entre el escenario y el público, y los rostros de todos los que nos apoyaban. Jane Friedman, radiante cuando nos presentó a Clive Davis, el presidente de Arista Records. No se había equivocado al percibir una conexión entre él, su sello y nosotros. Y, al final de cada noche, esperar delante del toldo adornado con las letras CBGB & OMFUG mientras los chicos metían nuestro humilde equipo en la parte trasera del Impala 1964 que tenía Lenny.

En aquella época, Allen viajó tanto con Blue Öyster, que algunos se extrañaban de que yo pudiera continuar siendo fiel a alguien que rara vez estaba en casa. Lo cierto era que lo quería mucho y pensaba que nuestra buena comunicación podía superar sus largas ausencias. Los largos períodos que pasaba sola me procuraban tiempo y libertad para dedicarme a mi desarrollo como artista, pero, con el paso del tiempo, descubrí que Allen había violado de forma reiterada la confianza que yo creía que habíamos depositado el uno en el otro, poniéndonos en peligro y comprometiendo su salud. Aquel hombre dulce, inteligente y aparentemente modesto tenía un estilo de vida en sus giras que no concordaba con el vínculo apacible que yo creía que teníamos. A la larga, aquello destruyó nuestra relación, pero no el respeto que yo le tenía ni mi gratitud por el bien que me había hecho mientras me aventuraba en un territorio desconocido.

→ ⇥⇤ ←

La emisora de radio WBAI era una importante transmisora de los últimos vestigios de la revolución. El 28 de mayo de 1975 mi banda la apoyó celebrando un concierto benéfico en una iglesia del Upper East Side. Éramos ideales para la libertad creativa que permitía una retransmisión en directo, no solo ideológicamente sino también desde un punto de vista estético. Al no tener que ceñirnos a ninguna estructura cerrada, éramos libres y podíamos improvisar, algo infrecuente incluso en las emisoras de FM más progresistas. Éramos muy conscientes de la multitud que nos escucharía. Sería nuestra primera actuación en la radio.

Acabamos con una versión de «Gloria» que había tomado forma en el transcurso de los últimos meses, en la que fusionábamos mi poema «Oath» con el gran clásico de Van Morrison. Todo había comenzado con el bajo dorado Danelectro de Richard Hell, que habíamos comprado por cuarenta dólares. Yo quería tocarlo y, como era pequeño, me pareció que podría manejarlo. Lenny me enseñó a tocar la nota mi y, mientras lo hacía, recité el verso: «Jesús murió por los pecados de alguien pero no por los míos». Lo había escrito hacía unos años como una declaración existencial donde me comprometía a responsabilizarme de mis actos. Cristo era un hombre contra el cual merecía la pena rebelarse, porque él era la rebelión.

Lenny comenzó a tocar los clásicos acordes del rock, del mi al re y al la, y el acoplamiento de los acordes con aquel poema me estimuló. Tres acordes fusionados con el poder de la palabra.

—¿Son acordes para una canción?

—Solo para la más gloriosa —respondió él. Pasó a tocar «Gloria», y Richard lo siguió.

En las semanas que pasamos en CBGB, todos vimos claramente que nos estábamos convirtiendo en la banda de rock and roll que queríamos ser. El primero de mayo Clive Davis me propuso un contrato de grabación con Arista Records y el día 7 firmé. No habíamos hablado de ello, pero, en nuestra actuación radiofónica, todos habíamos notado que ganábamos fuerza. Con la improvisación de «Gloria» nos habíamos soltado.

Lenny y yo combinábamos ritmo y lenguaje, Richard proporcionaba la base e Ivan había reforzado el sonido. Era hora de dar el siguiente paso. Necesitábamos encontrar a otro suño nosotros, que no nos cambiara sino que nos impulsara, que fuera uno de los nuestros. Terminamos nuestra vibrante actuación con una súplica colectiva: «Necesitamos un batería y sabemos que estás ahí».

Él estaba más ahí de lo que imaginábamos. Jay Dee Daugherty había sido nuestro técnico de sonido en CBGB, donde utilizó componentes de su equipo estéreo casero. En un principio, había venido a Nueva York desde Santa Bárbara con la banda Mumps de Lance Loud. Trabajador, algo tímido, veneraba a Keith Moon y, transcurridas menos de dos semanas de nuestra actuación radiofónica, ya se había convertido en parte de nuestra generación.

Cuando ahora entraba en la sala de ensayo y miraba nuestro equipo cada vez más completo, los amplificadores Fender, el teclado RMI de Richard y la batería Ludwig de Jay Dee, no podía evitar sentirme orgullosa de liderar una banda de rock and roll.

Nuestra primera serie de actuaciones con un batería fue en el Other End, que estaba a un paso de mi piso de MacDougal Street. Solo tenía que atarme las botas, ponerme la chaqueta e ir andando al trabajo. Para la banda, lo más importante era compenetrarnos con Jay Dee, pero, para los demás, era el momento de comprobar si estábamos a la altura de que lo que se esperaba de nosotros. La presencia de Clive Davis animó la primera noche de las cuatro que teníamos contratadas. Cuando nos abrimos paso entre el público para subir al escenario, el ambiente se intensificó, electrizado como antes de una tormenta.

La noche fue un verdadero éxito. Tocamos como si fuéramos uno y la cadencia y vibración de la banda nos transportó a otra dimensión. No obstante, pese a todo el revuelo que me rodeaba, sentí otra presencia tan segura como el conejo percibe al sabueso. Estaba allí. De pronto comprendí la naturaleza de la electricidad que impregnaba el ambiente. Bob Dylan había entrado en el club. Aquel hecho surtió un extraño efecto en mí. En vez de modestia, sentí un poder, el suyo quizá; pero también sentí mi propia valía y la de mi banda. Me pareció una noche iniciática, en la que había logrado ser yo misma en presencia de la persona que había tomado como modelo.

El 2 de septiembre de 1975 abrí las puertas del estudio Electric Lady. Mientras bajaba la escalera no pude evitar recordar la vez en que Jimi Hendrix se había parado a hablar con una tímida muchacha. Entré en el estudio A. John Cale, nuestro productor, estaba al timón y Lenny, Richard, Ivan y Jay Dee se encontraban en la sala de grabación, montando el equipo.

Durante las semanas siguientes, grabamos y mezclamos mi primer álbum, *Horses*. Jimi Hendrix nunca regresó para crear su nuevo lenguaje musical, pero dejó tras él un estudio que representaba todas sus esperanzas para el futuro de nuestra voz cultural. Desde el momento en que entré en la cabina de voz tenía estas cosas en mente: mi gratitud al rock and roll por haberme ayudado a pasar una adolescencia difícil. La alegría que experimentaba cuando bailaba. La fuerza moral que adquirí al responsabilizarme de mis actos.

Todo eso quedó plasmado en *Horses*, y también nuestro reconocimiento a quienes prepararon el terreno antes que nosotros. En «Birdland» nos embarcamos con el pequeño Peter Reich mientras esperaba a que su padre, Wilhelm Reich, bajara del cielo y se lo llevara. En «Break It Up», Tom Verlaine y yo escribimos sobre un sueño en el que Jim Morrison, atado como Prometeo, se liberaba de repente. En «Land», imágenes de muchachos descontrolados se fundían con las etapas de la muerte de Hendrix. En «Elegie», los recordamos a todos, pasados, presentes y futuros, a todos los que habíamos perdido, estábamos perdiendo y perderíamos.

Nunca cupo la menor duda de que Robert fotografiaría mi retrato para la carátula de *Horses*, mi espada acústica envainada en una imagen suya.

Yo no tenía ninguna idea preconcebida sobre cómo sería, solo sabía que debía ser auténtica. Lo único que prometí a Robert fue que llevaría una camisa blanca sin ninguna mancha.

Fui al Ejército de Salvación del Bowery y compré un montón de camisas blancas. Algunas me estaban grandes, pero la que más me gustaba estaba muy bien planchada y tenía un monograma debajo del bolsillo. Con ella puesta, me recordaba una fotografía de Jean Genet sacada por Brassaï en la que llevaba una camisa blanca remangada con un monograma. Mi camisa tenía bordadas las letras RV. Imaginé que había pertenecido a Roger Vadim, el director de *Barbarella*. Le corté los puños para ponérmela debajo de mi chaqueta negra adornada con el broche de un caballo que me había regalado Allen Lanier.

Robert quería fotografiarme en el ático de la Quinta Avenida donde vivía Sam Wagstaff porque estaba bañado en luz natural. La ventana del chaflán proyectaba una sombra que dibujaba un triángulo de luz y Robert quería utilizarlo en la fotografía.

Me levanté de la cama y me di cuenta de que era tarde. Me di prisa en realizar mi ritual matutino. Fui a la panadería marroquí que tenía a la vuelta de la esquina, compré un bollo crujiente, una ramita de menta fresca y unas cuantas anchoas. Regresé, herví agua y metí la menta en la tetera. Vertí aceite de oliva en el bollo abierto, lavé las anchoas, las puse dentro y las espolvoreé con pimienta de cayena. Me serví un vaso de té y preferí quitarme la camisa, sabiendo que, si no lo hacía, me mancharía la pechera de aceite.

Robert vino a buscarme. Estaba preocupado porque había muchas nubes. Terminé de vestirme: pantalones de pitillo negros, calcetines blancos de hilo y zapatillas de ballet negras. Añadí mi cinta preferida y Robert me limpió las migas de la chaqueta negra.

Salimos a la calle. Robert tenía hambre, pero se negó a comerse mis bocadillos de anchoas, así que terminamos tomando gachas con huevos en el Pink Tea Cup. El tiempo fue pasando sin apenas darnos cuenta.

Estaba nublado y oscuro y Robert miraba continuamente el cielo por si salía el sol. Al fin, por la tarde, comenzó a despejar. Cruzamos Washington Square justo cuando el cielo amenazaba con volver a oscurecerse. Robert temió que se desvaneciera aquella luz e hicimos el resto del trayecto hasta la Quinta Avenida corriendo.

La luz ya estaba desapareciendo. Robert no tenía asistente. No habíamos hablado de lo que haríamos ni de cómo debía ser la fotografía. Él la haría. Yo posaría.

Yo tenía pensada mi imagen. Él tenía pensada la luz. Nada más.

El apartamento de Sam era espartano e íntegramente blanco, estaba casi vacío y tenía un alto aguacate junto a la ventana que daba a la Quinta Avenida. Había un prisma enorme que refractaba la luz, descomponiéndola en arcos iris que se proyectaban en una pared con un radiador blanco enfrente. Robert me colocó junto al triángulo. Las manos le temblaron mientras se preparaba para disparar. Me quedé quieta.

Las nubes iban y venían. A su fotómetro le ocurrió algo y él se puso un poco nervioso. Hizo unas cuantas fotografías. Dejó el fotómetro. Pasó una nube y el triángulo desapareció.

—Sabes, me encanta la blancura de la camisa. ¿Puedes quitarte la chaqueta? —dijo.

Me eché la chaqueta al hombro, como Frank Sinatra. Estaba llena de referencias. Él estaba lleno de luz y sombra.

—Ha vuelto —dijo.

Hizo unas cuantas fotografías más.

—La tengo.

—¿Cómo lo sabes?

—Lo sé.

Ese día sacó doce fotografías.

Unos días después me enseñó la hoja de contactos.

«Esta es la que tiene la magia», dijo.

Cuando ahora la miro, no me veo nunca a mí. Nos veo a los dos.

✳

Robert Miller promocionaba a pintores como Joan Mitchell, Lee Krasner y Alice Neel y, tras ver mis dibujos en la segunda planta de Gotham Bookmart, me invitó a exponer mi obra en su galería. Andy Brown llevaba años respaldándome y se alegró mucho de que tuviera aquella oportunidad.

Cuando visité la amplia y sofisticada galería situada en la esquina de la calle Cincuenta y siete y la Quinta Avenida, no estuve segura de si merecía un espacio así. También sentí que no podía exponer en una galería de aquella talla sin Robert. Pregunté si podíamos exponer juntos.

En 1978, Robert estaba completamente dedicado a la fotografía.

Sus trabajados marcos reflejaban su relación con las formas geométricas. Había creado retratos clásicos, singulares flores sexuales, y había elevado la pornografía a la categoría de arte. En aquel momento, estaba centrado en dominar la luz y conseguir los negros más densos.

En esa época estaba vinculado a la galería de Holly Solomon y pidió autorización para exponer conmigo. Yo desconocía por completo la política del mundo del arte; solo sabía que debíamos exponer juntos. Decidimos presentar una obra que hiciera hincapié en nuestra relación: artista y musa, un papel que era intercambiable para ambos.

Robert quería que creáramos algo único para la galería de Robert Miller. Comenzó eligiendo sus mejores retratos de mí, hizo copias a un tamaño superior al natural y amplió la fotografía que nos habíamos hecho en Coney Island en un lienzo de casi dos metros. Dibujé una serie de retratos suyos y decidí hacer varios dibujos basados en sus fotografías eróticas. Escogimos la de un hombre joven que orinaba en la boca de otro, testículos ensangrentados y un hombre agachado con un traje negro de látex. Las copias eran relativamente pequeñas y rodeé algunas de poesía y complementé otras con dibujos a lápiz.

Pensamos en filmar un cortometraje, pero nuestros recursos eran limitados. Juntamos nuestro dinero y Robert contrató a una estudiante de cinematografía, Lisa Rinzler, para que lo rodara.

No teníamos guión. Ambos dábamos por sentado que cada uno haría su papel. Cuando Robert me pidió que fuera a Bond Street para rodar el corto, dijo que tenía una sorpresa para mí. Extendí un mantel en el suelo, dejé encima el frágil vestido blanco que Robert me había regalado, las zapatillas de ballet blancas, los cascabeles indios para los tobillos, varias cintas de seda y mi Biblia, e hice un hatillo. Me sentía preparada para el rodaje y fui andando a su loft.

Me entusiasmó ver lo que Robert me tenía preparado. Era como regresar a nuestro piso de Brooklyn, donde él transformaba una habitación en una instalación viva. Había creado un entorno mítico cubrien-

Robert con Lily, 1978

Patti, Still Moving, 1978

do las paredes con redecilla blanca y dejando como único adorno una estatua de Mefistófeles.

Dejé mi hatillo en el suelo y Robert sugirió que tomáramos MDA. Yo no estaba segura de qué clase de droga era, pero confiaba plenamente en él, de modo que accedí. Cuando comenzamos a rodar, no era consciente de si me había hecho efecto o no. Estaba demasiado concentrada en mi papel. Me puse el vestido blanco y los cascabeles en los tobillos y dejé el hatillo abierto. Tenía estas cosas en mente: las Revelaciones. Comunicación. Ángeles. William Blake. Lucifer. Nacimiento. Mientras hablaba, Lisa rodaba y Robert hacía fotografías. Me guiaba sin palabras. Yo era un remo en el agua y él la mano que me manejaba con pulso firme.

En un determinado momento decidí arrancar la redecilla para destruir lo que él había creado. Levanté el brazo, agarré el borde de la tela y me quedé inmóvil, físicamente paralizada, incapaz de moverme, incapaz de hablar. Robert corrió hasta mí, me puso la mano en la muñeca y no me soltó hasta percibir que me relajaba. Me conocía tan bien, que, sin decir una palabra, me había comunicado que todo estaba bien.

El momento pasó. Me envolví en la redecilla y lo miré, y él fotografió aquel instante en movimiento. Me quité el frágil vestido y los cascabeles de los tobillos. Me puse los pantalones de peto, las botas militares, la vieja sudadera negra (mi ropa de trabajo), dejé todo lo demás encima del mantel y me eché el hatillo al hombro.

En la narración del cortometraje, había explorado ideas sobre las que Robert y yo hablábamos a menudo. El artista aspira a ponerse en contacto con su concepto intuitivo de los dioses, pero, para crear su obra, no puede permanecer en ese tentador reino incorpóreo. Debe regresar al mundo material para hacer su trabajo. Es responsabilidad del artista equilibrar la comunicación mística y el esfuerzo de la creación.

Dejé a Mefistófeles, los ángeles y los vestigios de nuestro mundo hecho a mano diciendo: «Yo elijo la Tierra».

Me fui de gira con mi banda. Robert me llamaba todos los días. «¿Estás trabajando en la exposición? ¿Estás haciendo algún dibujo?» Me iba llamando de hotel en hotel. «Patti, ¿qué estás haciendo? ¿Estás dibujando?» Se preocupaba tanto, que, cuando tuve tres días libres en Chicago, fui a una tienda de material para artistas, compré varias láminas de papel satén Arches, mi favorito, y cubrí con ellas las paredes de mi habitación de hotel. Clavé en una pared la fotografía de un joven que orinaba en la boca de otro e hice varios dibujos basados en ella. Siempre he trabajado a rachas. Cuando regresé a Nueva York con los dibujos, Robert, al principio irritado por mi desidia, estuvo muy complacido con ellos. «Patti —dijo—, ¿por qué has tardado tanto?»

Me enseñó en qué había estado trabajando para la exposición mientras yo estaba de gira. Había impreso varios fotogramas del corto. Yo había estado tan absorta en mi papel que no me había percatado de que me hubiera hecho tantas fotografías. Eran de las mejores que habíamos hecho juntos. Robert decidió titular el corto *Still Moving* porque incorporó los fotogramas al montaje definitivo. El sonido consistió en mezclar mis comentarios con música de mi guitarra eléctrica y extractos de «Gloria». Al hacerlo, Robert representaba las diversas facetas de nuestra obra: fotografía, poesía, improvisación e interpretación.

Still Moving encarnaba su visión del futuro de la expresión visual y la música, un vídeo musical artístico único en su estilo. Robert Miller lo acogió muy bien y nos dio una sala pequeña para pasarlo continuamente. Sugirió que hiciéramos un cartel y cada uno eligió una imagen del otro para reforzar nuestra fe en nosotros como artista y musa.

Nos vestimos para la inauguración en el ático de Sam Wagstaff. Robert se puso una camisa blanca remangada, un chaleco de cuero y zapatos de puntera fina. Yo, una cazadora de seda y pantalones de pitillo. Milagrosamente, a Robert le gustó mi conjunto. Asistieron personas de todos los mundos de los que habíamos formado parte desde el hotel

Chelsea. Rene Ricard, poeta y crítico de arte, reseñó la exposición y escribió un hermoso artículo donde llamaba a nuestra obra «Diario de una amistad». Yo tenía contraída una gran deuda con Rene, que a menudo me había regañado y animado a seguir cuando decidía dejar de dibujar. Mientras contemplaba los dibujos enmarcados en dorado con Robert y Rene, agradecí que ninguno de los dos me hubiera permitido darme por vencida.

Fue nuestra primera y última exposición juntos. Mi trabajo con la banda en la década de 1970 me llevaría muy lejos de Robert y de nuestro universo. Mientras estaba de gira por el mundo, tuve tiempo para reflexionar sobre el hecho de que Robert y yo no hubiéramos viajado nunca juntos. Jamás vimos nada aparte de Nueva York, salvo en los libros, y nunca nos sentamos en un avión cogidos de la mano para ascender a un nuevo cielo y bajar a una nueva tierra.

No obstante, Robert y yo habíamos explorado los límites de nuestra obra y habíamos creado un espacio para el otro. Cuando subía a los escenarios del mundo sin él, cerraba los ojos y lo imaginaba quitándose su chaqueta de cuero, entrando conmigo en la tierra infinita de las mil danzas.

⊢ ⊨⧫⊨ ⊣

Una tarde, íbamos caminando por la calle Ocho cuando oímos «Because the Night» sonando a todo volumen en un escaparate tras otro. Era mi colaboración con Bruce Springsteen, el single del álbum *Easter*. Robert fue nuestro primer oyente después de grabar la canción. Yo tenía una razón para eso. Era lo que él siempre había querido para mí. En el verano de 1978 la canción subió al decimotercer puesto de la lista de los 40 principales e hizo realidad el sueño de Robert de que un día yo tendría un disco de éxito.

Robert sonreía y caminaba al ritmo de la canción. Sacó un cigarrillo y lo encendió. Habíamos pasado por muchas cosas juntos desde que

Quinta Avenida, 1978

me había rescatado de las insinuaciones del escritor de ciencia ficción y compartimos un *ice cream* cerca de Tompkins Square.

Robert estaba claramente orgulloso de mi éxito. Lo que quería para sí, lo quería para los dos. Exhaló un hilo de humo perfecto y habló en un tono que solo utilizaba conmigo; un tono de fingido reproche, una admiración sin envidia, nuestro lenguaje de hermanos.

«Patti —dijo, arrastrando la voz—, te has hecho famosa antes que yo.»

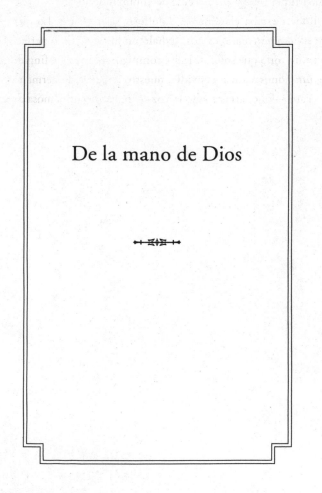

De la mano de Dios

En la primavera de 1979, me marché de Nueva York para comenzar una nueva vida con Fred Sonic Smith. Durante un tiempo, vivimos en una pequeña habitación del Book Cadillac, un hotel histórico aunque vacío del centro de Detroit. No teníamos más posesiones que sus guitarras, mis libros más queridos y mi clarinete. Así pues, estaba viviendo como había vivido con mi primer amor con el hombre que había escogido para que fuera el último. Del hombre que se convertiría en mi marido, solo deseo decir que era un rey entre los hombres y los hombres lo conocían.

Marcharme me costó, pero había llegado el momento de que siguiera por mi cuenta.

—¿Qué pasa con nosotros? —dijo Robert de repente—. Mi madre aún cree que estamos casados.

Yo no había pensado en ello.

—Supongo que tendrás que decirle que nos hemos divorciado.

—No puedo decirle eso —respondió, mirándome a los ojos—. Los católicos no se divorcian.

En Detroit, me senté en el suelo con la idea de escribir un poema para su Portfolio. Él me había regalado un puñado de flores, un ramo de fotografías que clavé en la pared. Le escribí sobre el proceso de creación, la varilla de zahorí y la vocal olvidada. Volví a ser una ciudadana normal. Eso me llevó muy lejos del mundo que conocía, pero Robert estuvo siempre en mi conciencia; la estrella azul en la constelación de mi cosmología personal.

R obert supo que tenía sida al mismo tiempo que yo descubrí que estaba encinta de mi segundo hijo. Era 1986, finales de septiembre, y los perales estaban cargados de fruta. Yo tenía síntomas parecidos a los de una gripe, pero mi intuitivo médico armenio me dijo que no estaba enferma sino en la primera fase de embarazo. «Lo que querías se ha hecho realidad», me dijo. Más tarde, mientras estaba sentada en la cocina, aún asombrada, me pareció un momento propicio para llamar a Robert.

Fred y yo habíamos comenzado a trabajar en el álbum que se convertiría en *Dream of Life* y él me sugirió que pidiera a Robert que me fotografiara para la carátula. Yo llevaba un tiempo sin verlo ni hablar con él. Me estaba preparando, reflexionando sobre la llamada que iba a hacer, cuando sonó el teléfono. Tenía a Robert tan presente que, por un instante, creí que sería él. Pero era Ina Meibach, mi amiga y asesora legal. Me dijo que tenía malas noticias y presentí de inmediato que se trataba de Robert. Había estado hospitalizado con una neumonía asociada al sida. Me quedé aturdida. Me puse la mano en la barriga de forma instintiva y empecé a llorar.

Todos los temores que una vez había abrigado parecieron materializarse con la instantaneidad de un velamen que arde en llamas. Mi premonición juvenil de que Robert se convertiría en polvo resurgió con implacable claridad. Contemplé su impaciencia por ser reconocido desde otra perspectiva, como si tuviera la fatídica línea de la vida de un joven faraón.

Me ocupé frenéticamente en cosas sin importancia, pensando en qué decir cuando, en vez de llamarlo a casa para hablar sobre volver a trabajar juntos otra vez, tuviera que telefonearle a un hospital. Para rehacerme, decidí llamar primero a Sam Wagstaff. Aunque llevaba varios años sin hablar con él, fue como si el tiempo no hubiera pasado; Sam se alegró de tener noticias mías. Le pregunté por Robert. «Está muy enfermo, el pobrecillo —respondió—, pero no está tan mal como yo.» Aquello fue otro golpe, sobre todo porque Sam, pese a ser mayor que nosotros, siempre era el más viril, inmune a los dolores físicos. Como era típico en él, dijo que la enfermedad que le estaba atacando sin piedad desde todos los frentes le parecía «un incordio».

Aunque me dolió mucho que Sam también estuviera sufriendo, el mero hecho de oír su voz me infundió valor para hacer la segunda llamada. Cuando Robert respondió el teléfono parecía débil, pero la voz se le fortaleció al oír la mía. Pese al tiempo que había pasado, hablamos como siempre, atropellando las palabras.

—Voy a poder con esto —afirmó. Lo creí con toda mi alma.

—Hasta pronto —prometí.

—Me has animado el día, Patti —dijo al colgar. Lo oigo diciendo aquello. Lo oigo ahora.

◄ ⊱ ►

En cuanto Robert estuvo lo bastante bien para salir del hospital, planeamos vernos. Fred metió sus guitarras en el maletero del coche y condujimos hasta Nueva York con nuestro hijo, Jackson. Nos registramos en el hotel Mayflower y Robert fue a recibirnos. Llevaba su largo abrigo de cuero y estaba extremadamente guapo, aunque un poco congestionado. Me tiró de las largas trenzas y me llamó Pocahontas. La energía entre nosotros era tan intensa que pareció pulverizar la habitación, poniendo de manifiesto una incandescencia que era nuestra.

Robert y yo fuimos a ver a Sam, que estaba internado en el pabellón para enfermos de sida del hospital Saint Vincent. El Sam de mente hiperdespierta, piel brillante y cuerpo fuerte yacía en su cama más o menos indefenso, perdiendo y recuperando la conciencia. Padecía cáncer de piel y tenía el cuerpo infestado de llagas. Robert fue a cogerle la mano y Sam la retiró. «No seas tonto», le regañó Robert, y la tomó en la suya con delicadeza. Canté a Sam la nana que Fred y yo habíamos compuesto para nuestro hijo.

Robert y yo fuimos andando a su nuevo loft. Ya no vivía en Bond Street, sino en un espacioso estudio de un edificio *art déco* situado en la calle Veintitrés, a solo dos manzanas del Chelsea. Estaba optimista y seguro de que sobreviviría, satisfecho de su obra, de su éxito y de sus posesiones. «Me ha ido bien, ¿verdad?», dijo con orgullo. Examiné la habitación con mis ojos: un Cristo de marfil, una figura de mármol blanco de un Cupido durmiente; unos sillones y un aparador Stickley; una exquisita colección de jarrones de Gustavsberg. Lo que más me gustó fue su escritorio. Diseñado por Gio Ponti, era de madera de raíz de nogal y tenía una superficie en voladizo para escribir. Los compartimientos forrados de madera veteada estaban adornados como un altar con talismanes y plumas estilográficas.

Sobre el escritorio, había un tríptico de oro y plata con la fotografía que me había sacado en 1973 para la tapa de *Witt*. Había elegido una de mis expresiones más puras, invertido el negativo y creado un reflejo exacto, con un panel violeta en el centro. El violeta había sido nuestro color, el color del collar persa.

«Sí —dije—. Te ha ido bien.»

En las semanas siguientes, Robert me fotografió varias veces. En una de nuestras últimas sesiones, yo llevaba mi vestido negro favorito. Él me dio una mariposa morfo azul montada en un alfiler de costura

con la cabeza de vidrio. Sacó una polaroid en color. Todo salió negro o blanco en contraste con la iridiscente mariposa azul, un símbolo de inmortalidad.

Como de costumbre, Robert estaba muy ilusionado por enseñarme sus nuevas creaciones. Grandes copias al platino sobre lienzo, transferencias de color de unos lirios. La imagen de Thomas y Dovanna, un hombre negro desnudo y una mujer vestida de blanco que bailan abrazados, flanqueados por telas blancas de satén. Nos paramos delante de una obra que acababa de llegar, con un marco diseñado por él: Thomas en una postura olímpica dentro de un círculo negro. «Es una genialidad, ¿verdad?», dijo. Su tono de voz, la familiaridad de aquellas palabras, me cortó la respiración. «Sí, es una genialidad.»

Cuando me reincorporé a la rutina de mi vida diaria en Michigan, me descubrí añorando la presencia de Robert; yo nos echaba de menos. El teléfono, que solía rehuir, se convirtió en nuestro cordón umbilical y hablábamos a menudo, aunque a veces las llamadas estaban dominadas por la creciente tos de Robert. El día de mi cumpleaños, expresó su preocupación por Sam.

El día de Año Nuevo, llamé a Sam. Acababan de hacerle una transfusión de sangre y parecía extraordinariamente seguro de sí mismo. Dijo que se sentía transformado en un hombre que iba a sobrevivir. Coleccionista donde los haya, quería regresar a Japón, donde había viajado con Robert, porque había un juego de té con una caja lacada azul que codiciaba muchísimo. Me pidió que volviera a cantarle la nana y lo complací.

Justo cuando estábamos a punto de despedirnos, me hizo el regalo de contarme una más de sus chocantes historias. Conociendo mi afecto por el gran escultor, dijo:

—Peggy Guggenheim me explicó una vez que cuando le hacía el amor, Brancusi le prohibía terminantemente que le tocara la barba.

—Lo recordaré —respondí— cuando me lo encuentre en el cielo.

El 14 de enero, recibí una llamada desconsolada de Robert. Sam, su robusto amor y mecenas, había fallecido. Habían capeado dolorosos cambios en su relación, y las lenguas viperinas y la envidia de otras personas, pero no podían detener el curso de su terrible fortuna. Robert estaba destrozado por la pérdida de Sam, el baluarte de su vida.

La muerte de Sam también ensombreció sus esperanzas de recuperarse. Para consolarlo, compuse la letra y Fred la música de «Paths That Cross», una especie de canción sufí en memoria de Sam. Aunque Robert agradeció la canción, yo sabía que un día quizá tendría que repetirme aquellas mismas palabras. «Los caminos que se cruzan volverán a cruzarse.»

Regresamos a Nueva York el día de San Valentín. Robert tenía fiebre intermitente y sufría trastornos gástricos recurrentes, pero estaba extremadamente activo.

Pasé gran parte de los días siguientes grabando con Fred en el estudio Hit Factory. Íbamos retrasados porque mi embarazo se estaba haciendo más pronunciado y empezaba a costarme cantar. Me esperaban en el estudio cuando Robert me llamó angustiadísimo para decirme que Andy Warhol había muerto.

«No tenía que morirse», gritó, con cierta desesperación y malhumor, como un niño consentido. Pero oí otros pensamientos entre nosotros.

Ni tú tampoco.

Ni yo tampoco.

No dijimos nada. Colgamos a regañadientes.

Estaba nevando cuando pasé por delante de un cementerio cerrado por una verja de hierro. Advertí que estaba rezando al ritmo de mis pies. Apreté el paso. Era una tarde hermosa. La nieve, que hasta el momento había sido liviana, comenzó a caer con fuerza. Me arrebujé en el abrigo. Me encontraba en mi quinto mes de embarazo y el bebé se movió dentro de mí.

El estudio estaba caldeado y bien iluminado. Richard Sohl, mi querido pianista, abandonó su puesto para hacerme café. Los músicos nos reunimos. Era nuestra última noche en Nueva York hasta que yo diera a luz. Fred dijo unas palabras sobre el fallecimiento de Warhol. Grabamos «Up There Down There». En mitad de la sesión alcé la imagen de un cisne trompetero, el cisne de mi infancia.

Salí a la oscuridad de la noche. Había dejado de nevar y parecía que la ciudad entera, en conmemoración de Andy, estuviera cubierta por un manto de nieve intacta, blanca y evanescente como sus cabellos.

<hr/>

Volvimos a reunirnos todos en Los Ángeles. Robert, que estaba visitando a su hermano menor, Edward, decidió hacer allí la fotografía para la carátula mientras que Fred y yo terminábamos el álbum con nuestro coproductor, Jimmy Iovine.

Robert estaba pálido y las manos le temblaron cuando se preparó para fotografiarme delante de un grupo de mortecinas palmeras bajo un sol de justicia. Cuando se le cayó el fotómetro, Edward se agachó para recogerlo. Robert no se encontraba bien, pero, de algún modo, sacó fuerzas de flaqueza e hizo la fotografía. Aquel momento estuvo impregnado de confianza, compasión y el sentido de la ironía que compartíamos. Él llevaba muerte dentro de sí y yo llevaba vida. Los dos éramos conscientes de aquello, lo sé.

Fue una fotografía sencilla. Llevo una trenza como la de Frida Kahlo. El sol incide en mis ojos. Miro a Robert y él está vivo.

Más tarde, Robert asistió a la grabación de la nana que Fred y yo habíamos compuesto para nuestro hijo Jackson. Era la canción que le había cantado a Sam Wagstaff. Había un guiño a Robert en la segunda estrofa: «Estrellita azul que das luz». Él estaba en la sala de control, sentado en un sofá. Yo siempre recordaría la fecha. Era el 19 de marzo, el cumpleaños de mi madre.

Richard Sohl estaba al piano. Yo lo tenía enfrente. Grabábamos en directo. El bebé se movió en mi vientre. Richard preguntó a Fred si tenía alguna instrucción especial. «Hazles llorar, Richard», fue todo lo que dijo. Tuvimos un comienzo fallido. En el segundo intento, echamos toda la carne en el asador. Cuando terminé, Richard repitió los acordes finales. Miré la sala de control por el cristal. Robert se había quedado dormido en el sofá y Fred estaba solo, sollozando.

❋

El 27 de junio de 1987, nuestra hija, Jesse Paris Smith, vino al mundo en Detroit. Un arco iris doble surcó el cielo y me sentí optimista. El día de Todos los Santos, listos para terminar el álbum que habíamos pos-

Última polaroid, 1988

puesto, nos subimos de nuevo al coche con nuestros dos hijos y viajamos a Nueva York. En el largo trayecto, pensé en ver a Robert y lo imaginé cogiendo a mi hija en brazos.

Robert estaba en su loft, celebrando el cuarenta y un cumpleaños con champán, caviar y orquídeas blancas. Esa mañana me senté al escritorio del hotel Mayflower y le escribí la canción «Wild Leaves», pero no se la regalé. Aunque intentaba escribirle un poema lírico inmortal, me pareció lamentablemente mortal.

Algunos días después, Robert me fotografió con la chaqueta de aviador de Fred para la carátula del single que proyectábamos hacer, «People Have the Power». Cuando Fred la miró, dijo: «No sé cómo lo hace, pero todas sus fotografías de ti se parecen a él».

Robert no veía el momento de sacarnos nuestro retrato de familia. La tarde que llegamos estaba elegante y muy guapo, aunque salió de la habitación con frecuencia porque le entraban náuseas. Lo observé con impotencia mientras él, siempre estoico, restaba importancia a su sufrimiento.

Solo sacó un puñado de fotografías, aunque, de hecho, eso era todo lo que siempre había necesitado. Vivaces retratos de Jackson, Fred y yo juntos, de los cuatro, y entonces, justo cuando íbamos a marcharnos, nos detuvo. «Espera un momento. Deja que te haga una con Jesse.»

Cogí a Jesse en brazos y ella alargó la mano hacia él, sonriendo. «Patti —dijo Robert, apretando el obturador—. La niña es perfecta.»

Fue nuestra última fotografía.

┄┅╪┅┄

A primera vista, Robert parecía tener todo lo que había deseado. Estuvimos sentados en su loft una tarde, rodeados de las pruebas de su floreciente éxito. El estudio ideal, un patrimonio exquisito y los recursos para ejecutar todos sus proyectos. Se había convertido en un hombre; pero, en su presencia, yo seguía sintiéndome una adolescente. Me regaló una tela india de lino, un cuaderno y un cuervo de papel maché. Las minucias que había reunido durante nuestra larga separación. Intentamos llenar los vacíos: «Ponía canciones de Tim Hardin a mis amantes y les hablaba de ti. Hice fotografías para una traducción de *Una temporada en el infierno* por ti». Le dije que siempre había estado conmigo, que había sido parte de lo que soy, como lo es en este momento.

Protector donde los haya, me prometió, como hizo una vez en la habitación delantera de la calle Veintitrés, que, en caso de necesidad, podíamos compartir un hogar verdadero.

—Si le pasa algo a Fred, por favor, no te preocupes. Voy a comprarme una casa, una como la que tenía Warhol. Puedes venirte a vivir conmigo. Te ayudaré a educar a tus hijos.

—A Fred no va a pasarle nada —le aseguré. Él apartó la mirada.

—Nosotros no hemos tenido hijos —dijo, con tristeza.

—Nuestra obra ha sido nuestros hijos.

Ya no recuerdo con exactitud la cronología exacta de aquellos últimos meses. Dejé de llevar un diario, por desánimo tal vez. Fred y yo íbamos y veníamos de Detroit a Nueva York, por trabajo y por Robert. Mejoraba. Trabajaba. Volvía al hospital. Y, al final, su loft se convirtió en su enfermería.

Las despedidas eran siempre desgarradoras. Yo tenía la obsesión de que, si me quedaba con él, Robert viviría. No obstante, también lidiaba con un creciente sentimiento de resignación. Me avergonzaba de él, porque Robert había luchado como si pudiera curarse a base de voluntad. Lo había intentado todo, de la ciencia al vudú, todo salvo rezar. Aquello, al menos, yo se lo podía dar en abundancia. Rezaba por él sin cesar, una apremiante oración humana. No por su vida, nadie podía morir en su lugar, sino por la fortaleza para soportar lo insoportable.

A mediados de febrero, temiéndonos lo peor, cogimos un avión a Nueva York. Fui a ver a Robert sola. Había muchísimo silencio. Me di cuenta de que se debía a la ausencia de su horrible tos. Me quedé junto a su silla de ruedas vacía. La imagen de Lynn Davis de un iceberg, alzándose como un torso torneado por la naturaleza, dominaba la pared. Robert tenía un gato blanco, una serpiente blanca, y había un folleto de equipos estéreo blancos en la mesa blanca diseñada por él. Advertí que había añadido un cuadrado blanco a la negrura que rodeaba su fotografía de un Cupido durmiente.

No había nadie más que su enfermera, que nos dejó solos. Me acerqué a su cama y le cogí la mano. Nos quedamos mucho rato así, sin decir nada. De pronto, Robert alzó la vista y dijo: «Patti, ¿nos la ha jugado el arte?».

Aparté la mirada, sin querer pensar en ello. «No lo sé, Robert. No lo sé.»

Quizá lo había hecho, pero nadie podía lamentar eso. Solo un loco lamentaría que el arte se la jugara; o un santo. Robert me hizo una seña para que lo ayudara a levantarse y vaciló. «Patti —dijo—. Me estoy muriendo. Duele muchísimo.»

Me miró, su mirada de amor y reproche. Mi amor por él no podía salvarlo. Su amor a la vida no podía salvarlo. Fue la primera vez que realmente supe que iba a morir. Estaba sufriendo un tormento físico que ningún hombre debería soportar. Me miró con tal aire de disculpa que fue insoportable y me deshice en lágrimas. Él me reprendió, pero me abrazó. Intenté animarme, pero era demasiado tarde. No me quedaba nada más que darle salvo amor. Lo ayudé a sentarse en el sofá. Gracias a Dios, no tosió y se quedó dormido con la cabeza apoyada en mi hombro.

La luz entraba a raudales por las ventanas y bañaba sus fotografías y el poema que componíamos nosotros dos sentados juntos por última vez. Robert muriéndose: creando silencio. Yo, destinada a vivir, prestando oído a un silencio que tardaría toda una vida en expresar.

Querido Robert:

Cuando no puedo dormir, a menudo me pregunto si tú tampoco puedes. ¿Tienes dolor o te sientes solo? Tú me sacaste del período más aciago de mi joven vida y compartiste conmigo el sagrado misterio de lo que es ser artista. Aprendí a ver a través de ti y jamás he compuesto un verso ni he dibujado una curva que no provenga de los conocimientos que obtuve en nuestra preciada vida juntos. Tu obra, que emana de una fuente fluida, tiene su origen en la candorosa canción de tu juventud. Entonces hablabas de dar la mano a Dios. Recuerda que, en todo lo que has pasado, siempre has ido de esa mano. Cógela fuerte, Robert, y no la sueltes.

La otra tarde, cuando te quedaste dormido en mi hombro, también yo me dormí. Pero antes de hacerlo pensé, mientras miraba todas tus cosas y creaciones, y repasaba tus años de trabajo, que de todas tus obras, tú continúas siendo la más bella. La obra más bella de todas.

PATTI

❋

Él sería un manto asfixiante, un pétalo de terciopelo. No era la idea lo que lo atormentaba, sino su forma. Se le introducía en el cuerpo como un espíritu infernal y el corazón comenzaba a palpitarle tan fuerte, tan arrítmicamente, que la piel le vibraba y se sentía como si estuviera bajo una máscara morbosa, sensual pero asfixiante.

Yo creía que estaría presente cuando muriera, pero no fue así. Seguí las etapas de su transición hasta casi las once, cuando lo oí por última vez, respirando con tanta fuerza que velaba la voz de su hermano al teléfono. Por una razón u otra, aquel sonido me causó una extraña alegría mientras subía las escaleras para acostarme. Sigue vivo, pensaba. Sigue vivo.

⊷ ⛎ ⊷

Robert murió el 9 de marzo de 1989. Cuando su hermano me llamó por la mañana, mantuve la calma, porque ya me lo esperaba. Me quedé sentada y escuché el aria de *Tosca* con un libro abierto en las rodillas. De pronto me di cuenta de que estaba temblando. Me invadió un sentimiento de excitación, de aceleración, como si, debido a mi intimidad con Robert, estuviera participando de su nueva aventura, del milagro de su muerte.

Aquella exaltación me acompañó durante algunos días. Estaba segura de que era indetectable. Pero mi dolor quizá fuera más evidente de lo que pensaba, porque mi marido hizo las maletas y pusimos rumbo al sur. Encontramos un motel junto al mar y pasamos la Semana Santa allí. Paseé por la playa desierta con mi gabardina negra. Dentro de sus holgados pliegues asimétricos me sentía como una princesa o un monje. Sé que a Robert le habría gustado aquella imagen: un cielo blanco, un mar gris y aquella singular gabardina negra.

Finalmente, junto al mar, donde Dios es omnipresente, me fui serenando. Miré el cielo. Las nubes tenían los colores de Rafael. Una rosa herida. Me pareció que la había pintado él mismo. Lo verás. Lo conocerás. Conocerás su mano. Pensé aquellas palabras y supe que un día vería un cielo dibujado por la mano de Robert.

Se me ocurrieron palabras y luego una melodía. Llevaba mocasines y caminé por la orilla del agua. Había transformado los tortuosos aspectos de mi dolor y los había desplegado como una tela reluciente, una canción en memoria de Robert.

> *El pajarito esmeralda quiere salir volando.*
> *Si ahueco la mano, ¿puedo lograr que se quede?*
> *Alma esmeralda, ojito esmeralda.*
> *Pajarito esmeralda, ¿debemos decirnos adiós?*

A lo lejos, oí que me llamaban. Las voces de mis hijos. Echaron a correr hacia mí. En aquel lapso de atemporalidad, me detuve. De pronto lo vi, sus ojos verdes, sus rizos oscuros. Oí su voz más fuerte que las gaviotas, su risa infantil, y el rugido de las olas.

Sonríe por mí, Patti, porque yo sonrío por ti.

⊷ ⬛ ⊷

Después de que Robert falleciera, me moría por tener sus pertenencias, algunas de las cuales habían sido nuestras. Soñaba con tener sus zapatillas. Las había llevado al final de su vida, unas zapatillas belgas de color negro con sus iniciales bordadas en hilo dorado. Me moría por tener su escritorio y su silla. Los subastarían con sus otros objetos de valor en Christie's. Me quedaba en la cama despierta pensando en esos objetos, obsesionándome tanto que caí enferma. Podría haber pujado por ellos, pero no soportaba la idea; su escritorio y su silla pasaron a manos desconocidas. No podía dejar de pensar en lo que Robert decía cuando se obsesionaba con algo que no podía tener. «Soy un cabrón egoísta. Si no puedo tenerlo yo, no quiero que lo tenga nadie.»

¿Por qué no puedo escribir algo que resucite a los muertos? Ese es mi afán más hondo. Superé la pérdida de su escritorio y su silla, pero nunca el deseo de crear una sarta de palabras más valiosas que las esmeraldas de Hernán Cortés. Pero tengo un mechón suyo, un puñado de sus cenizas, una caja con sus cartas, una pandereta de piel de cabra. Y entre los pliegues de un descolorido papel de seda violeta, un collar, dos placas violetas inscritas en árabe, ensartadas en hilos negros y plateados, que un día me regaló el muchacho que adoraba a Miguel Ángel.

Nos despedimos y salí de su habitación. Pero algo me impulsó a regresar. Se había quedado dormido. Lo miré. Tan sereno como un niño viejo. Abrió los ojos y sonrió. «¿Ya has vuelto?» Y luego se durmió otra vez.

Así pues, mi última imagen fue como la primera. Un joven dormido bañado de luz que abrió los ojos y sonrió con complicidad a una persona que jamás había sido una desconocida.

Agradecimientos

Antes de que Robert muriera, le prometí que un día escribiría nuestra historia. Quiero expresar mi hondo aprecio a Betsy Lerner y a todos los que me han alentado y ayudado a mantener mi promesa.

Lenny Kaye   Rosemary Carroll   Daniel Halpern   Edward Mapplethorpe   Sharon Delano   Judy Linn   Andi Ostrowe Oliver Ray   Nancy M. Rooney   Janet Hamill   David Croland Abigail Holstein   Lynn Davis   Steven Sebring   Linda Smith Bianucci   Renaud Donnedieu de Vabres y Jesse Paris Smith

Fotografías e ilustraciones

Cortesía del Archivo de Patti Smith: frontispicio, 24, 51.

Imágenes de fotomatón: 218, 301.

Polaroid de Robert Mapplethorpe: 288.

© Patti Smith: 115, 223, 244, 247.

© Cortesía del Archivo de Edward Mapplethorpe: 25.

© Todas las obras de Mapplethorpe © Robert Mapplethorpe Foundation, Inc. Publicadas con autorización: 146, 209, 240, 267, 271, 275, 284.

© Cortesía de la galería de Robert Miller: 87 (*Autorretrato*, 1968), 270 (*Robert con Lily*, 1978).

© Lloyd Ziff. Publicadas con autorización: 56, 64.

© Linda Smith Bianucci. Publicada con autorización: 93.

© Judy Linn. Publicadas con autorización: 152, 158, 161, 162, 163, 253, 295.

© Gerard Malanga. Publicada con autorización: 217.

Fotomatón, calle Cuarenta y dos, 1969